GOLDMANN
ARKANA

Buch

Stellen Sie sich vor, Sie könnten Gott die schwierigsten Fragen über die Existenz hier auf Erden stellen – Fragen über die Liebe, das Leben, den Tod, über Gut und Böse. Und stellen Sie sich vor, dass Gott Ihnen auf jede Ihrer Fragen ganz unmittelbar und verständlich antwortet. Neale Donald Walsch machte diese Erfahrung. Sein außergewöhnliches Buch besteht aus neugierigen, allzu menschlichen Fragen und liebevollen, weisen göttlichen Antworten. Ein Dialog der anderen Art entspinnt sich, der in diesem Band vor allem um Probleme und Fragen des individuellen Schicksals kreist. Eine behutsame, einfühlende Erörterung und dabei eine große, warme Umarmung Gottes. Den von den Religionen propagierten Gottesvorstellungen setzt Walsch sein zeitgemäßes, psychologisch aufgeklärtes Gottesbild entgegen. Gerade im deutschsprachigen Raum hat sich Walsch damit eine riesige, engagierte Anhänger- und Leserschaft erworben.

Autor

Neale Donald Walsch arbeitete als Journalist und Verleger, war Programmdirektor eines Rundfunksenders, Pressesprecher und gründete eine erfolgreiche Werbe- und Marketing-Firma. In einer schweren Krise richtete er seine Stimme an Gott. Zeugnis dieser Öffnung sind die »Gespräche mit Gott«, die den Beginn einer außergewöhnlichen Beziehung markieren. Heute widmet sich Walsch ganz der Aufgabe, die Botschaften seiner Bücher durch Publikationen, Vorträge und Retreats für spirituelle Erneuerung zu verbreiten. Er lebt in Ashland, Oregon.

Von Neale Donald Walsch sind bei Goldmann außerdem
erschienen:

Gespräche mit Gott, Band 1 (HC-Ausgabe, 30737), **Gespräche mit Gott, Band 2** (HC-Ausgabe 33612 und TB 21838), **Gespräche mit Gott, Band 3** (30627), **Gespräche mit Gott, Arbeitsbuch** (21559), **Gemeinschaft mit Gott** (21809), **Freundschaft mit Gott** (HC-Ausgabe 33632 und TB 21674), **Neue Offenbarungen** (21817), **Gott heute** (33704), **Beziehungen** (33629), **Rechtes Leben und Fülle** (33630 und TB 21615), **Zuhause in Gott** (33762), **Fragen und Antworten zu »Gespräche mit Gott«** (21611), **Gespräche mit Gott – Für Jugendliche** (21617), **Gott erfahren** (TB 21626), **Was Gott will** (21750)

NEALE DONALD WALSCH

Gespräche mit Gott

Ein ungewöhnlicher Dialog

Band 1

Aus dem Englischen von Susanne Kahn-Ackermann

GOLDMANN
ARKANA

Die amerikanische Originalausgabe erschien 1996 unter dem Titel
»Conversations with God« bei Putnam, New York.
Die deutsche Erstausgabe erschien 1997 im Goldmann Verlag,
München.

FSC

Mix

Produktgruppe aus vorbildlich
bewirtschafteten Wäldern und
anderen kontrollierten Herkünften

Zert.-Nr. SGS-COC-1940
www.fsc.org
© 1996 Forest Stewardship Council

Verlagsgruppe Random House FSC-Deu-0100
Das FSC-zertifizierte Papier *München Super* für Taschenbücher aus dem
Goldmann Verlag liefert Mochenwangen Papier.

6. Auflage
Vollständige Taschenbuchausgabe November 2006
© 1997 der deutschsprachigen Ausgabe
Wilhelm Goldmann Verlag, München
in der Verlagsgruppe Random House GmbH
© 1996 Neale Donald Walsch
Umschlaggestaltung: Design Team München
Umschlagmotiv: Louis Jones
Satz: Barbara Rabus
Druck und Bindung: GGP Media GmbH, Pößneck
WL · Herstellung: CZ
Printed in Germany
ISBN 978-3-442-21786-1

www.arkana-verlag.de

Für

A<small>NNE</small> W. W<small>ALSCH</small>,

die mich nicht nur lehrte, daß Gott existiert,
sondern meinen Geist auch für die wundersame
Wahrheit öffnete, daß Gott mein bester Freund ist,
und die mir weit mehr war als eine Mutter.
Sie gebar *in* mir auch eine Sehnsucht nach
und eine Liebe zu Gott und zu allem, was gut ist.
Mom war meine erste Begegnung mit einem Engel.

Und für

A<small>LEX</small> M. W<small>ALSCH</small>,

der mir immer wieder in meinem Leben sagte:
»Mach dir nichts draus.« –
»Du brauchst ein Nein nicht hinzunehmen.« –
»Du bist deines eigenen Glückes Schmied.«
und
»Wo das herkommt, gibt's noch mehr.«
Dad war meine erste Erfahrung von Furchtlosigkeit.

Danksagung

Erstens, letztens und allezeit möchte ich der großen Quelle von allem, was in diesem Buch enthalten ist, von allem, was Leben ist und Leben gibt, Dank sagen.

Zweitens möchte ich meinen spirituellen Lehrern und Lehrerinnen danken einschließlich der Heiligen und Weisen aller Religionen.

Drittens ist mir klar, daß wir alle eine ganze Reihe von Menschen nennen könnten, die unser Leben auf so bedeutsame und tiefgehende Weise berührt haben, daß sie sich einer Kategorisierung oder Beschreibung entziehen: Menschen, die ihre Weisheit mit uns teilten, uns ihre Wahrheit erzählten, mit unendlicher Geduld unsere Fehler und Schwächen ertrugen und uns in allen Höhen und Tiefen zur Seite standen; die das Beste in uns sahen, das zu sehen war. Menschen, die in ihrer Akzeptanz unserer Person wie auch in ihrer *Weigerung*, jene Teile von uns zu akzeptieren, die wir, wie sie wußten, nicht wirklich wählten, uns zu unserem Wachstum veranlaßten; dazu brachten, irgendwie *größer* zu werden.

Zu den Menschen, die – neben meinen Eltern – in diesem Sinn für mich da waren, gehören Samantha Gorski, Tara-Jenelle Walsch, Wayne Davis, Bryan Walsch, Martha Wright, der verstorbene Ben Wills jr., Roland Chambers, Dan Higgs, C. Berry Carter II., Ellen Moyer, Anne Blackwell, Dawn Dancing Free, Ed Keller, Lyman W. (Bill) Griswold, Elisabeth Kübler-Ross und der liebe, liebe Terry Cole Witthaker.

Zu den genannten Personen möchte ich auch meine ehemaligen Lebensgefährtinnen rechnen, deren Privatsphäre ich respektiere und sie deshalb nicht mit Namen nenne, deren Beitrag zu meinem Leben ich jedoch zutiefst verinnerliche und zu würdigen weiß.

Ich bin aus ganzem Herzen dankbar für die Geschenke, die ich von ihnen allen erhalten habe. Und mir wird besonders warm ums Herz beim Gedanken an meine Helferin, Gattin und Partnerin, Nancy Fleming Walsch, eine Frau von außerordentlicher Weisheit, Liebe und enormem Mitgefühl, die mir zeigte, daß meine höchsten Gedanken über Beziehungen nicht Phantasie zu bleiben brauchen, sondern zu wahrgewordenen Träumen werden können.

Viertens schließlich möchte ich einigen Menschen meine Anerkennung aussprechen, denen ich niemals begegnet bin, aber deren Leben und Arbeit mich so stark beeinflußt haben, daß ihnen an dieser Stelle mein tiefster Dank gilt für die Momente des außerordentlichen Vergnügens, der Einsichten in die menschlichen Bedingungen und der reinen, einfachen *Lebensgefühligkeit* (eine Wortschöpfung von mir!), die sie mir geschenkt haben.

Wissen Sie, wie es ist, wenn Ihnen jemand einen Geschmack, einen herrlichen Moment von dem vermittelt hat, *was wirklich wahr im Leben ist?* In meinem Fall waren dies meist Künstler der einen oder anderen Art. Ich werde durch die Kunst inspiriert, in ihre Bereiche ziehe ich mich in Momenten der Besinnung zurück, und in ihr finde ich das am schönsten ausgedrückt, was wir Gott nennen.

Und daher möchte ich mich bedanken bei John Denver, dessen Songs meine Seele berühren und mich mit einer neuen Hoffnung auf das, was das Leben sein könnte, erfüllen; Richard Bach, dessen Bücher in mein Leben hineinreichen, als wären sie meine eigenen, da sie soviel von meiner persönlichen Erfahrung beschreiben; Barbra Streisand, deren regieführende, schauspielerische und musikalische hohe Kunst mich immer wieder ergreift und mein Herz *fühlen* und nicht nur wissen läßt, was wahr ist; und dem verstorbenen Robert Heinlein, dessen visionäre Romane in einer Weise Fragen aufwarfen und Antworten umrissen, wie sich ihnen kein anderer auch nur anzunähern wagte.

Einleitung

Sie sind dabei, eine außergewöhnliche Erfahrung zu machen: Sie werden eine Unterhaltung mit Gott führen. Ja, ja, ich weiß – das ist unmöglich. Sie denken wahrscheinlich (oder es wurde Ihnen so beigebracht), *daß dies nicht möglich ist.* Sicher kann man *zu* Gott sprechen, aber nicht *mit* ihm. Ich meine, Gott wird sich seinerseits nicht auf ein Gespräch *mit Ihnen* einlassen – zumindest nicht in Form einer ganz gewöhnlichen und alltäglichen Unterhaltung, richtig?

Das dachte ich auch. Dann wurde mir dieses Buch zuteil. Ich meine das wortwörtlich: Es wurde nicht *von* mir verfaßt, es ist mir widerfahren. Und das wird auch Ihnen geschehen, wenn Sie es lesen, denn *wir alle werden zu der Wahrheit geführt, für die wir bereit sind.*

Mein Leben wäre wahrscheinlich sehr viel leichter, wenn ich das Ganze für mich behalten hätte. Doch das war nicht der Grund, warum dies alles geschah. Und welche Unannehmlichkeiten auch immer mir dieses Buch bescheren mag (daß man mich zum Beispiel der Blasphemie bezichtigen, mich einen Betrüger, einen Heuchler nennen wird, weil ich in der Vergangenheit nicht nach diesen Wahrheiten gelebt habe, oder daß man mich – vielleicht noch schlimmer – für einen Heiligen hält), ich kann diesen Prozeß nun keinesfalls mehr aufhalten. Und ich will es auch nicht. Ich hatte die Chance, die ganze Sache fallenzulassen, und nahm sie nicht wahr. Ich habe mich entschlossen,

11

mich an das zu halten, was mir mein Instinkt sagt, statt mich auf das Urteil des Großteils der Allgemeinheit über dieses Material zu verlassen.

Mein Instinkt sagt mir, daß dieses Buch kein Unsinn ist, nicht die Ausgeburt einer frustrierten spirituellen Phantasie oder einfach die Selbstrechtfertigung eines Mannes angesichts seines mißgeleiteten Lebens. Natürlich habe ich alle diese Aspekte ins Kalkül gezogen – jede einzelne dieser Möglichkeiten. Deshalb gab ich dieses Material noch in Manuskriptform einigen Leuten zu lesen. Sie waren bewegt. Und sie weinten. Und sie lachten über die Freude und den Humor, die sich darin finden. Sie fühlten sich bestärkt, ermächtigt.

Viele sagten, es habe sie verwandelt.

Da wußte ich, daß dies ein für alle bestimmtes Buch war und veröffentlicht werden *mußte;* denn es ist ein wunderbares Geschenk für all jene, die wirklich Antworten haben wollen und denen wirklich an den Fragen liegt; für alle die, die sich ehrlichen Herzens, mit sehnsüchtiger Seele und aufgeschlossenem Geist auf die Suche nach der Wahrheit begeben haben. Und das sind ja wohl weitgehend *alle von uns.*

Dieses Buch geht auf die meisten – wenn nicht alle – Fragen ein, die wir uns über das Leben und die Liebe, den Sinn und Zweck, die Menschen und Beziehungen, Gut und Böse, Schuld und Sünde, Vergebung und Erlösung, den Weg zu Gott und die Straße zur Hölle gestellt haben. Es spricht direkt die Themen Sex, Macht, Kinder, Ehe, Scheidung, Lebensaufgabe, Gesundheit, das Danach und das Davor des Jetzt an. Es befaßt sich mit Krieg und Frieden, Wissen und

Nichtwissen, Geben und Nehmen, Freude und Leid. Es wirft einen Blick auf das Konkrete und Abstrakte, das Sichtbare und das Unsichtbare, die Wahrheit und die Unwahrheit.

Man könnte sagen, dieses Buch enthält das »neueste Wort Gottes zu den Dingen«, obschon manche Leute gewisse Schwierigkeiten damit haben dürften, vor allem wenn sie glauben, daß Gott vor zweitausend Jahren zu sprechen aufgehört hat oder daß er, falls er doch weiterhin kommunizierte, dies nur mit heiligen Männern, Medizinfrauen oder Menschen tat, die dreißig oder immerhin zwanzig oder wenigstens halbwegs anstandshalber zehn Jahre meditiert haben (und keine dieser Voraussetzungen trifft auf mich zu).

In Wahrheit spricht Gott zu jedermann: zu den Guten und den Schlechten, zu den Heiligen und den Schurken. Und sicherlich zu allen, die sich zwischen solchen Extremen bewegen. Nehmen Sie zum Beispiel sich selbst. Gott trat auf vielen Wegen in Ihr Leben, und dies ist nur noch ein weiterer davon. Wie oft haben Sie diesen alten Grundsatz gehört: Wenn der Schüler bereit ist, tritt der Lehrer in Erscheinung? Dieses Buch ist unser Lehrer.

Kurz nachdem mir dieses Material zuteil wurde, wußte ich, daß ich mit Gott sprach – direkt, persönlich, unwiderlegbar. Und daß Gott auf meine Fragen genau in dem Maße antwortete, wie es meiner Verständnisfähigkeit entsprach. Das heißt, mir wurde auf eine Weise und in einer Sprache geantwortet, die ich, wie Gott wußte, verstand. Das erklärt den weitgehend umgangssprachlichen Stil des Textes und die gelegentlichen Hinweise auf Material, das ich aus anderen Quellen und aufgrund früherer Erfahrungen meines Lebens gesammelt hatte. Ich weiß jetzt, daß ich alles, was mir je in meinem Leben widerfuhr, *Gott zu verdanken habe,* und daß dies nun samt und sonders zu einer großartigen, vollständigen Antwort auf *alle Fragen, die mich je beschäftigten,* zusammengezogen, zusammengeführt wurde.

Und irgendwann im Verlauf dieses Prozesses fing ich an zu begreifen, daß hier ein Buch zustande kam – ein Buch, das zur Veröffentlichung gedacht war. Das heißt, es wurde mir im letzten Teil des Dialogs (Februar 1993) ausdrücklich gesagt, daß tatsächlich *drei* Bücher entstehen würden – in drei aufeinanderfolgenden Jahren jeweils von Ostersonntag bis Ostersonntag – und daß

– das erste sich hauptsächlich mit persönlichen Themen befassen, sich auf die Herausforderungen und Möglichkeiten des persönlichen Lebens konzentrieren würde;

– das zweite Buch sich mit globaleren Themen des geopolitischen und metaphysischen Lebens auf dem Planeten und mit den Herausforderungen, welche die Welt nun zu bewältigen hat, befassen würde;

– das dritte Buch sich den universellen Wahrheiten der höchsten Ordnung und den Herausforderungen und Möglichkeiten der Seele widmen würde.

Dies ist das erste dieser Bücher, das im Februar 1993 abgeschlossen wurde. Um der Klarheit willen sollte ich erläutern, daß ich diesen Dialog mit der Hand schrieb und Worte und Sätze, die mir mit besonderer Nachdrücklichkeit kamen – so als verkündete sie Gott mit erhobener Stimme –, unterstrich oder einkringelte, die dann später kursiv gesetzt wurden.

14

Nun muß ich noch sagen, daß, nachdem ich diesen Text mit seiner darin enthaltenen Weisheit immer wieder durchgelesen habe, ich mich für mein Leben fürchterlich schäme, das sich durch ständige Fehler und Vergehen auszeichnet, durch ein paar sehr schändliche Verhaltensweisen und einige Entscheidungen und Entschlüsse, die andere mit Sicherheit verletzend und unverzeihlich finden. Es reut mich zutiefst, daß es durch das Leid anderer geschah, doch ich bin auch unaussprechlich dankbar für alles, was ich gelernt habe und immer noch, um der Menschen in meinem Leben willen, zu lernen habe. Ich entschuldige mich bei allen für mein langsames Lernen. Doch Gott hat mich ermuntert, mir auch Vergebung für meine Fehler und mein Versagen zuzugestehen und nicht in Furcht und mit Schuldgefühlen zu leben, sondern immer weiter und unentwegt danach zu streben, eine erhabenere Vision zu erlangen.

Und ich weiß, daß Gott dies für uns alle will.

Neale Donald Walsch
Central Point, Oregon

1

Im Frühjahr 1992 – so um Ostern herum, wie ich mich entsinne – ereignete sich in meinem Leben ein außergewöhnliches Phänomen. Gott begann mit Ihnen zu sprechen – und zwar durch meine Person.

Lassen Sie mich das erklären.

Ich war zu dieser Zeit in persönlicher, beruflicher und emotionaler Hinsicht sehr unglücklich, und mein Leben nahm sich wie ein Fehlschlag auf allen Ebenen aus. Seit Jahren hatte ich die Angewohnheit, meine Gedanken in Form von Briefen zu Papier zu bringen (die ich dann gewöhnlich nicht abschickte), und so griff ich wieder einmal zu meinem altvertrauten Notizblock und fing an, mein Herz auszuschütten.

Diesmal gedachte ich jedoch nicht einen Brief an irgendeine Person zu schreiben, die mich, wie ich mir einbildete, drangsalierte, sondern mich geradewegs an die Quelle, unmittelbar an den größten aller Schikanierer zu wenden. Ich beschloß, einen Brief an Gott zu schreiben.

Es war ein gehässiger, leidenschaftlicher Brief – voll von Ungereimtheiten, Verzerrungen und Verdammungen. Und mit *einer Menge* zorniger Fragen.

Warum funktionierte mein Leben nicht? Was war nötig, damit es endlich funktionierte? Warum konnte ich in meinen Beziehungen nicht glücklich werden? Sollte ich mein Leben lang niemals die Erfahrung machen, über ausreichend Geld zu verfügen? Und schließlich – und sehr nachdrücklich: *Was hatte ich getan, daß ich in meinem Leben ständig derart zu kämpfen hatte?*

Als ich die letzte meiner bitteren, unbeantwortbaren Fragen hingekritzelt hatte und den Stift schon beiseite legen wollte, verharrte die Hand zu meiner Überraschung weiterhin in schwebender Haltung über dem Papier – so, als würde sie von einer unsichtbaren Kraft festgehalten. Plötzlich bewegte sich der Stift ganz *von selbst*. Ich hatte keine Ahnung, was ich schreiben würde, doch schien ein Gedanke in mir aufzukommen, und ich beschloß, der Sache ihren Lauf zu lassen. Heraus kam …

WILLST DU WIRKLICH eine Antwort auf all diese Fragen oder nur Dampf ablassen?

Ich blinzelte – und dann stieg eine Antwort in mir auf. Ich schrieb auch sie nieder.

Beides. Klar, ich lasse Dampf ab, aber wenn es Antworten auf diese Fragen gibt, dann will ich sie, so gewiß wie es eine Hölle gibt, hören!

DU BIST DIR einer Menge Dinge – »so gewiß wie der Hölle«. Aber wäre es nicht nett, »so gewiß wie des Himmels« zu sein?

Und ich schrieb:

Was soll denn das heißen?

Und noch bevor ich begriff, wie mir geschah, hatte ich eine Unterhaltung begonnen, wobei ich eigentlich nicht von mir aus schrieb, sondern *ein Diktat aufnahm*.

Dieses Diktat dauerte drei Jahre, und zu jenem Zeitpunkt hatte ich keine Ahnung, worauf das Ganze hinauslief. Ich bekam erst dann Antworten auf meine Fragen, wenn ich sie vollständig zu Papier gebracht und *meine eigenen Gedanken ad acta gelegt hatte.* Oft erhielt ich die Antworten schneller, als ich schreiben konnte, und schmierte sie hin, um mitzuhalten. Wenn ich durcheinandergeriet oder nicht mehr das Gefühl hatte, daß die Antworten aus einer anderen Quelle kamen, legte ich den Stift beiseite und nahm Abstand von diesem Dialog, bis ich mich wieder inspiriert fühlte (tut mir leid, aber das ist hier das einzig wirklich passende Wort), zu meinem Notizblock zurückzukehren und das Diktat wiederaufzunehmen.

Die Gespräche finden übrigens weiterhin statt – auch während ich dies hier schreibe. Und vieles davon finden Sie auf den folgenden Seiten – Seiten, die einen erstaunlichen Dialog enthalten, an den ich zunächst nicht glauben konnte. Zunächst nahm ich an, er sei nur von persönlichem Wert, doch jetzt begreife ich, daß er nicht nur für mich gemeint war. Er war für Sie und alle anderen gedacht, denen diese Thematik am Herzen liegt. Denn meine Fragen sind Ihre Fragen.

Ich möchte, daß Sie sich so bald wie möglich in diesen Dialog vertiefen können, denn nicht *meine* Geschichte ist hier wirklich wichtig, sondern die *Ihre. Ihre* Lebensgeschichte hat Sie veranlaßt, sich damit zu befassen. Für *Ihre* persönliche Erfahrung sind meine Notizen von Bedeutung. Sonst würden Sie sie nicht in diesem Moment lesen.

Beginnen wir also diesen Dialog mit einer Frage, die mich schon seit längerer Zeit beschäftigte: Wie redet Gott, und mit wem? Als ich diese Frage stellte, bekam ich folgende Antwort:

Ich rede mit jedermann. Immer. Die Frage ist nicht, mit wem ich rede, sondern wer zuhört.

Fasziniert bat ich Gott, sich ausführlicher zu diesem Thema zu äußern. Er sagte folgendes dazu:

Lass uns zunächst das Wort *reden* durch das Wort *kommunizieren* ersetzen. Es ist ein sehr viel besseres, umfassenderes, präziseres Wort. Wenn wir versuchen, miteinander zu reden – ich mit dir, du mit mir –, werden wir sofort durch die unglaubliche Beschränktheit des Wortes eingeengt. Aus diesem Grund kommuniziere ich nicht nur mit Worten. Tatsächlich tue ich das ziemlich selten. Meine üblichste Kommunikationsform ist das *Gefühl*.
Das Gefühl ist die Sprache der Seele.
Wenn du wissen willst, was in bezug auf irgend etwas für dich wahr ist, dann achte darauf, was du *fühlst*.
Gefühle sind manchmal schwer auszumachen – und sie anzuerkennen ist oft noch schwieriger. Doch in deinen tiefsten Gefühlen verborgen findet sich deine höchste Wahrheit.
Der Trick dabei ist, daß du an diese Gefühle herankommst. Ich werde dir zeigen, wie. Und wieder, wenn du das wünscht.

Ich erklärte Gott, daß ich zwar durchaus diesen Wunsch hätte, doch im Moment begierig darauf sei, meine erste Frage voll und ganz beantwortet zu bekommen. Folgendes sagte er dazu:

Ich kommuniziere auch über den *Gedanken*. Gedanken und Gefühle sind nicht das gleiche, obwohl beide zur selben Zeit auftreten können. Bei der Kommunikation über den Gedanken, die geistige Vorstellung, die Idee, gebrauche ich oft Metaphern und Bilder. Aus diesem Grund sind Gedanken als Kommunikationsmittel häufig effektiver als bloße Worte. Ergänzend zu den Gefühlen und Gedanken verwende ich auch als großartiges Kommunikationsmittel das Vehikel der *Erfahrung*.

Und wenn Gefühle, Gedanken und Erfahrungen sämtlich nichts fruchten, benutze ich schließlich *Worte*. Worte sind wirklich das am wenigsten effektive Kommunikationsmittel. Sie lassen sich leicht mißdeuten, werden oft falsch verstanden.

Und warum ist das so? Das liegt am Wesen der Worte. Sie sind nichts weiter als Äußerungen: Geräusche, die *für* Gefühle, Gedanken und Erfahrungen *stehen*. Sie sind Symbole, Zeichen, Erkennungszeichen. Sie sind nicht die Wahrheit. Sie sind nicht wirklich, nicht wahrhaftig.

Worte helfen euch vielleicht, etwas zu verstehen. Erfahrung läßt euch wissen. Aber es gibt einige Dinge, die ihr nicht erfahren könnt. Deshalb habe ich euch auch andere Mittel der Erkenntnis an die Hand gegeben, so etwa jenes, das man Gefühle nennt, und auch die Gedanken.

Nun, die große Ironie dabei ist, daß ihr alle dem Wort Gottes so viel und der Erfahrung so wenig Bedeutung zugemessen habt.

Tatsächlich erachtet ihr den Wert der Erfahrung als derma-ßen gering, daß ihr, wenn sich eure *Erfahrung* von Gott von dem unterscheidet, was ihr über Gott *gehört* habt, automatisch *die Erfahrung abtut* und euch *an das Wort haltet* – wo es doch genau umgekehrt sein sollte.

Eure Erfahrungen und Gefühle bezüglich einer Sache repräsentieren das, was ihr faktisch und intuitiv darüber wißt. Worte können nur bestrebt sein, dem, was ihr wißt, symbolhaft Ausdruck zu verleihen, und bringen oft *Verworrenheit* in euer Wissen.

Das sind also die Instrumente, die Mittel, derer ich mich zur Kommunikation bediene. Doch sind sie nicht planmäßige Methode, denn nicht alle Gefühle, Gedanken, Erfahrungen und nicht alle Worte kommen von mir.

Viele Worte sind in meinem Namen von anderen geäußert worden. Für viele Gedanken und Gefühle und daraus resultierende Erfahrungen sind Ursachen verantwortlich, die nicht direkt meiner Schöpfung entstammen.

Hier ist Urteilskraft gefordert. Die Schwierigkeit besteht im Erkennen des Unterschieds zwischen den Botschaften Gottes und den Informationen aus anderen Quellen. Diese Unterscheidung bereitet keine Schwierigkeit, sofern eine Grundregel beherzigt wird:

Von mir kommt dein erhabenster Gedanke, dein klarstes Wort, dein edelstes Gefühl. Alles, was weniger ist, entstammt einer anderen Quelle.

Diese Differenzierung ist leicht, denn selbst einem Schüler im Anfangsstadium sollte es nicht schwerfallen, das Erhabenste, das Klarste und das Edelste zu erkennen.

Doch will ich folgende Richtlinien geben:

Der erhabenste Gedanke ist immer jener, der Freude in sich trägt. Die klarsten Worte sind jene, die Wahrheit enthalten. Das nobelste Gefühl ist jenes, das ihr Liebe nennt.

Freude, Wahrheit, Liebe.

Diese drei sind austauschbar, und eines führt immer zum anderen. Die Reihenfolge spielt dabei keine Rolle.

Nachdem ich anhand dieser Richtlinien bestimmt habe, welche Botschaften von mir und welche aus einer anderen Quelle kommen, bleibt nur noch die Frage, ob meine Botschaften beachtet werden.

Dies ist bei der Mehrzahl nicht der Fall. Manche werden nicht beachtet, weil sie sich zu gut anhören, um wahr zu sein. Andere nicht, weil sie zu schwer zu befolgen sind. Viele nicht, weil sie ganz einfach mißverstanden werden. Und die meisten nicht, weil sie gar nicht empfangen werden.

Meine mächtigste Botin ist die Erfahrung, und selbst sie wird von euch ignoriert. *Insbesondere* sie wird von euch nicht zur Kenntnis genommen.

Eure Welt befände sich nicht in ihrem gegenwärtigen Zustand, wenn ihr ganz einfach auf eure Erfahrung gehört hättet. Die Folge eures *Nicht*-Hörens auf eure Erfahrung ist, daß ihr sie stets von neuem durchlebt. Denn meine Absicht wird nicht vereitelt, mein Wille nicht ignoriert werden. Ihr *werdet* die Botschaft bekommen – früher oder später.

Ich werde euch nicht drängen. Ich werde euch niemals zu etwas zwingen. Denn ich habe euch einen freien Willen gegeben, die Macht, eurer Wahl entsprechend zu handeln – und die werde ich euch niemals nehmen.

Also werde ich euch weiterhin immer und immer wieder

die gleichen Botschaften senden, über die Jahrtausende hinweg und zu jedweder Ecke des Universums, die ihr bewohnen mögt. Endlos werde ich euch meine Botschaften schikken, bis ihr sie empfangen habt und beherzigt, sie euch zu eigen macht.

Meine Botschaften kommen in hunderterlei Formen, in Tausenden von Momenten, über eine Million Jahre hinweg. Ihr könnt sie nicht überhören, wenn ihr euch konzentriert. Ihr könnt sie nicht ignorieren, wenn ihr sie einmal wirklich vernommen habt. Und damit wird unsere Kommunikation ernstlich beginnen. Denn in der Vergangenheit habt ihr nur *zu* mir gesprochen, zu mir gebetet, seid ihr bei mir vorstellig geworden, habt ihr mich belagert. Doch nun werde ich den Dialog aufnehmen, so wie hier in diesem Fall.

Wie kann ich wissen, daß diese Mitteilung eine göttliche ist? Wie weiß ich, daß sie nicht lediglich auf meiner Einbildung beruht?

WO WÄRE DER Unterschied? Siehst du denn nicht, daß ich ebenso leicht deine Einbildungskraft wie alles andere manipulieren kann? Ich lasse dir die *genau* richtigen Gedanken, Worte oder Gefühle zukommen, in jedem beliebigen Moment, für den jeweils genau richtigen Zweck, und bediene mich dabei eines oder mehrerer Mittel.

Du wirst einfach wissen, daß diese Worte von mir kommen, weil du aus eigenem Antrieb noch nie so klar gesprochen hast. Wenn du zu diesen Fragen bereits so klare Worte gefunden hättest, würdest du sie gar nicht erst stellen.

Mit wem kommuniziert Gott? Sind das besondere Menschen? Gibt es spezielle Zeiten?

Alle Menschen sind etwas Besonderes, und alle Momente sind goldene Momente. Es gibt keine Person und keine Zeit, die anderen gegenüber hervorzuheben wäre. Viele Menschen haben sich entschieden zu glauben, daß Gott auf besondere Weise und nur mit auserwählten Menschen kommuniziert. Das enthebt die Masse der Verantwortung, meine Botschaft zu hören, von *empfangen* gar nicht zu reden (was noch mal eine andere Sache ist), und gestattet den Leuten, die Worte eines anderen für die ganze Wahrheit zu halten. Dann *müßt* ihr nicht auf mich hören, da für euch ja bereits feststeht, daß andere zu allen Themen schon etwas von mir vernommen haben, und ihr ja *sie* habt, denen ihr zuhören könnt.

Indem ihr auf das hört, was andere Leute vermeinen, mich sagen gehört zu haben, müßt *ihr überhaupt nicht mehr denken.*

Das ist der Hauptgrund, warum die meisten Menschen sich von meinen auf persönlicher Ebene übermittelten Botschaften abwenden. Wenn du anerkennst, daß du meine Botschaften *direkt* empfängst, dann bist du für ihre Interpretation verantwortlich. Es ist sehr viel sicherer und leichter, die Deutungen anderer zu akzeptieren (auch wenn sie bereits vor zweitausend Jahren lebten), als die Botschaft zu interpretieren, die du vielleicht gerade in diesem Moment erhältst.

Und doch lade ich euch zu einer neuen Form der Kommunikation mit Gott ein: einer *zweigleisigen* Kommunikation. In Wahrheit seid ihr es, die mich dazu eingeladen haben. Denn ich bin jetzt in dieser Form *einer Antwort auf euren Ruf* zu euch gekommen.

Warum scheinen manche Leute, zum Beispiel Christus, mehr Botschaften von dir zu vernehmen als andere?

WEIL DIESE LEUTE willens sind, wirklich zuzuhören. Sie sind willens zu hören, und sie sind willens, für die Kommunikation *offen* zu bleiben – sogar dann, wenn die Botschaften beängstigend oder verrückt oder geradezu falsch klingen.

Wir sollten auf Gott hören, selbst wenn das, was da gesagt wird, falsch ist?

VOR ALLEM, WENN es falsch zu sein scheint. Warum solltest du mit Gott reden, wenn du glaubst, in allem recht zu haben?

Macht weiter so und handelt nach eurem Wissen. Aber nehmt zur Kenntnis, daß ihr das schon seit Anbeginn der Zeit macht. Und schaut euch an, in welchem Zustand die Welt ist. Euch ist da ganz eindeutig etwas entgangen. Offensichtlich versteht ihr etwas nicht. Das, was ihr tatsächlich versteht, muß euch richtig erscheinen, denn ihr verwendet den Begriff »richtig« für etwas, mit dem ihr einverstanden seid. Und daher wird euch das, was euch entgangen ist, zunächst als »falsch« erscheinen.

Wenn ihr weiterkommen wollt, müßt ihr euch fragen: »Was würde passieren, wenn alles ›richtig‹ wäre, was ich bislang für ›falsch‹ gehalten habe?« Alle großen Wissenschaftler wissen darum. Wenn das, was ein Wissenschaftler tut, nicht funktioniert, läßt er alle seine Grundannahmen beiseite und fängt von vorne an. Sämtliche großen Entdeckungen entstammen der Bereitschaft und der Fähigkeit zur Einsicht, *nicht recht zu haben*. Und das ist hier vonnöten.

Du kannst Gott nicht kennen, solange du nicht aufhörst, dir einzureden, daß du ihn *bereits kennst*. Du kannst Gott nicht hören, solange du nicht aufhörst zu meinen, daß du ihn bereits gehört hast.

Ich kann dir meine Wahrheit nicht verkünden, solange du nicht aufhörst, mir die deine zu verkünden.

Aber meine Wahrheit über Gott kommt von *dir*.

Wer hat das gesagt?

Andere.

Welche anderen?

Führer, Geistliche, Rabbis, Priester, Bücher. *Die Bibel*, Himmel noch mal!

Das sind keine maßgeblichen Quellen.

Das sind sie *nicht*?

Nein.

Und was *sind* maßgebliche Quellen?

Höre auf deine *Gefühle*, deine erhabensten Gedanken, deine Erfahrung. Wenn sich irgend etwas davon von dem unterscheidet, was dir deine Lehrer erzählt haben oder du in Büchern gelesen hast, dann vergiß die Worte. *Worte sind die am wenigsten zuverlässigen Wahrheitslieferanten.*

Ich möchte dir so vieles sagen, dich so vieles fragen. Ich weiß gar nicht, wo ich anfangen soll.
Zum Beispiel, warum offenbarst du dich nicht? Warum offenbarst du dich nicht, wenn es wirklich einen Gott gibt und du Gott bist, in einer Form, die uns allen begreifbar ist?

Das habe ich getan, immer und immer wieder. Und ich tue es jetzt gerade wieder.

Nein. Ich meine eine Offenbarung in unwiderlegbarer Form; eine, die nicht bestritten werden kann.

Wie zum Beispiel?

Zum Beispiel, daß du jetzt vor meinen Augen erscheinst.

Das tue ich.

Wo?

Wo immer du auch hinschaust.

Nein, ich meine auf unwiderlegbare Weise. Auf eine Art, die niemand leugnen könnte.

WIE WÜRDE DAS aussehen? In welcher Form oder Gestalt soll ich denn deinem Wunsch nach erscheinen?

In der Form oder Gestalt, die du tatsächlich hast.

DAS WÄRE UNMÖGLICH, denn ich habe keine Form oder Gestalt, wie du sie verstehst. Ich könnte eine Form oder Gestalt *annehmen*, die du verstehen *könntest*, aber dann würden alle meinen, daß das, was sie gesehen haben, die einzige und wahre Form und Gestalt Gottes sei, wo sie doch nur eine von vielen ist.

Die Menschen glauben, daß ich das bin, als was sie mich sehen, und nicht das, was sie *nicht* sehen. Aber ich bin das große Unsichtbare, nicht das, was ich in einem bestimmten Moment zu sein bewirke. In gewissem Sinn bin ich, was ich *nicht bin*. Aus diesem *Nicht-Seienden* komme ich, und zu ihm kehre ich stets zurück.

Doch wenn ich in der einen oder anderen bestimmten Form komme – in einer, in der ich Menschen begreiflich bin –, dann schreiben sie mir *diese Form für alle Ewigkeit zu.*

Und sollte ich irgendwelchen anderen Menschen in irgendeiner anderen Form erscheinen, so behauptet die erste Gruppe, daß ich der zweiten nicht erschienen bin, weil ich für die zweite nicht so aussah wie für die erste, und auch nicht die gleichen Dinge sagte – also kann ich es nicht gewesen sein.

Du siehst also, es spielt keine Rolle, in welcher Form oder

auf welche Weise ich mich offenbare. Denn ganz gleich, welche Weise ich wähle und welche Form ich annehme, *keine* wird unstrittig sein.

Aber wenn du etwas *tätest*, das über jeden Zweifel erhaben wäre und ohne jede Frage den Beweis dafür erbrächte, wer du bist ...

... DANN GÄBE ES immer noch die, die sagen, daß dies Teufelswerk oder einfach Einbildung sei, oder irgend etwas anderes – jedenfalls nicht ich.

Wenn ich mich als Gott der Allmächtige, König des Himmels und der Erde offenbarte und Berge versetzte, um es zu beweisen, dann träten jene auf, die sagen: »Es muß Satan gewesen sein.«

Und so soll es auch sein. Denn Gott offenbart Gottselbst nicht aus der äußerlichen Wahrnehmung heraus oder durch die äußerliche Beobachtung, sondern durch die innere Erfahrung. Und wenn die innere Erfahrung Gottselbst offenbart hat, ist die äußerliche Beobachtung nicht nötig. Doch wenn die äußerliche Beobachtung nötig ist, ist die innere Erfahrung nicht möglich.

Wenn also nach einer Offenbarung verlangt wird, muß ein solches Ersuchen abgelehnt werden, denn der Akt des Bittens beinhaltet die Aussage, daß die Offenbarung nicht existent ist; daß sich jetzt von Gott nichts offenbart. Eine solche Aussage produziert die entsprechende Erfahrung. Denn dein Gedanke über oder von etwas ist *schöpferisch*, und dein Wort ist *produktiv*; und dein Gedanke und dein Wort wirken wunderbar effektiv zusammen, um deine Realität zu gebären. Deshalb wirst du die Erfahrung machen, daß *sich Gott jetzt nicht offenbart,* denn wenn Gott für dich *existierte,* würdest du ihn nicht *bitten* zu sein.

Heißt das, ich kann nicht um etwas bitten, was ich mir wünsche? Sagst du, daß Beten und Bitten um etwas *dieses Etwas von uns wegstößt?*

DAS IST EINE Frage, die zu allen Zeiten gestellt wurde – und die immer, wenn sie gestellt wurde, auch beantwortet wurde. Doch du hast die Antwort nicht gehört oder wirst sie nicht glauben.

Die Frage wird, in den Begriffen und in der Sprache von heute, wiederum folgendermaßen beantwortet:

Du wirst das, was du erbittest, nicht bekommen, und du kannst auch nicht alles haben, was du möchtest. Das ist deshalb so, weil du mit deiner Bitte selbst zu verstehen gibst, daß ein Mangel besteht. Wenn du also sagst, daß du eine Sache haben willst, führt das nur dazu, daß du genau diese Erfahrung – den Mangel – in deiner Realität produzierst.

Das korrekte Gebet ist daher nie ein Bittgesuch, sondern stets ein Dankgebet.

Wenn du Gott *im voraus* für das dankst, was du deiner Wahl nach in deiner Realität erfahren möchtest, dann anerkennst du in Wirklichkeit, daß es vorhanden ist – *in Wirklichkeit.* Dankbarkeit ist daher die machtvollste Erklärung gegenüber Gott, eine Behauptung und Bestätigung, daß ich geantwortet habe, noch bevor du gefragt hast.

Bitte deshalb nie inständig um etwas. *Erkenne dankbar an.*

Aber was ist, wenn ich Gott im voraus für etwas dankbar bin, und es trifft nie ein? Das könnte zur Desillusionierung und Bitterkeit führen.

DANKBARKEIT KANN NICHT als Instrument zur *Manipulierung* Gottes eingesetzt werden, als *Mittel*, um das Universum zu übertölpeln. Du kannst dich nicht selbst belügen. Dein Geist kennt die Wahrheit deiner Gedanken. Wenn du sagst: »Ich danke dir, Gott, für das und das«, während du in Wirklichkeit ganz eindeutig glaubst, daß es in deiner gegenwärtigen Realität nicht *existiert*, kannst du nicht erwarten, daß Gott *weniger klar* ist als du und es für dich produziert.

Gott weiß, was du weißt, und was du weißt, ist das, was als deine Realität in Erscheinung tritt.

Aber wie kann ich dann für etwas dankbar sein, *von dem ich weiß, daß es nicht vorhanden ist?*

GLAUBE. WENN DEIN Glaube auch nur so groß ist wie ein Senfkorn, wirst du Berge versetzen. Du wirst wissen, daß es da ist, weil ich *gesagt* habe, daß es da ist; weil ich *gesagt* habe, daß ich, noch bevor du fragst, schon geantwortet haben werde; weil ich *gesagt* habe, und es euch auf jede erdenkliche Weise durch jeden Lehrer, den ihr nennen könnt, sagte, daß das, was immer ihr wählt, in meinem Namen wählt, auch sein wird.

Und doch sagen so viele Menschen, daß ihre Gebete nicht erhört wurden.

KEIN GEBET – UND ein Gebet ist nichts weiter als eine inbrünstige Aussage über das, *was so ist* – bleibt unbeantwortet. Jedem Gebet – jedem Gedanken, jeder Aussage, jedem Gefühl – wohnt eine schöpferische Kraft inne. In dem Maße, wie es aus ganzem Herzen als Wahrheit erachtet wird, wird es sich auch in deiner Erfahrungswelt manifestieren.

Wenn es heißt, daß ein Gebet nicht erhört wurde, dann sind in Wirklichkeit der Gedanke, das Wort, das Gefühl, die am innigsten gehegt wurden, *wirksam* geworden. Doch du mußt wissen – und das ist das Geheimnis –, daß es immer der Gedanke hinter dem Gedanken, jener Gedanke, der sozusagen Pate steht, der »stiftende Gedanke« ist, der beherrschend wirksam wird.

Daher besteht, wenn du etwas erbittest, eine viel geringere Chance, daß du das erfährst, was du dir deiner Meinung nach erwählt hast, weil der stiftende Gedanke hinter jeder flehentlichen Bitte der ist, daß du *jetzt nicht hast,* was du dir erwünschst. *Der stiftende Gedanke wird zu deiner Realität.*

Der einzige stiftende Gedanke, der diesen Gedanken (vom Mangel) außer Kraft setzen könnte, ist der in gutem Glauben gehegte Gedanke, daß Gott *unfehlbar* der jeweiligen Bitte entsprechen wird. Manche Menschen haben einen solchen Glauben, doch es sind sehr wenige.

Der Gebetsvorgang wird sehr viel einfacher, wenn ihr nicht glauben müßt, daß Gott zu jeder Bitte immer »ja« sagen wird, sondern vielmehr intuitiv versteht, daß *die Bitte selbst gar nicht notwendig ist. Dann ist das Gebet ein Dankgebet. Es ist gar keine Bitte, sondern eine in Dankbarkeit geäußerte Aussage über das, was so ist.*

Heißt das, wenn du sagst, daß ein Gebet eine Aussage über das ist, was so ist, daß Gott nichts tut; daß alles, was nach einem Gebet geschieht, ein Resultat der Wirkungsweise des *Gebets* ist?

W ENN DU GLAUBST, daß Gott ein allmächtiges Wesen ist, das alle Gebete hört und zu einigen »ja«, zu anderen »nein« und zum Rest »vielleicht, aber nicht jetzt« sagt, dann irrst du dich. An welche Faustregel würde sich Gott denn bei seiner Entscheidung halten?

Wenn du glaubst, daß Gott der *Schöpfer und der ist, der über alle Dinge in eurem Leben entscheidet,* dann irrst du dich.

Gott ist so gesehen der *Beobachter,* nicht der Schöpfer. Und Gott steht bereit, euch beim Leben eures Lebens beizustehen, aber nicht so, wie du vielleicht erwartest.

Es ist nicht Gottes Funktion, die Bedingungen oder Umstände deines Lebens zu erschaffen oder zunichte zu machen. Gott hat *dich* erschaffen nach seinem Ebenbild. Den Rest hast *du* erschaffen, durch die Macht, die dir von Gott verliehen wurde. Gott hat den Lebensprozeß und das Leben selbst, so wie du es kennst, erschaffen. Doch Gott hat dir auch die freie Wahl gegeben, mit deinem Leben zu verfahren, wie du willst.

In diesem Sinn ist *dein Wille für dich Gottes Wille für dich.* Du lebst dein Leben, so wie du es lebst, und *ich habe in dieser Angelegenheit keine Präferenzen.*

Das ist die große Illusion, der du anheimgefallen bist: Du glaubst, daß Gott sich auf die eine oder andere Weise darum *bekümmert,* was du tust.

Es bekümmert mich *nicht,* was du tust, und das zu hören ist für dich hart. Doch bekümmert es dich denn, was deine Kinder tun, wenn du sie zum Spielen hinausschickst? Ist es für dich von irgendwelcher Bedeutung, ob sie Fangen oder Verstecken oder Ochs am Berg spielen? Nein – und zwar weil du weißt, daß sie sich in Sicherheit befinden. Du hast sie in eine Umgebung gebracht, die nach deinem Dafürhalten freundlich und ausgesprochen in Ordnung ist.

Selbstverständlich wirst du immer hoffen, daß sie sich nicht *verletzen.* Und wenn es geschieht, bist du da und hilfst ihnen, heilst sie, läßt sie sich wieder sicher fühlen, wieder glücklich sein und wieder hinausgehen und einen weiteren Tag mit Spielen verbringen. Aber ob sie nun Fangen oder Verstecken spielen wollen, ist auch am nächsten Tag für dich ohne Belang.

Du wirst ihnen natürlich sagen, welche Spiele gefährlich sind. Aber du kannst deine Kinder nicht davon abhalten, daß sie gefährliche Dinge tun. Nicht immer. Nicht für alle Zeiten. Nicht in jedem Augenblick von jetzt an bis zum Tod. Kluge Eltern wissen das. Und doch hören Eltern nie auf, sich um das *Resultat* zu sorgen. Mit dieser Dichotomie – sich einerseits nicht sonderlich um den Prozeß bekümmern, doch sich andererseits zutiefst um das Resultat sorgen – läßt sich annähernd die Dichotomie Gottes beschreiben.

Doch in gewissem Sinn sorgt Gott sich nicht einmal um das Resultat – nicht um das *Endresultat.* Das ist so, weil das Endresultat längst feststeht.

Und darauf beruht die zweite große Illusion der Menschen: Sie glauben, daß das Endresultat des Lebens zweifelhaft ist.

Dieser Zweifel am Endergebnis hat euren größten Feind geschaffen, nämlich die Furcht. Denn wenn ihr an diesem letztlichen Endergebnis zweifelt, müßt ihr am Schöpfer zweifeln – *an Gott*. Und wenn ihr an Gott zweifelt, *müßt* ihr euer Leben lang in Angst und mit Schuldgefühlen verbringen.

Wenn ihr an den Absichten Gottes zweifelt – und an Gottes Fähigkeit, dieses letztliche Endergebnis zu bewirken –, dann fragt sich, wie ihr euch jemals entspannen könnt. Wie könnt ihr dann je wahren Frieden finden?

Doch Gott hat die *volle Macht*, Absichten und Resultate einander entsprechen zu lassen. Das könnt und wollt ihr nicht glauben (obwohl ihr behauptet, daß Gott allmächtig ist), und so mußtet ihr in eurer Phantasie eine *Gott gleiche Macht* erschaffen, um eine Möglichkeit zu finden, sich dem *Willen Gottes entgegenzustellen*. Also habt ihr in eurer Mythologie jenes Wesen erschaffen, das ihr »Teufel« nennt. Ihr habt euch sogar einen Gott vorgestellt, der sich mit diesem Wesen *bekriegt* (vermeinend, Gott löse Probleme auf eure Weise). Und schließlich habt ihr euch doch tatsächlich eingebildet, daß Gott diesen Krieg *verlieren* könnte.

Alles das stellt eine Verletzung des ganzen Wissens dar, das ihr, wie ihr sagt, über Gott habt; doch das spielt keine Rolle. Ihr lebt eure Illusion und empfindet deshalb Furcht – alles eine Folge eurer Entscheidung, an Gott zu zweifeln. Doch was, wenn ihr eine neue Entscheidung treffen würdet? Was ergäbe sich daraus?

Ich sage euch: Ihr würdet leben, wie Buddha es tat. Wie Jesus es tat. Wie jeder und jede Heilige, die ihr je verehrt habt.

Doch würden euch, wie es auch die meisten dieser Heiligen erleben mußten, die Leute nicht verstehen. Und wenn ihr versuchen würdet, euer Gefühl von Frieden, die Freude in eurem Leben, eure innere Ekstase zu erklären, so würden sie euren Worten lauschen, aber sie nicht hören. Sie würden versuchen, eure Worte zu wiederholen, würden ihnen aber einiges hinzufügen.

Sie würden sich fragen, wie es kommt, daß ihr etwas habt, nach dem sie vergeblich suchen. Und dann würde sich in ihnen die Eifersucht regen. Bald würde sich die Eifersucht in Zorn wandeln, und in ihrem Zorn würden sie versuchen, euch davon zu überzeugen, daß *ihr* diejenigen seid, die Gott nicht verstehen.

Und wenn es ihnen nicht gelänge, euch eure Freude auszutreiben, würden sie danach trachten, euch Schaden zuzufügen, so gewaltig wäre ihr Zorn. Und wenn ihr ihnen sagtet, daß es keine Rolle spielt, daß selbst der Tod eurer Freude keinen Abbruch tun, eure Wahrheit nicht ändern kann, würden sie euch ganz sicher *töten*. Wenn sie dann den Frieden sähen, mit dem ihr den Tod akzeptiert, würden sie euch Heilige nennen und wieder lieben.

Denn es liegt in der Natur der Menschen, das, was sie am meisten wertschätzen, erst zu lieben, dann zu zerstören und dann wieder zu lieben.

Aber warum? Warum *verhalten* wir uns so?

ALLE MENSCHLICHEN HANDLUNGEN gründen sich auf tiefster Ebene auf zwei Emotionen: auf *Angst* oder auf *Liebe*. In Wahrheit gibt es nur zwei Emotionen – nur zwei Worte in der Sprache der Seele. Dies sind die beiden gegensätzlichen Pole der großen Polarität, die ich zusammen mit dem Universum und der Welt, wie ihr sie heute kennt, erschuf.

Das sind die zwei Punkte – das Alpha und das Omega –, die dem System, das ihr »Relativität« nennt, zu existieren erlauben. Ohne diese beiden Punkte, ohne diese beiden Begriffe von den Dingen könnte keine andere geistige Vorstellung existieren.

Jeder menschliche Gedanke und jede menschliche Handlung gründet sich entweder auf Liebe oder auf Angst. Es *gibt* keine andere menschliche Motivation, und alle anderen geistigen Vorstellungen leiten sich aus diesen beiden ab. Sie sind einfach verschiedene Versionen, verschiedene Abwandlungen desselben Themas.

Denk darüber intensiv nach, und du wirst erkennen, daß es wahr ist. Das ist es, was ich den stiftenden Gedanken genannt habe. Es ist entweder ein Gedanke der Liebe oder der Angst. Das ist der Gedanke hinter dem Gedanken *hinter* dem Gedanken. Es ist der erste Gedanke. Es ist die primäre Kraft. Es ist die rohe Energie, welche die Maschine menschlicher Erfahrung antreibt.

Und das erklärt, warum das menschliche Verhalten eine Wiederholungserfahrung nach der anderen produziert; darum lieben Menschen, zerstören dann und lieben wieder. Ständig schwingt das Pendel zwischen beiden Emotionen hin und her. Liebe stiftet Angst stiftet Liebe stiftet Angst ...

... Und der Grund dafür findet sich in der ersten Lüge – jener Lüge, die ihr als die Wahrheit über Gott erachtet –, daß man in Gott kein Vertrauen setzen kann; daß auf Gottes Liebe kein Verlaß ist; daß Gott euch nur unter bestimmten Bedingungen akzeptiert; daß somit letztlich das End-resultat zweifelhaft ist. Denn wenn ihr euch nicht darauf verlassen könnt, daß *Gottes* Liebe immer da ist, dann fragt sich, auf wessen Liebe ihr euch denn verlassen *könnt*. Werden sich denn nicht, wenn Gott sich zurückzieht, sobald ihr nicht rechtschaffen lebt, auch bloße Sterbliche von euch abwenden?

... Und so kommt es, daß ihr im Moment, in dem ihr eure höchste Liebe gelobt, eure tiefste Angst begrüßt.

Denn nachdem ihr gesagt habt: »Ich liebe dich«, ist eure erste Sorge, ob diese Aussage denn nun auch erwidert wird. Und habt ihr es eurerseits zu hören bekommen, so fangt ihr sofort an, euch Sorgen darüber zu machen, ob ihr die gerade gefundene Liebe auch nicht verliert. Und so wird alles Handeln zu einer Reaktion – einer Verteidigung gegen den Verlust –, *so wie ihr euch sogar gegen den Verlust Gottes zu verteidigen sucht.*

Doch wenn ihr wüßtet, wer-ihr-seid – daß ihr die herrlichsten, bemerkenswertesten und glanzvollsten Kreaturen seid, die von Gott je erschaffen wurden –, würdet ihr euch niemals ängstigen. Denn wer könnte etwas so Wunderbares und Großartiges ablehnen? Nicht einmal Gott könnte an einem solchen Wesen etwas auszusetzen haben.

Aber ihr wißt nicht, wer-ihr-seid, und glaubt, sehr viel weniger zu sein. Und woher habt ihr die Vorstellung, daß ihr sehr viel weniger großartig seid, als ihr seid? Von den einzigen Menschen, deren Wort *alles* für euch gilt: *von eurer Mutter und von eurem Vater.*

Das sind die Menschen, die ihr am meisten liebt. Warum sollten sie euch anlügen? Aber haben sie euch nicht gesagt, daß ihr zu sehr dies und zuwenig das seid? Haben sie euch nicht ermahnt, daß man euch zwar sehen, aber nicht hören soll? Haben sie euch nicht in manchen Momenten eures größten Überschwangs zurechtgewiesen? Und haben sie euch nicht dazu ermuntert, von einigen eurer wildesten und kühnsten Vorstellungen abzulassen?

Das sind die Botschaften, die ihr empfangen habt, und obwohl sie den Kriterien nicht entsprechen und somit keine Botschaften von Gott sind, könnten sie es doch ebensogut sein, denn sie kamen ja von den Göttern eures Universums. Eure Eltern waren es, die euch lehrten, daß Liebe ihre Bedingungen hat – Bedingungen, die ihr viele Male zu spüren bekommen habt –, und das ist die Erfahrung, die ihr in eure eigenen Liebesbeziehungen hineintragt.

Das ist auch die Erfahrung, die ihr mir zutragt.

Aus dieser Erfahrung zieht ihr eure Schlüsse in bezug auf mich. Innerhalb dieses Kontexts sprecht ihr eure Wahrheit. »Gott ist ein liebender Gott«, sagt ihr, »aber wenn du seine Gebote übertrittst, wird er dich mit ewiger Verbannung und Verdammnis bestrafen.«

Denn habt ihr nicht erlebt, daß eure Eltern euch verbannten? Kennt ihr nicht den Schmerz ihrer Verdammung? Wie solltet ihr euch denn da vorstellen können, daß es mit mir anders ist?

Ihr habt vergessen, wie es war, bedingungslos geliebt zu werden. Ihr erinnert euch nicht an die Erfahrung der Liebe Gottes. Und so versucht ihr, gegründet auf das, was an Liebe ihr in der Welt seht, euch vorzustellen, wie die göttliche Liebe wohl aussehen mag.

Ihr habt die »Elternrolle« auf Gott projiziert und seid so zu einer Vorstellung von einem Gott gelangt, der richtet und belohnt oder bestraft, je nachdem, wie gut er das findet, was ihr da angestellt habt. Aber das ist eine sehr vereinfachte Vorstellung von Gott, die sich auf eure Mythologie gründet. Sie hat nichts mit dem zu tun, was-ich-bin.

Nachdem ihr ein ganzes Gedankengebäude um Gott errichtet habt, das sich auf die menschliche Erfahrung statt auf spirituelle Wahrheiten gründet, erschafft ihr nun ein ganzes Realitätssystem um die Liebe herum. Es ist eine auf Angst gegründete Realität, die in der Vorstellung von einem furchteinflößenden, rachsüchtigen Gott wurzelt. Der hinter dieser Vorstellung existierende stiftende Gedanke ist falsch, aber dessen Negierung würde den Zusammenbruch eurer ganzen Theologie zur Folge haben. Und obwohl die sie ersetzende neue Theologie *wahrlich* eure Rettung wäre, seid ihr unfähig, sie zu akzeptieren, *weil die Vorstellung von einem Gott, der nicht gefürchtet werden muß, der nicht richtet und der keinen Grund zur Bestrafung hat, ganz einfach zu großartig ist, als daß ihr sie selbst in eure grandiosesten Ideen über das, was und wer Gott ist, integrieren könntet.*

Diese auf Angst gegründete Realität der Liebe beherrscht eure Erfahrung von Liebe; tatsächlich wird sie von ihr erschaffen. Denn nicht nur seht ihr euch an Bedingungen geknüpfte Liebe *empfangen*, ihr seht euch auch sie auf die gleiche Weise *geben*. Und während ihr euch entzieht und zurückhaltet und eure Bedingungen stellt, weiß doch ein Teil von euch, daß das nicht wirklich Liebe ist. Doch scheint ihr nicht den Willen aufzubringen, etwas daran zu ändern. Ihr habt auf die harte Tour gelernt, sagt ihr euch, und wollt verdammt sein, wenn ihr euch noch einmal verletzlich macht. Die Wahrheit ist, ihr werdet verdammt sein, wenn ihr es nicht tut.

(Durch eure [irrigen] Vorstellungen von der Liebe verdammt ihr euch selbst dazu, sie nie in reiner Form zu erleben. Und so verdammt ihr euch auch selbst dazu, mich nie so zu erkennen, wie ich wirklich bin. Doch ihr werdet mich nicht für immer verleugnen können, und der Moment unserer Wiederversöhnung wird kommen.)

Alle Handlungen menschlicher Wesen gründen sich auf Liebe oder Angst, nicht nur jene, die mit Beziehungen zu tun haben. Entscheidungen, die das Geschäft betreffen, das Wirtschaftsleben, die Politik, die Religion, die Erziehung der jungen Leute, die sozialen Angelegenheiten eurer Nationen, die ökonomischen Ziele eurer Gesellschaft, Beschlüsse hinsichtlich Krieg, Frieden, Angriff, Verteidigung, Aggression, Unterwerfung; Entschlüsse, haben zu wollen oder wegzugeben, zu behalten oder zu teilen, zu vereinen oder zu trennen – jede einzelne frei Wahl, die ihr jemals trefft, entsteht aus einem der beiden möglichen Gedanken: aus einem Gedanken der Liebe oder einem Gedanken der Angst.

Angst ist die Energie, die zusammenzieht, versperrt, einschränkt, wegrennt, sich versteckt, hortet, Schaden zufügt. Liebe ist die Energie, die sich ausdehnt, sich öffnet, aussendet, bleibt, enthüllt, teilt, heilt.

Angst umhüllt unseren Körper mit Kleidern, Liebe gestattet uns, nackt dazustehen. Angst krallt und klammert sich an alles, was wir haben, Liebe gibt alles fort, was wir haben. Angst hält eng an sich, Liebe hält wert und lieb. Angst reißt an sich, Liebe läßt los. Angst nagt und wurmt, Liebe besänftigt. Angst attackiert, Liebe bessert.

Jeder Gedanke, jedes Wort oder jede Tat eines Menschen gründen sich auf eine dieser beiden Emotionen. Darin habt ihr keine Wahl, denn es steht euch nichts anderes zur Wahl. Aber ihr habt freie Wahl, welche der beiden ihr euch aussuchen wollt.

So, wie du das sagst, hört es sich ganz leicht an. Doch im Moment der Entscheidung gewinnt die Angst in der Mehrheit der Fälle die Oberhand. Warum ist das so?

IHR SEID GELEHRT worden, in Angst und Furcht zu leben. Man hat euch gesagt, daß nur die Fittesten überleben, die Stärksten siegen, die Schlauesten Erfolg haben. Sehr wenig wird zum Lobpreis jener gesagt, die am liebevollsten sind. Und so strebt ihr – auf die eine oder andere Weise – danach, die Fittesten, die Stärksten, die Schlauesten zu sein, und wenn ihr dann bemerkt, daß ihr in irgendeiner Situation weniger seid als das, habt ihr Angst vor Verlust, denn man hat euch gesagt, daß weniger sein verlieren bedeutet.

Und natürlich entschließt ihr euch dann zu der Handlung, die euch die Angst eingibt, denn das wurde euch beigebracht. Doch ich lehre euch dies: Wenn ihr euch für die Handlung entscheidet, die euch die Liebe eingibt, werdet ihr mehr als nur überleben, als nur gewinnen, als nur Erfolg haben. Dann werdet ihr in ganzer Herrlichkeit erfahren, wer-ihr-wirklich-seid und wer ihr sein könnt.

Dazu müßt ihr die Lehren eurer wohlmeinenden, aber falsch informierten weltlichen Tutoren beiseite lassen und *auf die Lehren jener hören, deren Weisheit einer anderen Quelle entstammt.*

Ihr habt viele solche Lehrer unter euch, so wie sie schon immer unter euch waren, denn ich lasse euch nicht ohne jene, die euch diese Wahrheiten zeigen, sie euch lehren, euch anleiten und an sie erinnern. Doch die größte Gemahnerin ist nicht eine außenstehende Person, sondern eure innere Stimme. Sie ist das erste Instrument, dessen ich mich bediene, da es am zugänglichsten ist.

Die innere Stimme ist die lauteste Stimme, mit der ich spreche, da sie die euch nächste ist. Es ist die Stimme, die euch sagt, ob alles *andere,* so wie ihr es definiert habt, wahr oder falsch, recht oder unrecht, gut oder schlecht ist. Sie ist der Radar, der euch hilft, den Kurs zu setzen, das Schiff zu segeln, der euch auf eurer Reise anleitet, wenn ihr es nur zulaßt.

Es ist die Stimme, die euch in diesem Moment sagt, ob die Worte, die ihr lest, Worte der Liebe oder Worte der Angst sind. Dies ist der Maßstab, anhand dessen ihr entscheiden könnt, ob sie zu befolgende oder zu ignorierende Worte sind.

Du hast gesagt, daß ich in ganzer Herrlichkeit erfahren werde, wer ich bin und sein kann, wenn ich stets den Handlungsweg wähle, den die Liebe eingibt. Kannst du das bitte noch weiter ausführen?

Es gibt nur einen Grund für alles Leben, nämlich daß ihr und alles, was lebt, diese Herrlichkeit in ganzer Fülle erfahrt.

Alles, was ihr sonst sagt, denkt oder tut, dient diesem Zweck. Es gibt nichts anderes für eure Seele zu tun, und nichts anderes, was eure Seele tun *möchte*.

Das Wundersame an diesem Sinn und Zweck ist, daß er kein Ende hat. Ein Ende bedeutet Beschränkung, und Gottes Absicht beinhaltet nicht eine solche Begrenzung. Sollte der Moment kommen, in dem du dich in all deiner Herrlichkeit erfährst, so wirst du dir dann eine noch größere Herrlichkeit vorstellen, zu der du gelangen willst. Je mehr du bist, desto mehr kannst du werden, und je mehr du wirst, desto mehr kannst du noch werden.

Das tiefste Geheimnis ist, daß das Leben nicht ein Entdeckungsprozeß, sondern ein Schöpfungsprozeß ist.

Du entdeckst dich nicht selbst, sondern du erschaffst dich neu. Trachte deshalb nicht danach herauszufinden, wer-du-bist, sondern trachte danach zu entscheiden, wer-du-sein-möchtest.

Manche sagen, daß das Leben eine Schule ist, daß wir hier sind, um spezielle Lektionen zu erlernen, und daß wir, wenn wir dann unser »Abitur« gemacht haben, uns größeren Zielen widmen können, ohne noch an den Körper gefesselt zu sein. Ist das richtig?

DAS IST EIN weiterer Bestandteil eurer auf menschliche Erfahrung gegründeten Mythologie.

Das Leben ist keine Schule?

NEIN.

Wir sind nicht hier, um Lektionen zu erlernen?

Nᴇɪɴ.

Warum sind wir *dann* hier?

Uᴍ ᴇᴜᴄʜ ᴢᴜ erinnern und wieder neu zu erschaffen, wer-ihr-seid.
Ich habe es euch immer und immer wieder gesagt. Ihr glaubt mir nicht. Doch so ist es und soll es sein. Denn wahrlich, wenn ihr euch nicht als die-ihr-seid *erschafft,* könnt ihr es auch nicht sein.

Also – hier kann ich dir nicht mehr folgen. Kommen wir auf diese Sache mit der Schule zurück. Ich habe Lehrer um Lehrer uns sagen hören, daß das Leben eine Schule sei. Ich bin offen gestanden schockiert, von dir zu hören, daß es nicht so ist.

Dɪᴇ Sᴄʜᴜʟᴇ ɪsᴛ ein Ort, zu dem du gehst, wenn du etwas wissen willst, was du noch nicht weißt. Du begibst dich nicht an diesen Ort, wenn du bereits etwas weißt und *dieses Wissen* ganz einfach *erfahren willst.*
Das Leben (wie ihr es nennt) gibt euch die Gelegenheit, auf der *Erfahrungsebene etwas kennenzulernen,* was ihr bereits auf der Ebene der *Begrifflichkeit* wißt. Ihr müßt *nichts lernen,* um dies zu tun. Ihr müßt euch nur an das erinnern, was ihr bereits wißt, und *danach handeln.*

Ich bin mir nicht sicher, ob ich das verstanden habe.

Fangen wir es so an. Die Seele – deine Seele – weiß zu jeder Zeit alles, was es zu wissen gibt. Ihr ist nichts verborgen, nichts unbekannt. Doch dieses Wissen reicht nicht aus. Die Seele strebt nach der *Erfahrung*.

Du kannst *wissen*, daß du ein großzügiger Mensch bist, aber wenn du nichts *tust*, was diese Großzügigkeit zur Entfaltung bringt, dann hast du nichts weiter als eine begriffliche Vorstellung. Du kannst *wissen*, daß du ein gütiger Mensch bist, aber solange du nicht für jemanden etwas Gutes *tust*, hast du nichts weiter als eine *Vorstellung* von dir selbst.

Deine Seele hat nur einen Wunsch: Sie möchte ihren großartigsten *Begriff* von sich selbst in ihre großartigste *Erfahrung* verwandeln. Solange dieser Begriff, diese Idee nicht zur Erfahrung wird, bleibt alles nur Spekulation. Ich habe lange Zeit über mich spekuliert. Länger als ihr und ich uns gemeinsam daran erinnern könnten. Länger als das Alter dieses Universums mal des Alters des Universums. Ihr seht also, wie jung – wie *neu* – meine Erfahrung von mir selbst ist!

Ich kann dir wiederum nicht folgen. Deine Erfahrung von dir selbst?

Ja. Lass es mich dir so erklären.
Am Anfang war nur das, was *Ist*, und nichts anderes. Doch Alles-Was-Ist konnte sich nicht selbst erkennen – weil Alles-Was-Ist alles war, was da war, und *nichts sonst*. Und daher war Alles-Was-Ist … *nicht*. Denn in Abwesenheit von etwas anderem ist Alles-Was-Ist *nicht*.

Das ist das große Ist/Ist Nicht, auf das sich die Mystiker seit Anbeginn der Zeit bezogen haben.

Alles-Was-Ist *wußte*, das es alles war, was da war – aber das war nicht genug, weil es seine vollendete Großartigkeit nur *begrifflich*, nicht aber *erfahrungsgemäß* erkennen konnte. Doch es sehnte sich nach der *Erfahrung* seiner selbst, es wollte wissen, was es für ein Gefühl ist, so großartig zu sein. Das war jedoch unmöglich, weil schon der Begriff »großartig« relativ ist. Alles-Was-Ist konnte nicht wissen, was für ein *Gefühl* es ist, großartig zu sein, solange sich nicht *das, was nicht ist,* zeigte. In der Abwesenheit von *dem, was nicht ist,* ist das, was IST, *nicht.*

Verstehst du das?

Ich denke, ja. Fahre fort.

Gut. Alles-Was-Ist wußte eines, nämlich daß da *nichts anderes* war. Und so konnte und würde es sich *niemals* von einem Bezugspunkt außerhalb seiner selbst kennenlernen. Ein solcher Punkt existierte nicht. Es existierte nur ein Bezugspunkt, und das war der einzige Ort im Innern. Das »Ist/Ist Nicht.« Das Bin/Bin Nicht.

Doch das Alles von Allem entschied sich dazu, sich selbst *erfahrungsgemäß* kennenzulernen.

Diese *Energie* – diese reine, unsichtbare, unhörbare, unwahrnehmbare und von daher einem-jeden-anderen-unbekannte Energie – entschied sich, sich selbst als diese vollendete Großartigkeit zu erfahren, die Es war. Und es erkannte, daß es sich dazu eines Bezugspunkts *im Innern* bedienen mußte.

Es folgerte ganz richtig, daß jeder *Teil* Seiner Selbst notwendigerweise *weniger als das Ganze* sein mußte, und daß, wenn es sich selbst in Teile *aufteilte,* jeder Teil, der ja weniger war als das Ganze, auf den Rest Seiner Selbst blicken und Großartigkeit wahrnehmen konnte.

Und so teilte sich Alles-Was-Ist in sich selbst – wurde in einem gloriosen Augenblick das, was *dies* ist, und das, was *das* ist. Zum ersten Mal existierten *dies* und *das* gesondert voneinander. Und doch existierte beides zugleich und tat all das, was *keines von beidem* war.

So kam es, daß plötzlich *drei Elemente* existierten: Das, was *hier* ist. Das, was *dort* ist. Und das, was *weder hier noch dort* ist, aber *existieren muß,* damit *das Hier und das Dort* existieren können.

Es ist das Nichts, in dem alles enthalten ist. Es ist der Nicht-Raum, der den Raum enthält. Es ist das Alles, das die Teile enthält.

Kannst du das verstehen?

Kannst du dem folgen?

Ich denke, ja. Ob du es glaubst oder nicht, du hast das so klar dargestellt, daß ich meine, es tatsächlich zu verstehen.

Ich werde noch weiter gehen. Nun, dieses *Nichts*, in dem *alles* enthalten ist, ist das, was manche Menschen Gott nennen. Doch das ist auch nicht ganz präzise, denn dies hieße, daß es etwas gibt, das Gott *nicht* ist – nämlich alles, was nicht »nichts« ist. Aber ich bin *Alle Dinge* – sichtbar und unsichtbar. Deshalb ist die Beschreibung von mir als das Große Unsichtbare, das Kein-Ding oder der Raum Dazwischen, eine im wesentlichen dem Osten entstammende mystische Definition von Gott, nicht präziser als die im Westen geläufige praktische Definition, derzufolge Gott alles ist, was sichtbar ist. Das Verständnis derer, die glauben, daß Gott Alles-Was-Ist *und* Alles-Was-Nicht-Ist ist, ist korrekt.

Nun, durch die Erschaffung dessen, was »hier«, und dessen, was »dort« ist, versetzte Gott sich in die Lage, sich selbst zu erkennen. Im Moment dieser großen Explosion aus dem Innern erschuf Gott die *Relativität* – das größte Geschenk, das Gott je sich selbst machte. Von daher ist die *Beziehung* das größte Geschenk Gottes an euch, ein Punkt, über den wir später im einzelnen sprechen werden.

Aus dem Kein-Ding ging also Alles hervor – ein spirituelles Ereignis, das völlig vereinbar, identisch ist mit dem, was eure Wissenschaftler die Theorie des Urknalls nennen.

Mit der rasend schnellen Ausbreitung der Elemente wurde die *Zeit* erschaffen, denn ein Ding war erst *hier*, dann war es *dort* – und die Dauer seiner Bewegung von hier nach dort war meßbar.

So wie die sichtbaren Teile Seiner Selbst sich in »Relation« zueinander zu definieren begannen, taten dies auch die unsichtbaren Teile.

Gott wußte, daß die Liebe nur existieren – und sich selbst als *reine Liebe erkennen* – konnte, wenn ihr genaues Gegenteil ebenfalls existierte. So erschuf Gott vorsätzlich die große Polarität, das absolute Gegenteil von Liebe – alles, was Liebe nicht ist –, was nun Angst genannt wird. In jenem Moment, in dem die Angst existierte, konnte die Liebe als *ein Ding* existieren, *das zu erfahren nun möglich war.*

Diese Erschaffung der Dualität zwischen Liebe und ihrem Gegenteil ist das, was die Menschen in ihren verschiedenen Mythologien als die *Geburt des Bösen,* den Sündenfall Adams, die Rebellion Satans und so weiter bezeichnen.

So, wie ihr euch dazu entschieden habt, die reine Liebe in dem Wesen verkörpert zu sehen, das ihr Gott nennt, habt ihr euch auch entschieden, tiefste Angst in dem Wesen personifiziert zu sehen, das ihr den Teufel nennt.

Manche auf Erden haben um dieses Ereignis herum ziemlich ausgeklügelte Mythologien samt Szenarien von Schlachten und Kriegen mit Heerscharen von Engeln und teuflischen Kriegern, den Kräften von Gut und Böse, des Lichts und der Finsternis aufgebaut.

Diese Mythologien waren der frühe Versuch von Menschen, ein kosmisches Ereignis zu verstehen und anderen auf für sie verständliche Weise von dem zu erzählen, *dessen sich die menschliche Seele zutiefst bewußt ist, das aber der Verstand kaum begreifen kann.*

Indem Gott aus dem Universum eine geteilte Version von sich selbst machte, brachte er, aus reiner Energie, alles hervor, was jetzt sowohl sichtbar als auch unsichtbar existiert. Mit anderen Worten, auf diese Weise wurde nicht nur das physische, *sondern auch das metaphysische Universum* geschaffen. Der Teil Gottes, der die zweite Hälfte der Bin-/Bin-Nicht-Gleichung bildet, explodierte ebenfalls zu einer unendlichen Anzahl von Einheiten, die kleiner sind als das Ganze. Diese Energieeinheiten würdet ihr Geister nennen. In manchen eurer religiösen Mythologien wird gesagt, daß »Gott der Vater« viele Geist-Kinder hatte. Diese Parallele zu der menschlichen Erfahrung vom sich vervielfachenden

Leben scheint die einzige Möglichkeit zu sein, den Massen in der Realität die Vorstellung von der plötzlichen Erscheinung – der plötzlichen Existenz – zahlloser Geister im »Reich des Himmels« nahezubringen.

In diesem Fall sind eure mythologischen Geschichten und Erzählungen von der letztlichen Realität gar nicht so weit entfernt. Die endlose Anzahl von Geistern, die meine Totalität ausmachen, *sind* im kosmischen Sinn meine Nachkommen.

Mit dieser Teilung meiner selbst verfolgte ich das göttliche Ziel, genügend Teile von mir zu erschaffen, damit ich *mich erfahrungsgemäß kennenlernen kann.* Der Schöpfer hat nur eine Möglichkeit, sich in der Erfahrung als Schöpfer zu erkennen: Er muß erschaffen. Und so gab ich all den zahllosen Teilen meiner selbst (allen meinen Geist-Kindern) die *gleiche Macht zu erschaffen,* die ich als Ganzes besitze. *Das meinen die Religionen, wenn sie sagen, daß ihr »nach dem Ebenbilde Gottes« geschaffen wurdet. Es bedeutet nicht, wie manche annahmen, daß wir in unserer physischen Gestalt gleich aussehen (obwohl Gott jede physische Gestalt annehmen kann, die er sich für einen bestimmten Zweck erwählt). Es bedeutet, daß unsere Essenz die gleiche ist. Wir sind aus dem gleichen Stoff gemacht. Wir SIND »derselbe Stoff«! Wir verfügen über die gleichen Eigenschaften und Fähigkeiten – einschließlich der Gabe, physische Realität aus dünner Luft zu erschaffen.*

Als ich euch, meine spirituellen Nachkommen, erschuf, war es mein Ziel, mich selbst als Gott kennenzulernen. Ich kann dies auf keine andere Weise als *durch euch* tun. Somit kann gesagt werden (und es wurde auch viele Male gesagt), daß mein Ziel für euch darin besteht, daß *ihr* euch selbst als *mich* erkennt.

Das scheint so erstaunlich einfach zu sein, wird aber sehr komplex, weil es nur eine Möglichkeit gibt, wie ihr euch als mich erkennen könnt, nämlich die, daß ihr euch selbst *zuerst* als *nicht Mich* erkennt.

Nun versuche, mir hier zu folgen – bemühe dich darum –, denn es wird jetzt sehr subtil. Bist du bereit?

Ich denke, ja.

GUT. DENK DARAN, du hast um diese Erklärung gebeten. Du hast Jahre auf sie gewartet. Du hast darum gebeten, sie in einer Laiensprache und nicht in Form theologischer Lehrsätze oder wissenschaftlicher Theorien zu erhalten.

Ja – ich weiß, worum ich gebeten habe.

UND WIE DU gefragt hast, so soll dir geantwortet werden.

Nun, um mich leicht verständlich auszudrücken, werde ich mich eures mythologischen Modells von den Kindern Gottes bedienen, weil dieses euch vertraut ist und in vielerlei Hinsicht gar nicht so abwegig.

Kommen wir also darauf zurück, wie dieser Prozeß der Selbsterkenntnis zu funktionieren hat.

Es gab eine Möglichkeit, wie ich alle meine geistigen Kinder dazu hätte bringen können, sich als Teil von mir zu erkennen: nämlich indem ich es ihnen einfach sagte. Das habe ich getan. Aber siehst du, dem reinen Geist war es nicht genug, sich selbst einfach als Gott zu erkennen, oder als Teil von Gott, oder als Kinder Gottes, oder als Erben des Reichs Gottes (je nachdem, welche Mythologie du hier heranziehen möchtest).

Wie ich schon erklärte, besteht ein Unterschied zwischen etwas *wissen* und es *erfahren*. Der reine Geist sehnte sich danach, sich selbst als Erfahrung kennenzulernen (so wie *ich* es tat). Begriffliches Gewahrsein war euch nicht genug. So entwarf ich einen Plan. Es ist die außergewöhnlichste Idee im ganzen Universum und beinhaltet die spektakulärste Zusammenarbeit. Ich sage Zusammenarbeit, weil *ihr alle mit mir daran beteiligt seid.*

Dem Plan gemäß betratet ihr als reiner Geist das eben geschaffene physikalische Universum. Das deshalb, weil ihr nur über die *Physikalität* erfahrungsgemäß das kennenlernen könnt, was ihr auf begrifflicher Ebene wißt. Dies ist tatsächlich der Grund, warum ich den physikalischen Kosmos überhaupt erschaffen habe – und das Relativitätssystem, das ihn und alle Schöpfung regiert.

Nachdem ihr, meine geistigen Kinder, erst einmal im physikalischen Universum existiertet, konntet ihr erfahren, was ihr über euch selbst wißt – aber zunächst *mußtet ihr das Gegenteil kennenlernen.* Um es etwas vereinfacht zu erklären: Ihr könnt euch nicht selbst als großgewachsen erkennen, solange euch nicht bewußt ist, daß es auch die Kleinwüchsigkeit gibt. Ihr könnt nicht den Teil von euch, den ihr dick nennt, erfahren, solange ihr nicht auch das Dünne kennt.

Daraus ergibt sich letztlich die logische Schlußfolgerung, daß ihr euch nicht als die, die ihr seid, erfahren könnt, solange ihr nicht dem begegnet seid, was ihr *nicht* seid. Das ist der Zweck der Relativitätstheorie und allen physischen Lebens. Ihr definiert euch über das, was ihr *nicht* seid.

Nun, im Fall der letztlichen oder höchsten Erkenntnis – des Sich-Selbst-Erkennens als Schöpfer – könnt ihr euch nicht selbst als Schöpfer *erfahren*, solange und bis ihr nicht selbst *erschafft*. Und ihr könnt euch nicht selbst erschaffen, solange ihr euch nicht selbst *auslöscht*. In gewissem Sinn müßt ihr erst »nicht sein«, damit ihr sein könnt. Kannst du folgen?

Ich denke ...

BLEIB DABEI.
Natürlich könnt ihr keinesfalls nicht sein, wer und was ihr seid – ihr *seid* es einfach (reiner, schöpferischer Geist), ihr wart es und werdet es immer sein. Also habt ihr das Nächstbeste getan. Ihr *habt euch dazu gebracht zu vergessen,* wer-ihr-wirklich-seid.

Beim Eintreten ins physikalische Universum habt ihr *die Erinnerung an euch selbst aufgegeben*. Das gestattet euch, die Wahl zu treffen, wer-ihr-sein wollt, statt sozusagen einfach schon im Schloß aufzuwachen.

Statt lediglich gesagt zu bekommen, daß ihr ein Teil Gottes seid, habt ihr diesen Akt der Wahl, in dem ihr euch selbst als über totale Wahlfreiheit verfügend *erlebt*. Und diese ist der Definition nach das, was Gott ist. Aber wie könnt ihr Entscheidungsfreiheit in einer Sache haben, in der ihr gar keine Wahl *habt?* Ihr könnt nicht *nicht* meine Nachkommen sein, so sehr ihr euch auch bemühen mögt – doch ihr *könnt vergessen.*

Ihr seid, wart und werdet immer ein *göttlicher Teil des göttlichen Ganzen, ein Glied des Körpers* sein. Der Akt der Wiedervereinigung mit dem Ganzen, die Rückkehr zu Gott, ist ein Akt des Rück-Erinnerns, der Wieder-Eingliederung. Ihr wählt, euch daran zu *erinnern*, wer-ihr-wirklich-seid, oder euch mit den verschiedenen Teilen eurer selbst wieder zu vereinen, um euch in eurer Gesamtheit zu erfahren – das heißt – mich in meiner Allumfassendheit.

Eure Aufgabe auf Erden ist es deshalb nicht zu *lernen* (weil ihr *bereits wißt*), sondern euch zu *erinnern/wieder einzugliedern/zusammenzufügen*, wer-ihr-seid, und dies nicht nur in bezug auf euch, sondern auch in bezug auf alle anderen. Deshalb besteht eure Aufgabe zum großen Teil auch darin, daß ihr andere daran erinnert, ihnen wieder ins Gedächtnis ruft, daß auch sie sich wieder erinnern/eingliedern/zusammenfügen können.

All die wunderbaren Lehrer haben genau das getan. Das ist *euer* einziges Ziel. Das heißt, *das Ziel eurer Seele.*

Mein Gott, das ist so einfach – und so ... *symmetrisch.* Ich meine, es paßt alles *zusammen!* Alles *paßt* plötzlich! Ich sehe nun ein Bild, das ich bislang nie ganz zusammenfügen konnte.

Gut. Das ist gut. Das ist der Zweck dieses Dialogs. Du hast mich um Antworten gebeten. Ich habe versprochen, daß ich sie dir gebe.

Du wirst aus diesem Dialog ein Buch und meine Worte vielen zugänglich machen. Das ist Teil deiner Arbeit. Nun, du hast viele Fragen, viele Nachforschungen über das Leben anzustellen. Wir haben hier das Fundament gelegt. Wir haben die Grundlage für andere Einsichten geschaffen. Laß uns zu diesen anderen Fragen kommen. Und mach dir keine Sorgen. Solltest du etwas, das wir gerade durchgegangen sind, nicht ganz genau verstehen, wird es dir recht bald klarwerden.

Es gibt so vieles, das ich fragen möchte. Da sind so viele Fragen. Ich sollte wohl mit den großen, mit den augenfälligen Fragen anfangen. Zum Beispiel, warum befindet sich die Welt in jener Verfassung, in der sie ist?

Von allen Fragen, die der Mensch an Gott richtet, wird diese am häufigsten gestellt – seit Anbeginn der Zeit. Vom ersten bis zu diesem Moment wolltet ihr wissen: *Warum muß es so sein?*

Die klassische Formulierung dieser Frage sieht gewöhnlich so aus: Warum erschafft Gott, wenn er vollkommen und alliebend ist, Seuchen und Hungersnöte, Kriege und Krankheiten, Erdbeben, Wirbelstürme und Orkane sowie alle Arten von Naturkatastrophen, tiefste persönliche Enttäuschung und weltweites Elend?

Die Antwort auf diese Frage liegt im tieferen Mysterium des Universums und im höchsten Sinn des Lebens.

Ich zeige meine Güte nicht, indem ich um euch herum nur das erschaffe, was ihr Vollkommenheit nennt. Ich zeige meine Liebe nicht dadurch, daß ich euch nicht erlaube, daß ihr eure Liebe zeigt.

Wie ich schon erklärte, könnt ihr nicht Liebe erweisen, wenn ihr nicht die *Nicht*-Liebe zeigen könnt. Außer in der

Welt des Absoluten kann ein Ding nicht ohne sein Gegenteil existieren. Aber das Reich des Absoluten war weder für euch noch für mich ausreichend. Ich existierte dort, im Immerwährenden, und von dort seid auch ihr gekommen.

Im Absoluten gibt es keine Erfahrung, nur das Wissen. Wissen ist ein göttlicher Zustand, aber die größte Freude *ist* im Seienden. *Seiendes* wird nur nach der Erfahrung erreicht. Evolution bedeutet: *wissend, erfahrend, seiend*. Das ist die Heilige Dreifaltigkeit – die Dreieinigkeit Gottes.

Gott der Vater ist *wissend* – der Urheber aller Einsichten, der Urheber aller Erfahrungen, denn ihr könnt nicht erfahren, was ihr nicht wißt.

Gott der Sohn ist *erfahrend* – die Verkörperung, das Ausagieren all dessen, was der Vater von sich selbst weiß, denn ihr könnt nicht sein, was ihr nicht erfahren habt.

Gott der Heilige Geist ist *seiend* – die *Ent*körperlichung all dessen, was der Sohn von sich selbst erfahren hat; der einfache, vollkommene Zustand des Seienden ist nur möglich durch die Erinnerung an das Wissende und Erfahrende.

Dieses einfache Seiende ist Seligkeit. Es ist der Gotteszustand, nachdem er sich selbst erkannt und erfahren hat. Es ist das, wonach Gott sich am Anfang sehnte.

Natürlich seid ihr über jenen Punkt hinausgelangt, an dem euch noch erklärt werden muß, daß die Beschreibungen von Gott als Vater und Sohn nichts mit Geschlechtszugehörigkeit zu tun haben. Ich bediene mich hier der bildhaften Sprache eurer zuletzt verfaßten heiligen Schriften. Sehr viel frühere heilige Schriften haben diese Metapher in einen Kontext von Mutter und Tochter gestellt. Beides ist nicht korrekt. Am besten könnt ihr diese Beziehung begreifen, wenn ihr in den Begriffen von Eltern und Nachkommenschaft denkt oder von Das-was-entstehen-läßt und Das-was-zur-Entstehung-gebracht-wird.

Das Hinzufügen des dritten Teils der Dreifaltigkeit führt zu folgender Beziehung: Das was entstehen läßt/Das was zur Entstehung gebracht wird/Das was ist.

Diese dreieinige Realität ist Gottes Signatur. Es ist das göttliche Muster. Dieses Drei-in-Einem findet sich überall in den Reichen des Höchsten, des Sublimen. Dem könnt ihr in den Dingen, die mit Zeit und Raum, mit Gott und Bewußtsein und mit jeglichen subtilen Beziehungen zu tun haben, nicht entkommen. Andererseits werdet ihr diese Dreieinige Wahrheit in den groben Beziehungen des Lebens *nicht* vorfinden.

Diejenigen, die mit den subtilen Beziehungen des Lebens befaßt sind, wissen um diese Dreieinige Wahrheit. Manche eurer Theologen haben sie als Vater, Sohn und Heiligen Geist beschrieben. Manche eurer Psychologen benutzen die Begriffe von Überbewußtsein, Bewußtsein und Unterbewußtsein. Manche eurer Spiritualisten sagen dazu Geist, Körper, Seele. Manche eurer Wissenschaftler sehen sie als Energie, Materie und Äther. Manche eurer Philosophen sagen, daß ein Ding erst dann für euch wahr ist, wenn es in Gedanken, Wort und Tat wahr geworden ist. Hinsichtlich der Zeit sprecht ihr nur von drei Formen: Vergangenheit, Gegenwart, Zukunft. Ähnlich gibt es drei Momente in eurer Wahrnehmung: vorher, jetzt und danach. In bezug auf räumliche Beziehungen, gleich ob es sich um Punkte im Universum oder in eurem eigenen Zimmer handelt, erkennt ihr ein Hier, ein Dort und den Raum dazwischen.

Was die groben Beziehungen angeht, kennt ihr *kein* »dazwischen«. Der Grund dafür ist der, daß grobe Beziehungen immer Zweiheiten sind, während die Beziehungen des höheren Reichs unfehlbar Dreiheiten sind. Von daher habt ihr links–rechts, oben–unten, klein–groß, schnell–langsam, heiß–kalt und die größte je erschaffene Zweiheit: männlich–weiblich. Bei diesen Zweiheiten oder Gegensatzpaaren gibt es kein *dazwischen*. Ein Ding ist entweder *das eine* oder das andere, oder eine größere oder kleinere *Version* einer dieser Polaritäten.

Innerhalb des Reichs der groben Beziehungen kann nichts Vorstellbares ohne die Vorstellung seines *Gegenteils* existieren. Der größte Teil eurer Alltagserfahrung liegt in dieser Realität begründet.

Innerhalb des Reichs der sublimen Beziehungen hat nichts, was existiert, ein Gegenteil. Alles ist eins, und alles schreitet vom einen zum anderen in einem endlosen Kreis voran. Zeit ist ein solches sublimes Reich, in dem das, was ihr Vergangenheit, Gegenwart und Zukunft nennt, in *wechselseitiger Beziehung* existiert. Das heißt, sie bilden keinen *Gegensatz*, sondern sind Teile desselben Ganzen; Progressionen, Weiterentwicklungen desselben Gedankens; Zyklen derselben Energie; Aspekte derselben unwandelbaren Wahrheit. Wenn ihr daraus schließt, daß Vergangenheit, Gegenwart und Zukunft in ein und derselben »Zeit« existieren, habt ihr recht. (Aber das ist hier nicht der richtige Moment, um darüber zu sprechen. Wir werden darauf sehr viel detaillierter eingehen, wenn wir später die ganze Zeitkonzeption erkunden.)

Die Welt ist so, wie sie ist, weil sie gar nicht *anders* sein und dennoch im groben Bereich der Physikalität existieren könnte. Erdbeben und Orkane, Überschwemmungen und Wirbelstürme und all das andere, was ihr Naturkatastrophen nennt, sind nichts anderes als die Bewegungen der Elemente von einer Polarität zur anderen. Der ganze Zyklus von Geburt und Tod ist Bestandteil dieses Prozesses. Dies sind die Rhythmen des Lebens, denen alles in der groben Realität unterworfen ist, denn das Leben *selbst* ist ein Rhythmus. Es ist eine Welle, eine Schwingung, ein Pulsschlag im Herzen von Allem-Was-Ist.

Krankheiten und Leiden sind das Gegenteil von Gesundheit und Wohlbefinden und manifestieren sich in eurer Realität auf euer Geheiß. Ihr könnt nicht krank sein, ohne euch auf bestimmter Ebene dazu gebracht zu haben, und ihr könnt wieder wohlauf sein in dem Moment, in dem ihr euch ganz einfach dazu entscheidet. Tiefe persönliche Enttäuschungen sind gewählte Reaktionen, und globale Katastrophen sind das Ergebnis eines globalen Bewußtseins.

Deine Frage impliziert, daß ich diese Ereignisse gewählt habe, daß es mein Wille und *Wunsch* ist, daß sie geschehen. *Doch diese Dinge gelangen nicht durch meinen Willen zum Sein, ich beobachte nur euer dementsprechendes Tun.* Und ich unternehme nichts, um sie zu verhindern, denn damit würde ich *eurem Willen entgegenarbeiten.* Und das würde euch wiederum der Gotteserfahrung berauben, der Erfahrung, die ihr und ich gemeinsam gewählt haben.

Verdammt daher nicht all das, was ihr in dieser Welt als schlecht anseht. Fragt euch vielmehr selbst, was ihr daran als schlecht verurteilt, und was, wenn überhaupt, ihr tun wollt, um es zu ändern.

Forscht im Innern statt im Außen und fragt euch: »Welchen Teil meines Selbst möchte ich jetzt angesichts dieses Unglücks erfahren? Welchen Aspekt des Seins wähle und rufe ich auf?« Denn alles Leben existiert als Werkzeug eurer eigenen Schöpfung, und alle seine Ereignisse bieten sich euch nur als Gelegenheiten dar, zu entscheiden und zu sein, wer-ihr-seid.

Das gilt für jede Seele, und so gibt es, seht ihr, keine Opfer im Universum, nur Schöpfer. Alle Meister, die auf diesem Planeten wandelten, wußten das. Deshalb hat sich kein Meister, gleich welchen ihr nennt, je selbst als Opfer gesehen – obschon viele tatsächlich gekreuzigt worden sind.

Jede Seele ist ein Meister – obgleich sich manche nicht an ihre Ursprünge oder ihr Erbe erinnert. Doch jede schafft die Situation und die Umstände für ihr eigenes höchstes Ziel und ihr eigenes raschestes Erinnern – in jedem »jetzt« genannten Moment.

Urteilt also nicht über den karmischen Weg, den ein anderer geht. *Beneidet nicht den Erfolg, bemitleidet nicht den Mißerfolg, denn ihr wißt nicht, was nach dem Ermessen der Seele ein Erfolg oder Mißerfolg ist.* Nennt ein Ding nicht Unglück oder freudiges Ereignis, solange ihr nicht entschieden oder beobachtet habt, wie es *genutzt* wird. Denn ist ein Tod ein Unglück, wenn er Tausende von Leben rettet? Und ist ein Leben ein freudiges Ereignis, wenn es nichts als Kummer und Leid verursacht hat? Aber selbst darüber sollt ihr nicht richten, sondern eure Meinung für euch behalten und den anderen die ihre lassen.

Das heißt nicht, daß ihr einen Hilferuf ignorieren sollt oder das Drängen eurer eigenen Seele, auf die Veränderung irgendeines Umstands oder Zustands hinzuarbeiten. Es bedeutet, daß ihr, während ihr das tut, was ihr tut, das Etikettieren und Verurteilen vermeiden sollt. Denn jeder gegebene Umstand ist ein Geschenk, und in jeder Erfahrung liegt ein Schatz verborgen.

Es war einmal eine Seele, die sich als das Licht erkannte. Es war eine sehr neue Seele und deshalb auf Erfahrung erpicht. »Ich bin das Licht«, sagte sie. »Ich bin das Licht.« Doch all dieses Wissen und Aussprechen konnte die Erfahrung davon nicht ersetzen. Und in dem Reich, aus dem die Seele auftauchte, gab es nichts *außer* dem Licht. *Jede* Seele war großartig, jede Seele war herrlich, und jede Seele erstrahlte im Glanz meines ehrfurchtgebietenden Lichts. Und so war diese kleine Seele eine Kerzenflamme in der Sonne. Inmitten des grandiosesten Lichts – von dem sie ein Teil war – konnte sie sich selbst nicht sehen und auch nicht erfahren, wer-und-was-sie-wirklich-ist.

Nun geschah es, daß diese Seele sich danach sehnte und verzehrte, sich selbst kennenzulernen. Und so groß war ihr Verlangen, daß ich eines Tages zu ihr sagte: »Weißt du, Kleines, was du tun mußt, um dein Verlangen zu befriedigen?«

»Oh, was denn, Gott? Was? Ich werde *alles* tun!« sagte die kleine Seele.

»Du mußt dich vom Rest von uns trennen«, gab ich zur Antwort, »und dann mußt du für dich die Finsternis herbeibeschwören.«

»Was ist die Finsternis, o Heiligkeit?« fragte die kleine Seele.

»Das, was du nicht bist«, erwiderte ich, und die Seele verstand.

Und so entfernte sie sich von Allem und machte sich sogar in ein anderes Reich auf. Und in diesem Reich hatte die Seele die Macht, sämtliche möglichen Formen von Finsternis in ihre Erfahrung zu rufen. Und das tat sie auch.

Doch inmitten all der Finsternis rief sie aus: »Vater, Vater, warum hast du mich verlassen?« So wie ihr das auch in euren dunkelsten Zeiten getan habt. Doch ich habe euch nie verlassen, sondern euch immer zur Seite gestanden, bereit, euch daran zu erinnern, wer-ihr-wirklich-seid; bereit, immer bereit, euch nach Hause zu rufen.

Seid deshalb der Finsternis ein Licht und verflucht sie nicht.

Und vergeßt nicht, wer-ihr-seid in dem Moment, in dem ihr von dem umschlossen seid, was ihr nicht seid. Und preist die Schöpfung, auch wenn ihr danach trachtet, sie zu verändern.

Und wißt, daß das, was ihr in den Zeiten eurer größten Prüfungen tut, euer größter Triumph sein kann. Denn die von euch erschaffene Erfahrung ist eine Aussage darüber, was-ihr-seid und wer-ihr-sein-wollt.

Ich habe euch diese kleine Geschichte – die Parabel von der kleinen Seele und der Sonne – erzählt, damit ihr vielleicht besser versteht, warum die Welt so ist, wie sie ist, und wie sie sich sofort verändern kann in dem Moment, in dem alle sich an die göttliche Wahrheit als ihre höchste Realität erinnern.

Nun gibt es jene, die sagen, daß das Leben eine Schule ist, und daß die Dinge, die ihr in eurem Leben wahrnehmt und erfahrt, euch etwas lehren sollen. Ich habe diesen Punkt bereits angesprochen und sage euch noch einmal:

Ihr kamt in dieses Leben, ohne etwas lernen zu müssen –
ihr sollt nur demonstrieren, was ihr bereits wißt. Und in-
dem ihr es demonstriert, werdet ihr es ausarbeiten und
euch selbst, durch eure Erfahrung, neu erschaffen. So
rechtfertigt ihr das Leben und gebt ihm einen Sinn. So hei-
ligt ihr es.

Sagst du damit, daß alles Schlechte, das uns widerfährt,
Dinge unserer eigenen Wahl sind? Heißt das, daß selbst die
großen Unglücke und Katastrophen auf dieser Welt auf einer bestimmten Ebene von uns erschaffen werden, damit
wir »das Gegenteil dessen, was-wir-sind, erfahren« können? Und wenn ja, gibt es nicht eine für uns selbst und
andere weniger schmerzliche Möglichkeit, Gelegenheiten
zu erschaffen, die es uns erlauben, uns selbst als uns selbst
zu erfahren?

Du HAST MEHRERE Fragen gestellt, und es sind alles gute
Fragen. Besprechen wir eine nach der anderen.
Nein, nicht alle Dinge, die euch widerfahren und die ihr
schlecht nennt, sind eure eigene Wahl. Nicht im bewußten
Sinn, wie du ihn meinst. Sie sind aber alle eure eigene
Schöpfung.
Ihr befindet euch *fortwährend* in einem Schöpfungsprozeß
– in jedem Moment, jeder Minute, an jedem Tag. *Wie* ihr
erschaffen könnt, darauf werde ich später eingehen. Für den
Augenblick mußt du meinen Worten einfach Glauben
schenken: Ihr seid eine große Schöpfungsmaschine und
bringt buchstäblich so schnell, wie ihr denken könnt, eine
neue Manifestation hervor.

Begebenheiten, Ereignisse, Bedingungen und Umstände werden aus dem Bewußtsein geschaffen. Das individuelle Bewußtsein ist schon machtvoll genug. Da könnt ihr euch vorstellen, welch eine schöpferische Energie freigesetzt wird, wenn sich zwei oder *mehr* in meinem Namen versammeln. Und das *Massen*-Bewußtsein? *Das* ist so mächtig, daß es Ereignisse und Umstände von weltweiter Bedeutung und mit globalen Konsequenzen erschaffen kann.

Die Aussage wäre nicht korrekt – nicht im Sinne, wie *du* es meinst –, daß *ihr* diese Konsequenzen *wählt*. Ihr wählt sie genausowenig, wie ich sie wähle. Wie auch ich, beobachtet ihr sie, nehmt ihr sie wahr. Und ihr entscheidet, wer ihr *im Hinblick auf sie* seid.

Doch es gibt keine Opfer und Bösewichter auf der Welt. Und ihr seid auch nicht die Opfer der Entscheidungen anderer. Auf einer bestimmten Ebene habt ihr *alle* das erschaffen, was ihr eurer Aussage nach verabscheut – und da es von euch erschaffen wurde, habt ihr es *gewählt*.

Das ist eine höher entwickelte Ebene des Denkens und eine, die alle Meister früher oder später erreichen. Denn erst, wenn sie imstande sind, die Verantwortung für das *Gesamte* zu akzeptieren, können sie auch die Macht erlangen, einen *Teil* davon zu verändern.

Solange ihr der Vorstellung anhängt, daß da draußen irgend etwas oder irgendein anderer ist, der euch das »antut«, beraubt ihr euch selbst der Macht, etwas dagegen zu tun. Nur wenn ihr sagt: »Ich habe das *getan*«, könnt ihr die Macht finden, es zu ändern.

Es ist sehr viel leichter, etwas zu ändern, was du tust, als etwas zu ändern, was ein anderer tut.

Der erste Schritt, um *irgend etwas* zu verändern, besteht darin, daß ihr erkennt und akzeptiert, daß ihr es so gewählt habt.

Könnt ihr das auf persönlicher Ebene nicht akzeptieren, so stimmt durch eure Einsicht zu, daß wir alle Eins sind. Trachtet dann danach, eine Veränderung zu schaffen, nicht weil irgend etwas falsch ist, sondern weil es nicht mehr eine präzise Aussage über das darstellt, was-ihr-seid.

Es gibt nur einen Grund, irgend etwas zu tun: es zu tun als eine Aussage gegenüber dem Universum darüber, wer-ihr-seid.

Auf diese Weise wird das Leben Selbst-schöpferisch. Ihr benutzt das Leben, um euer *Selbst* als die, die-ihr-seid und die-ihr-immer-sein-wolltet, zu erschaffen. Es gibt nur einen Grund, etwas *zunichte* zu machen: den, daß es *nicht länger* eine Aussage darüber darstellt, wer-ihr-sein-wollt. Es spiegelt euch nicht wider. Es repräsentiert euch nicht. (Es *re-präsen-tiert* euch nicht, macht euch nicht wieder präsent ...)

Wenn ihr präzise repräsentiert sein wollt, *müßt ihr daran arbeiten, alles in eurem Leben zu ändern, was nicht in euer Bild paßt, das ihr in die Ewigkeit zu projizieren wünscht.*

Im weitesten Sinn sind alle »schlechten« Dinge, die euch geschehen, eure Wahl. Der Fehler liegt nicht in der Wahl, sondern darin, daß ihr sie schlecht nennt. Und wenn ihr sie schlecht nennt, nennt ihr euer Selbst schlecht, da ihr sie erschaffen habt.

Eine solche Etikettierung könnt ihr nicht hinnehmen, und so *erkennt ihr*, statt euer Selbst als schlecht zu bezeichnen, *eure Schöpfungen lieber nicht als euer eigen an.* Diese intellektuelle und spirituelle Unaufrichtigkeit führt euch zur Akzeptanz einer Welt, in der die Bedingungen so sind, wie sie sind. Wenn ihr *die persönliche Verantwortung* für die Welt akzeptieren müßtet – oder wenigstens ein tiefes inneres Verantwortungsgefühl empfändet –, sähe dieser Ort völlig anders aus. Das wäre in Wahrheit *gewiß* so, wenn sich *jedermann* verantwortlich fühlte. Daß dies so offensichtlich, so offenkundig ist, macht das Ganze so überaus schmerzlich und bitter ironisch.

Die Naturkatastrophen auf der Welt, die Wirbelstürme und Orkane, Vulkanausbrüche und Überschwemmungen – ihre physikalischen Tumulte – werden nicht eigentlich von euch geschaffen. Was von euch geschaffen *wird*, ist das Maß, in dem diese Ereignisse euer Leben berühren.

Es finden Ereignisse im Universum statt, von denen auch bei aller Vorstellungskraft nicht behauptet werden kann, daß ihr sie herbeigeführt oder geschaffen habt.

Diese Ereignisse werden durch das vereinigte Menschheitsbewußtsein geschaffen. Alles, was in der Welt existiert, produziert, erschafft im kooperativen Miteinander diese Erfahrungen. Ihr als einzelne bewegt euch durch sie hindurch und entscheidet, was, wenn überhaupt, sie für euch bedeuten und wer und was ihr in bezug zu ihnen seid.

So erschafft ihr kollektiv und individuell das Leben und die Zeiten, die ihr erfahrt, für das seelische Ziel der Entfaltung.

Du hast gefragt, ob es eine weniger schmerzliche Art gibt, diesen Prozeß zu durchlaufen, und die Antwort lautet »ja«. Doch damit wird sich nichts an deiner äußeren Erfahrung geändert haben. Wenn du den Schmerz, den du mit irdischen Erfahrungen und Ereignissen – den deinen und denen anderer – assoziierst, mindern willst, *mußt du deine Wahrnehmungsweise von ihnen ändern.*

Du kannst das äußere Ereignis nicht ändern (denn das wurde kollektiv von euch erschaffen, und ihr seid in eurem Bewußtsein noch nicht weit genug entwickelt, um individuell das ändern zu können, was kollektiv erschaffen wurde), also mußt du die innere Erfahrung verändern. Das ist der Weg zur Meisterschaft des Lebens.

Nichts ist an und für sich schmerzvoll. Schmerz ist ein Ergebnis falschen Denkens. Er ist ein gedanklicher Irrtum. Ein Meister kann den peinigendsten Schmerz zum Verschwinden bringen. Auf diese Weise heilt er.

Schmerz ist die Folge eines Urteils, das du über etwas abgegeben hast. Heb das Urteil auf, und der Schmerz verschwindet.

Urteile gründen sich oft auf frühere Erfahrungen. Deine Vorstellung von einem Ding leitet sich aus einer früheren Vorstellung von diesem Ding ab. Und deine frühere Vorstellung resultiert aus einer noch früheren Vorstellung – und diese wiederum aus einer anderen und so weiter, bis du den ganzen Weg zurückverfolgt hast und in die Halle der Spiegel gelangst und zu dem, was ich den ersten Gedanken nenne.

Alles Denken ist schöpferisch, und kein Gedanke ist machtvoller als der Urgedanke. Deshalb wird dieser manchmal auch die Ursünde genannt.

Ursünde ist, wenn dein erster Gedanke über etwas ein Irrtum ist. Dieser Irrtum wird dann viele Male und jedesmal wieder konstruiert, wenn du einen zweiten oder dritten Gedanken darüber hegst. Es ist die Aufgabe des Heiligen Geistes, dich zu neuen Einsichten und Erkenntnissen zu inspirieren, die dich von deinen Fehlern befreien können.

Meinst du damit, daß ich kein schlechtes Gefühl wegen der verhungernden Kinder in Afrika, der Gewalt und Ungerechtigkeit in Amerika, des Erdbebens, das Hunderte in Japan tötet, haben sollte?

IN DER WELT Gottes gibt es kein »du solltest« oder »du solltest nicht«. Tu, was du tun willst. Tu, was dich in einer großartigeren Version deines Selbst widerspiegelt, sie repräsentiert. Wenn du dich schlecht fühlen willst, dann fühl dich schlecht.
Aber richte nicht und verdamme nicht, denn du weißt nicht, warum etwas geschieht oder zu welchem Zweck.
Und denk daran: Das, was du verdammst, wird dich verdammen, und das, was du verurteilst, das wirst du eines Tages werden.
Trachte vielmehr danach, jene Dinge zu verändern – oder andere zu unterstützen, die sie verändern –, die nicht mehr dein höchstes Gefühl davon, wer-du-bist, widerspiegeln.
Doch segne alles – denn alles ist Gottes Schöpfung –, indem du das Leben lebst, und das ist die höchste Schöpfung.

Könnten wir hier einen Moment innehalten, damit ich Luft holen kann? Habe ich dich sagen hören, daß es in Gottes Welt kein »du sollst« und »du sollst nicht« gibt?

DAS IST RICHTIG.

Wie kann das sein? Wo *wäre* es denn, wenn nicht in *deiner* Welt?

Ja – wo ...?

Ich wiederhole die Frage. Wo sonst sollte das »du solltest« und »du solltest nicht« in Erscheinung treten, wenn nicht in deiner Welt?

In deiner *Einbildung.*

Aber alle, die mich über das Richtige und Falsche, das »tu es« und »unterlaß es«, das »du solltest« und »du solltest nicht«, belehrt haben, sagten mir, diese Regeln seien von *dir* festgesetzt worden – von Gott.

Dann haben sich jene, die dich belehrt haben, geirrt. Ich habe nie ein »richtig« oder »falsch«, ein »tu das« oder »tu das nicht« festgelegt. Hätte ich das getan, so wärt ihr von mir eures größten Geschenks beraubt worden – der Gelegenheit zu tun, wie es euch gefällt, und die Ergebnisse davon zu erfahren. Ich hätte euch die Möglichkeit genommen, euch nach dem Ebenbild dessen, wer-ihr-seid, neu zu erschaffen. Ich hätte euch den Raum entzogen, die Wirklichkeit eines immer höheren und noch höheren Selbst herzustellen, das sich auf eure großartigsten Vorstellungen über das gründet, wozu ihr fähig seid.

Wenn ich *sagte*, daß etwas – ein Gedanke, ein Wort, eine Handlung – »falsch« sei, würde ich euch damit praktisch anweisen, es nicht zu tun. Und wenn ich euch sagte, ihr sollt es nicht tun, würde ich es euch verbieten. Und ein solches Verbot bedeutete eine Einschränkung. Und eine solche Einschränkung hieße, daß ich euch die Wirklichkeit dessen, wer-ihr-wirklich-seid, wie auch die Gelegenheit verweigerte, diese Wahrheit zu erschaffen und zu erfahren.

Da gibt es die, die sagen, daß ich euch einen freien Willen gegeben habe, doch dieselben Leute behaupten, daß ich euch zur Hölle schicke, wenn ihr mir nicht gehorcht. Was für eine Art freier Wille ist das? Wird Gott dadurch nicht zum Gespött gemacht – von irgendeiner Art wahrhaftiger Beziehung zwischen uns ganz zu schweigen?

Nun, da kommen wir jetzt zu einem anderen Bereich, über den ich sprechen wollte: nämlich über das Thema Himmel und Hölle. Wie ich das von dir bisher Gesagte zusammenfasse, gibt es so etwas wie die Hölle nicht.

Es GIBT EINE Hölle, aber sie ist nicht das, woran ihr denkt, und ihr erfahrt sie nicht aus Gründen, die ich schon genannt habe.

Was ist die Hölle?

Sie ist die Erfahrung des schlimmstmöglichen Resultats eurer gewählten Optionen, Entscheidungen und Schöpfungen. Sie ist die natürliche Konsequenz eines jeden Gedankens, der mich leugnet oder »nein« sagt zu dem, wer-ihr-seid in Beziehung zu mir.

Sie ist der Schmerz, den ihr durch falsches Denken erleidet.

Doch selbst der Begriff »falsches Denken« ist mißverständlich, weil es in diesem Sinn nichts gibt, was falsch ist.

Die Hölle ist das Gegenteil von Freude. Sie ist Unerfülltsein. Sie ist das Wissen über wer-und-was-du-bist und das Scheitern, dies zu erfahren. Sie ist *weniger, geringer* sein. Das ist die Hölle, und für eure Seele gibt es keine schlimmere.

Aber die Hölle existiert nicht an *jenem Ort*, den ihr euch phantasiert habt, wo ihr einem ewigen Feuer ausgesetzt seid und in einem Zustand immerwährender Qual und Folter dahinsiecht. Was sollte ich damit bezwecken?

Warum sollte ich, selbst wenn ich den außerordentlich ungöttlichen Gedanken hegte, daß ihr den Himmel nicht »verdient«, das Bedürfnis nach einer Art Rache oder Bestrafung haben, wenn ihr scheitert? Wäre es nicht ganz einfach für mich, mich eurer zu entledigen? Welcher rachsüchtige Teil von mir sollte fordern, daß ich euch einem ewigen, unbeschreiblichen Leiden unterwerfe?

Würde nicht, wenn du darauf »das Bedürfnis nach Gerechtigkeit« antworten solltest, eine einfache Verweigerung der Kommunion mit mir im Himmel dem Zweck der Gerechtigkeit dienen? Ist denn da auch noch das Hinzufügen unendlicher Pein erforderlich?

Ich sage euch, eine solche Erfahrung nach dem Tod, wie sie eure auf Angst gegründeten Theologien konstruiert haben, *gibt* es nicht. Aber es gibt die Erfahrung der Seele, die so unglücklich, so unvollständig, so viel weniger als ganz, so *getrennt* von Gottes größter Freude ist, daß es für eure Seele die Hölle *sein* würde. Doch *ich* schicke euch nicht dorthin und bewirke auch nicht, daß ihr von einer solchen Erfahrung heimgesucht werdet. Ihr selbst erschafft diese Erfahrung, wann immer ihr euer Selbst auf irgendeine Weise von eurer höchsten gedanklichen Vorstellung von euch selbst abtrennt; wann immer ihr das ablehnt, wer-und-was-ihr-wirklich-seid.

Doch selbst diese Erfahrung ist nicht von ewiger Dauer. Sie *kann es nicht* sein, denn es entspricht nicht meinem Plan, daß ihr für immer und ewig von mir getrennt seid. Tatsächlich ist es ein Ding der Unmöglichkeit, denn um das zu erreichen, müßtet nicht nur *ihr* leugnen, wer-ihr-seid – ich müßte es ebenfalls. Und das werde ich niemals tun. Und solange einer von uns die Wahrheit über euch bewahrt, wird sich die Wahrheit über euch letztlich behaupten.

Aber wenn es keine Hölle gibt – heißt das, ich kann tun, was ich will, handeln, wie es mir beliebt, eine Tat begehen ohne Angst vor Vergeltung?

Brauchst du die *Angst*, um das zu sein, zu tun und zu haben, was an sich richtig ist? Muß dir *gedroht* werden, damit du »gut bist«? Und was heißt »gut sein«? Wer hat letztlich das Sagen darüber? Wer legt die Richtlinien fest? Wer macht die Regeln?

Ich sage dir: *Du* selbst machst dir deine Regeln. Du selbst legst die Richtlinien fest. Und *du* selbst entscheidest, wie gut du etwas gemacht hast; wie gut du vorankommst. Denn *du* bist derjenige, der entschieden hat, wer-und-was-du-wirklich-bist – und wer-du-sein-willst. Und *du* selbst bist *der einzige*, der einschätzen kann, wie gut du es machst. Kein anderer wird hier jemals über dich richten, denn warum sollte und wie könnte Gott über Gottes eigene Schöpfung urteilen und sie schlecht nennen? Wenn ich wollte, daß du vollkommen bist und alles perfekt machst, dann hätte ich dich von Anfang an im Zustand absoluter Vollkommenheit belassen. Bei diesem ganzen Prozeß geht es doch nur darum, daß du dich selbst entdeckst, *dein Selbst* erschaffst, so wie du wirklich bist – und wie du wirklich sein möchtest. Aber das könntest du nicht, wenn du nicht auch die Wahl hättest, *etwas anderes* zu sein.

Sollte ich dich bestrafen, weil du eine Wahl getroffen hast, die ich dir selbst anheimgestellt habe? Warum hätte ich, wenn ich nicht wollte, daß du eine zweite Wahl triffst, außer der ersten noch weitere Wahlmöglichkeiten erschaffen sollen?

Diese Frage mußt du dir stellen, bevor du mir die Rolle eines verdammenden Gottes zumißt.

Meine direkte Antwort auf deine Frage lautet: Ja, du magst ohne Angst vor Vergeltung tun, wie dir beliebt. Aber es wäre dir dienlich, wenn du dir der Konsequenzen bewußt wärest. Konsequenzen sind Resultate, natürliche Ergebnisse. Sie sind nicht das gleiche wie Vergeltung oder Bestrafungsmaßnahmen. Ein Resultat ist einfach ein Resultat. Es ist das, was sich aus der natürlichen Anwendung der Naturgesetze ergibt. Es ist das, was sich, ziemlich vorhersehbar, als Konsequenz dessen *ereignet*, was sich ereignet *hat*.

Alles physische Leben funktioniert in Übereinstimmung mit Naturgesetzen. Wenn ihr euch erst einmal an diese Gesetze erinnert und sie anwendet, dann habt ihr das Leben auf physischer Ebene gemeistert.

Was euch wie eine Bestrafung erscheint – oder was ihr das

Böse nennt oder Pech –, ist nichts weiter als ein sich selbst bestätigendes Naturgesetz.

Dann geriete ich also, wenn ich diese Gesetze kennen und ihnen gehorchen würde, nie wieder in Schwierigkeiten? Ist es das, was du mir begreiflich machen willst?

Du würdest nie erleben, daß sich dein Selbst in »Schwierigkeiten«, wie du es nennst, befindet. Du würdest keine Lebenssituation als Problem erachten. Du würdest keinem Umstand mit Bangen entgegensehen. Du würdest allen Sorgen, Zweifeln und Ängsten ein Ende machen. Du würdest so leben, wie in eurer Phantasie Adam und Eva lebten – nicht als entkörperlichte Geister im Reich des Absoluten, sondern als verkörperte Geister im Reich des Relativen. Doch du würdest über alle Freiheit, alle Freude, allen Frieden und alle Weisheit, alles Verstehen und die Macht des Geistes, der du bist, verfügen. Du wärst ein voll und ganz verwirklichtes Wesen.

Das ist das Ziel der Seele. Das ist ihre Absicht – sich voll und ganz zu verwirklichen, während sie sich in einem Körper aufhält; zur *Verkörperung* all dessen zu werden, was wirklich ist.

Das ist mein Plan für euch. Das ist mein Ideal: daß ich durch euch verwirklicht werde. Daß sich so der Gedanke in Erfahrung verwandelt, daß ich so mein Selbst *erfahrungsgemäß* kennenlernen kann.

Die Gesetze des Universums sind von mir festgelegt worden. Es sind vollkommene Gesetze, die ein vollkommenes Funktionieren des Physischen bewirken.

Hast du je etwas Vollkommeneres gesehen als eine Schnee-flocke? Ihre Komplexität, ihre Formgebung, ihre Symme-trie, ihre Konformität mit sich selbst und Originalität hin-sichtlich allem anderen – dies ist alles ein Rätsel. Ihr staunt über das Wunder dieser ehrfurchtgebietenden Entfaltung der Natur. Doch wenn mir das anhand einer einzigen Schneeflocke möglich ist, was, denkst du, kann ich mit ei-nem ganzen Universum tun – was habe ich *getan?*

Könntet ihr es in seiner Symmetrie, in seiner Vollkommen-heit der Gestaltung erblicken – vom größten Gebilde bis hin zum winzigsten Partikel –, ihr wäret nicht imstande, diese Wahrheit in eurer Realität zu gewärtigen. Auch jetzt, da ihr flüchtige Eindrücke davon bekommt, vermögt ihr es euch doch nicht vorzustellen oder seine Implikationen zu begreifen. Aber ihr könnt wissen, daß es Implikationen *gibt* – weitaus komplexere und außergewöhnlichere Implikatio-nen, als euer gegenwärtiges Verständnisvermögen umfas-sen kann. Euer Shakespeare drückte es wunderbar aus: *Es gibt mehr Dinge im Himmel und auf der Erde, als eure Schulweisheit sich träumt.*

Wie kann ich dann diese Gesetze kennen? Wie kann ich sie erlernen?

DAS IST KEINE Frage des Lernens, sondern des Erinnerns.

Wie kann ich mich an sie erinnern?

FANG DAMIT AN, daß du innerlich still bist. Laß die äußere Welt verstummen, damit dir die innere Welt Einsicht gewähren kann. Nach dieser Ein-*Sicht* trachtest du, doch kannst du sie nicht erlangen, solange du zutiefst mit deiner äußeren Realität beschäftigt bist. Strebe deshalb danach, soviel wie möglich nach innen zu gehen. Und gehst du nicht nach innen, dann komm *aus* dem Innern, wenn du dich mit der äußeren Welt befaßt. Behalte diesen Grundsatz im Gedächtnis:

Wenn du nicht nach innen gehst, gehst du leer aus.

Drück den Satz, wenn du ihn wiederholst, in Ichform aus, um ihn persönlicher zu machen:

> Wenn ich nicht
> nach innen gehe,
> gehe ich
> *leer aus.*

Du bist dein ganzes Leben lang leer ausgegangen. Doch das mußt du nicht und mußtest es nie.

Es gibt nichts, was du nicht sein kannst; es gibt nichts, was du nicht tun kannst; es gibt nichts, was du nicht haben kannst.

Das klingt ja so, als würdest du goldene Berge oder das Blaue vom Himmel versprechen.

WAS FÜR EINE andere Art von Versprechen soll Gott denn deinem Wunsch nach machen? Würdest du mir glauben, wenn ich dir weniger verspräche?

Tausende von Jahren haben die Leute den Versprechen Gottes nicht geglaubt – und zwar aus dem außergewöhnlichsten Grund: Sie waren zu gut, um wahr zu sein. Also habt ihr euch für ein geringeres Versprechen entschieden – eine geringere Liebe. Denn das höchste Versprechen Gottes geht von der höchsten Liebe aus. Aber ihr könnt euch eine vollkommene Liebe nicht vorstellen, und so ist auch für euch ein vollkommenes Versprechen unvorstellbar. Das gleiche gilt für eine vollkommene Person ebenfalls, weshalb ihr nicht einmal an euer Selbst glauben könnt.

Das Unvermögen, an irgend etwas davon zu glauben, ist gleichbedeutend mit der Unfähigkeit, an Gott zu glauben. Denn der Glaube an Gott bewirkt den Glauben an Gottes größtes Geschenk – bedingungslose Liebe – und Gottes größtes Versprechen: unbegrenztes Potential.

Kann ich dich hier mal unterbrechen? Ich hasse es, Gott zu unterbrechen, wenn er in Fahrt ist – aber ich habe dieses Gerede vom unbegrenzten Potential schon früher gehört, und es deckt sich nicht mit der menschlichen Erfahrung. Lassen wir mal die Schwierigkeiten beiseite, mit denen sich der normale Sterbliche konfrontiert sieht. Wie steht es jedoch mit den Herausforderungen an diejenigen, die mit einer geistigen oder körperlichen Behinderung geboren werden? Ist *ihr* Potential unbegrenzt?

So habt ihr es in eurer eigenen Heiligen Schrift geschrieben – auf mannigfache Weise und an vielen Stellen.

Gib mir ein Beispiel.

Schau nach, was ihr in der Bibel in Genesis, Kapitel 11, Vers 6 geschrieben habt.

Da steht: »Er sprach: Seht nur, *ein* Volk sind sie, und *eine* Sprache haben sie alle. Und das ist erst der Anfang ihres Tuns. Jetzt wird ihnen nichts mehr unerreichbar sein, was sie sich auch vornehmen.«

JA. NUN, KANNST du dem Glauben schenken?

Das beantwortet nicht meine Frage nach den Schwachen, Gebrechlichen, Behinderten, nach denen, die beschränkt sind.

GLAUBST DU NICHT, daß sie aus eigener Wahl beschränkt sind, wie du es nennst? Stellst du dir denn vor, daß die menschliche Seele aus *Zufall* den Herausforderungen des Lebens begegnet, *wie immer* diese auch aussehen mögen? Ist *das* deine Vorstellung?

Möchtest du mir damit zu verstehen geben, daß die Seele vorab wählt, welche Art von Leben sie erfahren will?

NEIN, DAS WÜRDE den *Sinn und Zweck* der Begegnung zunichte machen. Dieser besteht darin, daß ihr eure Erfahrung – und somit euer *Selbst* – in dem wunderbaren Augenblick des Jetzt *erschafft*. Von daher wählt ihr nicht vorab das Leben aus, das ihr erfahren werdet.
Es steht euch jedoch frei, die Personen, Orte und Ereignisse – die Bedingungen und Umstände, die Herausforderungen und Hindernisse, die Gelegenheiten und Optionen – auszusuchen, mit deren Hilfe ihr eure Erfahrung erschafft. Ihr könnt die Farben für eure Palette, das Werkzeug für euren

Werkzeugkasten, die Maschinen für eure Werkstatt aussuchen. Was ihr dann damit erschafft, ist eure Sache. Das *ist* es, worum es im Leben geht.

Euer Potential *ist* unbegrenzt in allem, was zu tun ihr gewählt habt. Geh nicht davon aus, daß eine Seele, die sich in einem behinderten Körper, wie du es nennst, inkarniert hat, nicht ihr volles Potential erlangt hat, denn du weißt nicht, was diese Seele *zu tun versucht hat*. Du verstehst ihr *Vorhaben* nicht. Du bist dir über ihre *Absicht* im unklaren. *Segne* deshalb jede Person und jeden Umstand und bedanke dich. Auf diese Weise bestätigst du die Vollkommenheit der Schöpfung Gottes – und bezeugst deinen Glauben an sie. Denn in Gottes Welt geschieht nichts zufällig, und so etwas wie einen Zufall gibt es nicht. Auch wird die Welt nicht durch willkürliche Entscheidungen herumgeschubst oder durch das, was ihr vorherbestimmtes Schicksal nennt. Glaubst du denn nicht, daß, wenn eine Schneeflocke in ihrer Gestaltung absolut vollkommen ist, dies auch von etwas so Großartigem wie deinem Leben gesagt werden kann?

Aber selbst Jesus heilte die Kranken. Warum sollte er sie heilen, wenn ihre Bedingungen so »vollkommen« waren?

JESUS HAT DIESE Kranken nicht deshalb geheilt, weil er ihre Bedingungen als unvollkommen betrachtete, sondern weil er sah, daß es zum Bestandteil des Entfaltungsprozesses ihrer Seelen gehörte, daß sie um Heilung baten. Er sah die Vervollkommnung des Prozesses. Er erkannte und verstand die Absicht der Seele. Hätte Jesus, wenn er jede geistige und körperliche Krankheit als Unvollkommenheit empfunden hätte, ansonsten nicht einfach alle auf dem Planeten geheilt, allesamt auf einmal? Zweifelst du daran, daß er das hätte tun können?

Nein. Ich glaube, daß er es hätte tun können.

GUT. NUN WILL der Verstand wissen: Warum hat er es nicht getan? Warum hat Christus entschieden, daß einige leiden und andere geheilt werden? Was das betrifft, so fragt sich, warum Gott überhaupt irgendwelches Leiden zuläßt? Diese Frage ist schon vorher gestellt worden, und die Antwort bleibt die gleiche. Dem Prozeß wohnt Vollkommenheit inne – und alles Leben entsteht aus der *Wahl* heraus. Es ist unangemessen, sich in diese Wahl einzumischen oder sie in Frage zu stellen. Und es ist ganz besonders unangemessen, sie zu verurteilen.

Es *ist* jedoch angemessen, sie zu beachten und zu beobachten und dann zu tun, was immer getan werden kann, um der Seele darin beizustehen, daß sie eine *höhere Wahl* anstrebt und sie auch trifft. Habt deshalb ein wachsames Auge auf die Entscheidungen anderer, aber fällt kein Urteil darüber. Wißt, daß ihre Wahl jetzt in diesem Moment für sie perfekt ist – doch seid bereit, ihnen beizustehen, sollte der Augenblick kommen, in dem sie eine neuerliche, eine andere Wahl anstreben: eine höhere Wahl.

Begebt euch in Kommunion mit den Seelen anderer, und ihre Ziele, ihre Absichten werden euch klarwerden. Das ist es, was Jesus mit denen tat, die er heilte – und mit *all* denen, deren Leben er berührte. Jesus heilte alle, die zu ihm kamen, und die andere zu ihm schickten, um für sie bitt-stellig zu werden. Er hat nicht aufs Geratewohl eine Heilung bewirkt. Hätte er das getan, hätte er ein heiliges Gesetz des Universums übertreten.

Erlaube jeder Seele, ihren Weg zu gehen.

Aber heißt das, daß wir niemandem helfen sollen, der uns nicht darum gebeten hat? Doch sicher nicht, denn sonst könnten wir nie den hungernden Kindern in Indien oder den gequälten Massen Afrikas oder den Armen und Unterdrückten allerorten helfen. Alle humanitären Bemühungen wären vergebens, alle Wohltätigkeit wäre verboten. Müssen wir warten, bis uns eine Einzelperson verzweifelt anfleht oder uns eine Nation um Hilfe bittet, bevor uns gestattet ist, das offensichtlich Richtige zu tun?

WIE DU SIEHST, beantwortet sich diese Frage von selbst. Wenn eine Sache offensichtlich richtig ist, dann pack sie an. Aber vergiß nicht, außerordentliches Urteilsvermögen walten zu lassen in bezug auf das, was ihr »richtig« und »falsch« nennt.

Ein Ding ist nicht deshalb richtig oder falsch, weil ihr sagt, daß es so ist. Ein Ding ist nicht von sich aus richtig oder falsch.

Nicht?

DAS »RICHTIGE« ODER »Falsche« ist nicht ein von sich aus gegebener Zustand, es ist eine subjektive Beurteilung innerhalb eines persönlichen Wertesystems. Durch deine subjektiven Urteile erschaffst du dein Selbst – durch deine persönlichen Werte bestimmst und demonstrierst du, wer-du-bist.

Die Welt existiert genau so, wie sie ist, damit ihr diese Urteile fällen könnt. Existierte sie in einem vollkommenen Zustand, wäre euer Lebensprozeß der Selbst-Erschaffung beendet. Er hätte ein Ende. Die Karriere eines Rechtsanwalts wäre morgen zu Ende, gäbe es keinen Rechtsstreit mehr. Die Karriere eines Arztes wäre morgen zu Ende, gäbe es keine Krankheit mehr. Die Karriere eines Philosophen wäre morgen zu Ende, gäbe es keine Fragen mehr.

Und *Gottes Karriere* wäre morgen zu Ende, gäbe es *keine Probleme mehr!*

GENAU. DU HAST es perfekt ausgedrückt. Wir, wir alle, wären mit dem Erschaffen fertig, wenn es nichts mehr zu erschaffen gäbe. Wir, wir alle, haben ein rechtmäßiges Interesse daran, *das Spiel in Gang zu halten.* Mögen wir auch noch so oft sagen, daß wir gerne alle Probleme lösen würden – wir würden es nie wagen, sie *alle* zu bewältigen, weil uns dann nichts mehr zu *tun* übrig bliebe.

Eure Interessengemeinschaft von Industrie und Militär weiß das sehr wohl. Deshalb setzt sie jedem wo auch immer stattfindenden Versuch, eine »Nie wieder Krieg« propagierende Regierung zu etablieren, jeden erdenklichen Widerstand entgegen.

Auch euer medizinisches Establishment hat das längst begriffen. Deshalb wehrt es sich standhaft – *muß* es um seines eigenen Überlebens willen tun – gegen jede neue Wunderarznei oder Heilmethode, von möglichen Wundern selbst ganz zu schweigen.

Und eurer institutionalisierten Religionsgemeinschaft ist das ebenfalls klar. Deshalb greift sie einmütig jede Definition von Gott an, die nicht Angst, Verurteilung und Vergeltung beinhaltet, und jede Definition des Selbst, die nicht *deren eigene Vorstellung vom einzigen Weg zu Gott* enthält. Wenn ich euch sage, daß *ihr* Gott seid – wo bleibt da die Religion? Wenn ich euch sage, daß ihr geheilt *seid*, wo bleiben da Medizin und Wissenschaft? Wenn ich euch sage, daß ihr in Frieden leben werdet, wo bleiben da die Friedensstifter? Wenn ich zu euch sage, daß die Welt in Ordnung gebracht ist – wo bleibt da die Welt?

Und wie steht es nun mit den Klempnern?

Die Welt ist voll von im wesentlichen zwei Arten von Leuten: jenen, die euch die Dinge geben, die ihr wollt, und jenen, die die Dinge reparieren, instand setzen. In gewisser Hinsicht sind selbst die, welche euch einfach jene Dinge geben, die ihr wollt – die Metzger, die Bäcker, die Kerzenmacher – auch Reparierer, Instandsetzer. Denn ein Verlangen nach etwas haben bedeutet oft, ein *Bedürfnis* danach haben. Deshalb brauchen Süchtige, wie man sagt, einen *Fix*. Achtet deshalb darauf, daß aus dem Verlangen nicht eine *Sucht* wird.

Willst du damit ausdrücken, daß die Welt immer Probleme haben wird? Daß du es tatsächlich *so haben willst?*

Ich sage, dass die Welt so existiert, wie sie existiert – so wie auch eine Schneeflocke so existiert, wie sie existiert –, nach Plan. *Ihr* habt sie so erschaffen, so wie ihr auch euer Leben genau so erschaffen habt, wie es ist.

Ich will, was *ihr wollt*. An dem Tag, an dem ihr wirklich dem Hunger ein Ende setzen wollt, wird es keinen Hunger mehr geben. Ich habe euch alle Ressourcen gegeben, mit deren Hilfe euch das möglich ist. Ihr verfügt über sämtliche Mittel, um diese Wahl treffen zu können. Ihr habt sie nicht getroffen. Nicht, weil ihr sie *nicht* treffen *könnt*. Die Welt könnte dem Hunger auf der Welt morgen ein Ende setzen. Ihr habt *gewählt*, dies nicht zu tun.

Ihr behauptet, es gebe gute Gründe dafür, daß täglich vierzigtausend Menschen verhungern müssen. Es gibt keine guten Gründe. Und doch bringt ihr zu einer Zeit, in der ihr sagt, daß ihr nichts tun könnt, um zu verhindern, daß jeden Tag vierzigtausend Menschen den Hungertod erleiden, gleichzeitig fünfzigtausend Menschen in die Welt, die ein neues Leben beginnen. Und das nennt ihr Liebe. Das nennt ihr Gottes Plan. Es ist ein Plan, der jeglicher Logik oder Vernunft entbehrt, von Mitgefühl ganz zu schweigen.

Ich mache euch mit deutlichen Worten klar, daß die Welt existiert, wie sie existiert, weil *ihr es so gewählt habt*. Ihr zerstört systematisch eure eigene Umwelt und deutet dann auf sogenannte Naturkatastrophen als Beweis für Gottes grausames Spiel oder die harten Methoden der Natur. Ihr habt euch den Streich selbst gespielt, und es sind eure Methoden, die grausam sind.

Nichts, aber auch *nichts* ist gütiger als die Natur. Und nichts, aber auch *nichts* verhielt sich gegenüber der Natur brutaler als der Mensch. Doch ihr tretet zur Seite und bestreitet jede Beteiligung daran, leugnet alle Verantwortung.

Es ist nicht euer Fehler, sagt ihr, und darin habt ihr recht. Es ist keine Frage des *Fehlers*, es ist eine Sache der *Wahl*.

Ihr könnt die Wahl treffen, morgen die Vernichtung eurer Regenwälder zu beenden. Ihr könnt die Wahl treffen, mit der Zerstörung der Schutzhülle, die euren Planeten umgibt, aufzuhören. Ihr könnt die *Wahl* treffen, den permanenten Angriff auf das geniale Ökosystem eurer Erde zu stoppen. Ihr könnt versuchen, die Schneeflocke wieder zusammenzusetzen – oder zumindest ihrem unerbittlichen Dahinschmelzen Einhalt zu gebieten –, aber werdet ihr es tun?

Ebenso könnt ihr *jegliche Kriege morgen beenden* – einfach, leicht. Ihr müßt euch nur darin einig sein, und das ist alles, was dazu vonnöten ist und jemals war. Wie könnt ihr, wenn *ihr* euch nicht alle über etwas so grundsätzlich Einfaches zu verständigen bereit seid wie darüber, daß ihr aufhört einander umzubringen, die Fäuste reckend den Himmel anrufen, damit er euer Leben in Ordnung bringt?

Ich werde nichts für euch tun, das ihr nicht für euer Selbst tut. *Das* ist das Gesetz.

Die Welt befindet sich dank *euch* und der Entscheidungen, die ihr getroffen – oder nicht getroffen – habt, in dem Zustand, in dem sie ist.

(Keine Entscheidung bedeutet auch eine Entscheidung.)

Die Erde ist dank *euch* und der Entscheidungen, die ihr getroffen – oder nicht getroffen – habt, in jener Verfassung, in der sie ist.

Euer eigenes Leben ist dank *euch* und der Entscheidungen, die ihr getroffen – oder nicht getroffen – habt, so, wie es ist.

Aber ich habe doch nicht die Wahl getroffen, von einem Lastwagen angefahren zu werden! Ich habe doch nicht die Wahl getroffen, von einem Räuber überfallen und ausgeraubt oder von einem Verrückten vergewaltigt zu werden. So könnten viele Menschen auf der Welt durchaus sagen.

An der Wurzel seid ihr *alle* die Ursache für die existierenden Zustände, die in einem Räuber das Verlangen wecken oder die augenscheinliche Notwendigkeit schaffen zu stehlen. Ihr alle habt das Bewußtsein geschaffen, das die Vergewaltigung möglich macht. Wenn ihr *in euch selbst* das *seht*, was das Verbrechen verursacht hat, dann fangt ihr endlich an, die Verhältnisse, aus denen es entstand, zu heilen.

Gebt euren Hungrigen Nahrung, gebt euren Armen Würde. Garantiert euren weniger Begünstigten eine Chance. Beendet das Vorurteil, das die Massen niedergedrückt und zornig hält mit nur wenig Hoffnung auf ein besseres Morgen. Gebt eure sinnlosen Tabus und Einschränkungen hinsichtlich der sexuellen Energie auf – helft vielmehr anderen, ihr Wunder wirklich zu verstehen und sie richtig zu kanalisieren. Tut *diese* Dinge, und ihr habt einen großen Schritt zur endgültigen Beendigung von Raub und Vergewaltigung getan.

Was die sogenannten »Unfälle« angeht – den Lastwagen, der um die Ecke biegt, den Dachziegel, der von oben herabfällt –, so lernt, jeden dieser Vorfälle als kleines Steinchen eines größeren Mosaiks zu begrüßen. Ihr seid hierhergekommen, um einen individuellen Plan für eure eigene Rettung auszuarbeiten. Doch diese Rettung bedeutet nicht, daß ihr euch vor den Fallstricken des Teufels rettet. So etwas wie den Teufel gibt es nicht, ebensowenig wie die Hölle. Ihr rettet euch selbst vor der Leere der Nicht-Verwirklichung.

Diesen Kampf könnt ihr nicht verlieren. Ihr könnt nicht versagen. Es ist auch kein Kampf, sondern lediglich ein Prozeß. Doch wenn ihr das nicht wißt, werdet ihr es als ständigen Kampf ansehen. Ihr könnt sogar *an den Kampf* lange genug *glauben*, um ihn ins Zentrum einer ganzen Religion zu stellen. Diese Religion wird euch sagen, daß es *bei allem im Kern nur ums Kämpfen geht*. Das ist eine falsche Lehre. Der Prozeß schreitet *nicht* durch das Kämpfen voran. Der Sieg wird durch die Hingabe, das Sich-Ergeben errungen.

Unfälle passieren, weil sie nun mal passieren. Gewisse Elemente des Lebensprozesses sind auf eine bestimmte Weise zu einer bestimmten Zeit zusammengekommen und haben bestimmte Ergebnisse zur Folge, Resultate, die ihr aus euren eigenen besonderen Gründen beschließt, ein Unglück zu nennen. Doch sie sind in Anbetracht des Vorhabens eurer Seele vielleicht gar kein Unglück.

Ich sage euch dies: Es *gibt* keinen Zufall, und *nichts* ereignet sich »zufällig«. Jedes Ereignis und Abenteuer wird *von* eurem Selbst *zu* eurem Selbst gerufen, damit ihr erschaffen und erfahren könnt, wer-ihr-wirklich-seid. Alle wahren Meister haben dies begriffen. Deshalb bleiben die großen Mystiker auch angesichts der schlimmsten Lebenserfahrungen (wie ihr sie bezeichnen würdet) gelassen.

Die großen Lehrer eurer christlichen Religion verstehen das. Sie wissen, daß die Kreuzigung Jesus nicht in Schrecken versetzte, sondern daß er sie erwartete. Er hätte sich davonmachen können, aber er tat es nicht. Er hätte jederzeit den Verlauf der Dinge stoppen können. Er hatte die Macht dazu, aber er verzichtete darauf. Er *ließ seine Kreuzigung zu*, damit er zum Symbol der ewigen Rettung des Menschen werden konnte. *Schaut euch an*, sagte er, *was ich tun kann*. Schaut euch an, was *wahr* ist. Und wißt, daß auch ihr diese Dinge und mehr tun werdet. Denn habe ich euch nicht gesagt, daß ihr Götter seid? Aber ihr glaubt nicht. Wenn ihr euch *selbst* nicht glauben könnt, dann glaubt an *mich*.

Jesu Mitgefühl war so groß, daß er um einen Weg bat – und ihn schuf –, der die Welt so beeinflussen würde, daß alle in den Himmel (Selbst-Verwirklichung) kommen können. Und wenn nicht auf anderem Wege, dann durch *ihn*. Denn er besiegte das Leid und den Tod. Und das könnt ihr ebenfalls.

Die großartigste Lehre Christi besagt nicht, daß ihr ein ewiges Leben haben *werdet*, sondern daß ihr es *habt*; nicht daß ihr alle Brüder im Geiste Gottes sein *werdet*, sondern daß ihr es *seid*; nicht, daß ihr haben *werdet*, worum ihr bittet, sondern daß ihr es *habt*.

Dazu ist einzig erforderlich, daß ihr *dies wißt*. Denn ihr *seid* die Schöpfer eurer Realität, und das Leben kann sich euch auf keine andere Weise zeigen als auf die, wie ihr *denkt*, daß es dies tun wird.

Ihr *denkt* es ins Seiende. Das ist der erste Schöpfungsschritt. Gott der Vater ist Gedanke. Euer Denken ist die Mutter, die alle Dinge gebiert.

Das ist eines der Gesetze, an die wir uns erinnern müssen.

Jᴀ.

Kannst du mir noch andere nennen?

Iᴄʜ ʜᴀʙᴇ ᴇᴜᴄʜ andere genannt. Ich habe sie euch alle genannt, seit Anbeginn der Zeit. Ich habe sie euch immer und immer wieder erklärt. Lehrer um Lehrer habe ich euch geschickt. Ihr hört nicht auf meine Lehrer. Ihr tötet sie.

Aber *warum?* Warum töten wir die heiligsten unter uns? Wir bringen sie um oder entehren sie, was auf das gleiche hinausläuft. *Warum?*

Wᴇɪʟ sɪᴇ ᴊᴇᴅᴇᴍ eurer Gedanken entgegenstehen, der mich verleugnet. Und ihr müßt mich verleugnen, wenn ihr euer Selbst verleugnen wollt.

Warum sollte ich dich *oder* mich verleugnen wollen?

Wᴇɪʟ ɪʜʀ ᴇᴜᴄʜ fürchtet. Und weil meine Versprechen zu gut sind, um wahr zu sein. Weil ihr die großartigste Wahrheit nicht akzeptieren könnt. Und deshalb müßt ihr euch auf eine Spiritualität reduzieren, die euch Angst und Abhängigkeit und Intoleranz lehrt, statt Liebe und Macht und Akzeptanz.
Ihr seid von Angst *erfüllt* – und eure größte Angst ist die, daß mein größtes Versprechen die größte Lüge des Lebens sein könnte. Und so erschafft ihr die euch größtmögliche Phantasievorstellung, um euch dagegen zu verteidigen: Ihr behauptet, daß jedes Versprechen, das euch die Macht Got-

tes gibt und euch die Liebe Gottes garantiert, ein *falsches Versprechen des Teufels* sein muß. Ihr sagt euch, Gott würde nie ein solches Versprechen geben, nur der Teufel tut das. Und zwar, um euch in Versuchung zu führen und dazu zu bringen, daß ihr Gottes wahre Identität als die furchterregende, richtende, eifersüchtige, rachsüchtige und strafende Oberwesenheit leugnet.

Und obwohl eine solche Beschreibung eigentlich eher zum Teufel paßt (wenn es einen *gäbe*), habt ihr diese *teuflischen Eigenschaften Gott* zugeschrieben, um euch selbst dazu zu überreden, die gottgleichen Versprechen eures Schöpfers oder die gottgleichen Eigenschaften des Selbst nicht zu akzeptieren.

Das ist die Macht der Angst.

Ich versuche, mich von meiner Angst zu befreien. Kannst du mir – trotzdem – noch mehr von den Gesetzen erzählen?

Das Erste Gesetz lautet, daß ihr sein, tun und haben könnt, was immer ihr euch vorstellt. Das Zweite Gesetz lautet, daß ihr das anzieht, was ihr fürchtet.

Warum ist das so?

Emotion ist die Kraft, die anzieht. Das, was du stark fürchtest, wirst du erfahren. Ein Tier – das ihr als niedrigere Lebensform betrachtet (obwohl Tiere mit mehr Integrität und größerer Folgerichtigkeit handeln als Menschen) –, weiß sofort, ob ihr Angst vor ihm habt. Pflanzen – die von euch als eine noch *niedrigere* Lebensform angesehen werden – reagieren auf Menschen, die sie lieben, sehr viel besser als auf jene, denen sie völlig gleichgültig sind.

Nichts davon ist Zufall. Es *gibt* keinen Zufall im Universum – nur eine großartige Konstruktion, eine unglaubliche »Schneeflocke«.

Emotion ist Energie in Bewegung. Wenn ihr Energie in Bewegung setzt, schafft ihr eine Auswirkung. Wenn ihr genügend Energie in Bewegung setzt, schafft ihr Materie. Materie ist zusammengeballte Energie – Energie, die herumbewegt, zusammengeschoben wurde. Wenn ihr Energie auf eine bestimmte Art lange genug manipuliert, erhaltet ihr Materie. Jeder Meister versteht dieses Gesetz. Es ist die Alchemie des Universums, das Geheimnis allen Lebens.

Gedanken sind reine Energie. Kein Gedanke, den ihr habt, jemals hattet, stirbt je – niemals. Er verläßt euer Wesen und macht sich auf ins Universum, dehnt sich immerwährend aus. Ein Gedanke existiert in alle Ewigkeit.

Alle Gedanken nehmen Gestalt an; sie begegnen sämtlich anderen Gedanken, kreuzen, überschneiden sich in einem unglaublichen Labyrinth der Energie, bilden ein sich fortwährend veränderndes Muster von unaussprechlicher Schönheit und unvorstellbarer Komplexität.

Gleichgeartete Energien ziehen sich an – bilden (um es verständlich auszudrücken) »Energieansammlungen« der gleichen Art. Wenn genügend gleichartige »Energieansammlungen« einander überschneiden – aufeinandertreffen –, »haften« sie wiederum einfach ausgedrückt aneinander. Es bedarf somit einer unbegreiflich großen Menge »aneinanderhaftender«, gleichgearteter Energie, um Materie entstehen zu lassen. Doch Materie *bildet* sich aus reiner Energie.

Tatsächlich ist dies die einzige Möglichkeit, wie sie sich bilden *kann*. Wenn Energie sich erst einmal in Materie verwandelt hat, bleibt sie es für sehr lange Zeit – es sei denn, sie wird in ihrem Aufbau durch eine entgegengesetzte oder ungleichartige Energieform *zerrissen*. Diese auf die Materie einwirkende ungleichartige Energie zerstückelt die Materie und setzt die rohe Energie, aus der sie sich zusammensetzte, frei.

Das ist, elementar gesprochen, die Theorie, die hinter der Atombombe steht. Einstein kam der Entdeckung, Erklärung und Funktionalisierung des schöpferischen Geheimnisses des Universums näher als irgendein anderer Mensch zuvor oder seither.

Du solltest nun besser verstehen, wie Menschen *gleichen Geistes* zur Schaffung einer bevorzugten Realität zusammenarbeiten können. Der Spruch »Wo immer sich zwei oder mehr in meinem Namen versammeln«, gewinnt eine sehr viel tiefere Bedeutung.

Natürlich ereignen sich, wenn ganze *Gesellschaften* auf eine bestimmte Weise denken, oft erstaunliche Dinge, die nicht immer alle unbedingt wünschenswert sind. Zum Beispiel produziert eine Gesellschaft, die in Angst lebt, sehr oft – eigentlich *unvermeidlich* – förmlich das, was sie am meisten fürchtet.

Ähnlich finden große Gemeinden oder Versammlungen in der kollektiven Gedankenkraft (oder das, was manche Leute gemeinsames Gebet nennen) zu einer wunderwirkenden Kraft.

Und es muß klargestellt werden, daß auch Einzelpersonen, wenn die Kraft ihrer Gedanken (ihr Gebet, ihre Hoffnung,

ihr Wunsch, ihr Traum, ihre Angst) über eine außergewöhnliche Stärke verfügt, von sich aus solche Resultate
bewirken können. Jesus tat das regelmäßig. Er wußte, wie
man Energie und Materie manipuliert, sie umstrukturiert,
sie umverteilt, sie absolut kontrolliert. Viele Meister wußten das, und etliche wissen es auch heute.

Du kannst es wissen. Gleich jetzt.

Das ist das Wissen um Gut und Böse, an dem Adam und
Eva teilhatten. Solange sie diese Kenntnis nicht besaßen,
konnte es kein Leben geben, wie *ihr es kennt*. Adam und
Eva – die mythischen Namen, die ihr ihnen als Verkörpe-
rungen des allerersten Mannes und der allerersten Frau gegeben habt – waren Vater und Mutter der menschlichen
Erfahrung.

Was als der Sündenfall Adams beschrieben wurde, war in
Wirklichkeit seine Erhöhung – das größte Einzelereignis
der Menschheitsgeschichte. Denn ohne dieses Ereignis
würde die Welt der Relativität nicht existieren. Das Handeln Adams und Evas war nicht die Ursünde, sondern in
Wahrheit der erste Segen. Ihr solltet ihnen aus tiefstem
Herzen dankbar sein, denn indem sie die ersten waren, die
eine »falsche« Wahl trafen, *schufen sie die Möglichkeit,
überhaupt irgendeine Wahl* treffen zu können.

In eurer Mythologie habt ihr Eva zur »Bösen« gemacht, zur
Versucherin, die von der Frucht des Wissens um Gut und
Böse aß und Adam kokett einlud, sich ihr anzuschließen.
Dieser mythologische Szenenaufbau hat euch seither ge-
stattet, der Frau die Verantwortung für den »Sturz« des
Mannes zuzuschieben, was alle möglichen verdrehten Rea-
litätsvorstellungen zur Folge hatte – von den Ansichten

und Verwirrungen beim Thema Sexualität ganz zu schweigen. (Wie könnt ihr ein so *gutes* Gefühl bei etwas so *Schlechtem* haben?)

Was ihr am meisten fürchtet, das wird euch am meisten quälen. Die Furcht wird es wie ein Magnet *zu* euch heranziehen. Alle eure heiligen Schriften – alle von euch geschaffenen religiösen Überzeugungen und Traditionen – beinhalten die deutliche Ermahnung: Fürchte dich nicht. Glaubt ihr, das sei ein Zufall?

Die Gesetze sind sehr einfach:

1. Der Gedanke ist schöpferisch.
2. Furcht zieht gleichgeartete Energie an.
3. Liebe ist alles, was es gibt.

Moment mal – beim dritten muß ich passen. Wie kann Liebe alles sein, was es gibt, wenn Furcht gleichgeartete Energie anzieht?

Liebe ist die höchste, letztendliche Energie. Das Alles. Das Gefühl der Liebe ist eure Erfahrung von Gott.

Innerhalb der höchsten Wahrheit ist Liebe alles, was existiert, alles, was war, und alles, was je sein wird. Wenn du dich in das Absolute begibst, begibst du dich in die Liebe.

Das Reich des Relativen wurde geschaffen, damit ich mich selbst erfahren kann. Das habe ich euch bereits erklärt. Doch das macht das Reich des Relativen nicht zur *Realität* im Sinne von *Wirklichkeit*. Es ist eine *geschaffene Realität*, die von euch und mir entworfen wurde und weiterhin wird – damit wir uns erfahrungsgemäß kennenlernen können.

Doch die Schöpfung kann sehr real erscheinen. Ihr *Zweck* besteht darin, so real zu wirken, daß wir sie als wahrhaft existierend *akzeptieren*. So hat Gott es bewerkstelligt, »etwas anderes« als sich selbst zu erschaffen (obwohl das genaugenommen unmöglich ist, da Gott das ICH-BIN-ALLES-WAS-IST ist).

Indem ich »etwas anderes« – namentlich das Reich des Relativen – erschuf, habe ich eine Umgebung bereitet, in der ihr *wählen* könnt, Gott zu sein, statt daß euch nur einfach *gesagt* wird, daß ihr Gott seid; in der ihr das Gottsein als einen Schöpfungsakt statt nur einer gedanklichen Vorstellung erfahren könnt; in der die kleine Kerze in der Sonne – die kleinste Seele – sich selbst als Licht erkennen kann.

Furcht und Angst sind *am anderen Ende der Liebe* angesiedelt. Das ist die *primäre Polarität*. Bei der Erschaffung des Reichs des Relativen erschuf ich zuerst das Gegenteil meines Selbst. Nun gibt es im Reich, in dem ihr auf der physischen Ebene lebt, nur *zwei Orte des Seins:* Angst und Liebe. In der Angst wurzelnde Gedanken produzieren eine Art von Manifestation auf der physischen Ebene. In der Liebe wurzelnde Gedanken produzieren eine andere.

Die Meister, welche die Erde betraten, sind diejenigen, die das Geheimnis der Relativen Welt entdeckt haben und sich weigerten, deren Realität als Wirklichkeit anzuerkennen. Kurz gesagt: *Meister sind jene, die sich nur für die Liebe entschieden haben – in jedem Augenblick, in jedem Moment, unter allen Umständen.* Selbst als sie getötet wurden, liebten sie ihre Mörder. Sogar als sie verfolgt wurden, liebten sie ihre Unterdrücker.

Das ist für euch sehr schwer zu verstehen und noch schwieriger nachzuahmen. Trotzdem ist es das, was *jeder Meister immer getan hat.* Es spielt keine Rolle, welcher Art die Philosophie, die Tradition, die Religion war – es ist das, was *jeder Meister tat.*

Dieses Beispiel, diese Lektion ist euch äußerst klar dargelegt worden; es wurde euch immer und immer wieder vor Augen geführt: in allen Zeitaltern und an allen Orten, in allen euren Leben und in jedem Moment. Das Universum hat sich jeder List und jedes Kniffs bedient, um euch diese Wahrheit nahe zu bringen: in Liedern und Geschichten, in der Dichtung und im Tanz, in Worten und in der Bewegung – in sich bewegenden Bildern, von euch als Filme bezeichnet, und in Sammlungen von Worten, die ihr Bücher nennt.

Vom höchsten Berggipfel ist sie herausgeschrien worden, am allertiefsten Ort wurde ihr Wispern vernommen. *Durch die Korridore jedweder menschlicher Erfahrung hallte diese Wahrheit wider:* Liebe ist die Antwort. *Doch eure Ohren blieben verschlossen.*

Nun kommt ihr zu diesem Buch und fragt Gott abermals, was ihr ihn unzählige Male und auf mannigfache Weise gefragt habt. Und ich werde es euch wieder sagen – *hier* – im Kontext *dieses* Buches. Werdet ihr nun zuhören? Werdet ihr wirklich hören?

Was hat euch eurer Meinung nach zu diesem Material geführt? Wie kommt es, daß ihr es in euren Händen haltet? Glaubt ihr, ich weiß nicht, was ich tue?

Es gibt keine Zufälle im Universum.

Ich habe das Schluchzen eures Herzens gehört. Ich habe die Suche eurer Seele gesehen. Ich *weiß*, wie tief ihr nach der

Wahrheit verlangt habt. In Schmerzen habt ihr nach ihr gerufen, und in Freude. Endlos habt ihr mich bedrängt. *Zeig mich mir selbst. Erklär mir mich selbst.* Offenbare mich mir selbst.

Das tue ich hier mit so einfachen Worten, daß ihr sie nicht mißverstehen könnt. In so einfacher Sprache, daß ihr nicht in Verwirrung geraten könnt. Mit einem so allgemein gebräuchlichen Wortschatz, daß ihr euch nicht darin verirren könnt.

Also macht nun weiter. Fragt mich, was auch immer. *Was auch immer.* Ich werde mir etwas ausdenken, um euch die Antwort zu bringen. Dazu werde ich mich des ganzen Universums bedienen. Also seid wachsam. Dieses Buch ist bei weitem nicht mein einziges Mittel. Ihr könnt eine Frage stellen und dann *das Buch niederlegen.* Aber haltet die Augen offen. Hört zu: den Worten des nächsten Liedes, dem ihr lauscht. Achtet auf die Information im nächsten Artikel, den ihr lest. Das Thema des nächsten Films, den ihr euch anschaut. Die beiläufige Äußerung der nächsten Person, die ihr trefft. Oder das Flüstern des nächsten Flusses, des nächsten Ozeans, der nächsten Brise, die euer Ohr liebkost – *all das sind meine Mittel;* all diese Wege stehen mir offen. Ich werde zu euch sprechen, wenn ihr zuhört. Ich werde zu euch kommen, wenn ihr mich einladet. Ich werde euch dann zeigen, daß ich *immer* da war. *Überall.*

2

Du zeigst mir den Pfad zum Leben.
Vor deinem Angesicht herrscht Freude in Fülle,
zu deiner Rechten Wonne für alle Zeit.

Psalm 16:11

Ich hab mein ganzes Leben lang nach dem Weg zu Gott gesucht ...

DAS WEISS ICH ...

... und nun habe ich ihn gefunden und kann es nicht glauben. Ich habe das Gefühl, hier zu sitzen und an mich selbst zu schreiben.

DAS TUST DU.

Ich empfinde es nicht so, wie ich eine Kommunikation mit Gott empfinden sollte.

DU MÖCHTEST GLOCKENGELÄUT und Schalmeienklang? Ich will sehen, was sich arrangieren läßt.

Du weißt, daß manche dieses ganze Buch als Blasphemie bezeichnen werden – stimmt's? Vor allem, wenn du dich weiterhin dermaßen oberlehrerhaft gebärdest.

Lass mich dir etwas erklären. Du hast diese fixe Idee, daß Gott sich immer nur auf eine Weise im Leben zeigt. Das ist eine sehr gefährliche Vorstellung. Sie hindert dich daran, Gott überall zu sehen. Wenn du glaubst, daß Gott nur ein einziges, ganz bestimmtes Aussehen hat oder sich nur auf eine einzige, ganz bestimmte Weise hören läßt, oder nur auf eine einzige, ganz bestimmte Weise existiert, dann wirst du Tag und Nacht immer nur an mir vorbeisehen. Du wirst dein ganzes Leben damit verbringen, nach Gott zu suchen, und *Sie* nicht finden, weil du nach einem Er suchst. Das nur als Beispiel. Es heißt, daß ihr die Hälfte der Geschichte verpaßt, wenn ihr Gott nicht im Banalen und im Tiefgründigen sucht. Das ist eine tiefe Wahrheit.

Gott existiert in der Traurigkeit und im Lachen, im Bitteren und im Süßen. Hinter allem existiert eine göttliche Absicht und daher existiert eine göttliche Präsenz *in* allem.

Ich fing einmal damit an, ein Buch zu schreiben mit dem Titel *Gott ist ein Salamisandwich.*

Das wäre ein sehr gutes Buch geworden. Ich habe dich dazu inspiriert. Warum hast du es nicht geschrieben?

Es wirkte wie Blasphemie. Oder zumindest schrecklich respektlos.

Du meinst *wunderbar* respektlos! Was läßt dich denken, daß Gott nur das »Respektvolle« ist? Gott ist das Auf *und* Ab. Das Heiße *und* das Kalte. Das Linke *und* das Rechte. Das Respektvolle *und* das Respektlose!

Glaubst du, Gott kann nicht lachen? Meinst du, Gott freut sich nicht über einen guten Witz? Glaubst du zu wissen, daß Gott keinen Humor hat? Ich sage dir, Gott hat den Humor *erfunden.*

Mußt du in gedämpftem Ton sprechen, wenn du mit mir redest? Gehen Slang oder Gossensprache über meinen Horizont? Ich sage dir, du kannst mit mir reden wie mit deinem besten Kumpel.

Glaubst du, es gäbe ein Wort, das ich nicht gehört habe? Einen Anblick, den ich nicht gesehen habe? Einen Ton, den ich nicht kenne?

Glaubst du, daß ich manches verabscheue, wohingegen ich anderes liebe? *Ich sage dir, ich verabscheue nichts. Nichts ist mir widerwärtig.* Es ist *Leben*, und *Leben ist das Geschenk*; der unaussprechliche Schatz; das Allerheiligste.

Ich bin Leben, denn ich bin der Stoff, aus dem das Leben *ist*. Jeder seiner Aspekte hat einen göttlichen Sinn. Nichts – nichts – existiert ohne einen von Gott verstandenen und gebilligten Grund.

Wie kann das sein? Was ist mit dem Bösen, das vom Menschen geschaffen wurde?

Ihr könnt kein *Ding* – keinen Gedanken, keinen Gegenstand, kein Ereignis, keine Erfahrung *jedweder* Art – außerhalb Gottes Plan erschaffen. Denn Gottes Plan für euch sieht vor, daß ihr *alles – ein jegliches –* erschafft, *was ihr wollt.* In dieser Freiheit liegt die Erfahrung Gottes, Gott zu sein – und das ist die Erfahrung, *für die ich euch erschaffen habe.* Und das Leben selbst.

Das Böse ist das, was ihr das Böse *nennt*. Aber selbst das liebe ich, denn nur durch das, was ihr als das Böse definiert, könnt ihr das Gute erkennen; nur durch das, was ihr das Werk des Teufels nennt, könnt ihr das Werk Gottes erkennen und tun. Ich liebe das Heiße nicht mehr als das Kalte, das Hohe nicht mehr als das Niedrige, das Linke nicht mehr als das Rechte. Es ist *alles relativ*. Es ist alles Teil dessen, *was ist*.

Ich liebe das »Gute« nicht mehr als das »Schlechte«. *Hitler ging in den Himmel ein.* Wenn ihr das begreift, begreift ihr Gott.

Aber ich bin zum Glauben erzogen worden, daß das Gute und das Schlechte tatsächlich existieren; daß richtig und falsch tatsächlich das Gegenteil voneinander sind; daß manche Dinge nicht in Ordnung, im Angesicht Gottes nicht akzeptabel sind.

Alles ist im Angesicht Gottes »akzeptabel«, denn wie kann Gott nicht das akzeptieren, was ist? Ein Ding ablehnen heißt seine Existenz leugnen. Die Beurteilung, daß es nicht in Ordnung ist, besagt, daß es nicht Teil von mir ist – und das ist unmöglich.

Doch haltet an euren Überzeugungen fest und bleibt euren Werten treu, denn es sind die Werte eurer Eltern und eurer Großeltern, eurer Freunde und eurer Gesellschaft. Sie bilden die Struktur eures Lebens, und ihr Verlust würde die Auflösung des Stoffs eurer Erfahrungen bedeuten. Aber überprüft sie der Reihe nach. Schaut sie euch Stück für Stück sorgsam an. Reißt nicht das Haus ein, aber prüft jeden Baustein und ersetzt jeden, der zerbrochen zu sein scheint und das Gebäude nicht länger zu stützen vermag.

Eure Vorstellungen von richtig und falsch sind genau das – Vorstellungen, Ideen. Sie sind die Gedanken, die dem Form geben und die Substanz dessen erschaffen, was-ihr-seid. Es gibt nur einen einzigen Grund, eine Veränderung vorzunehmen; sie hat ausschließlich dann Sinn und Zweck, wenn ihr mit dem, was-ihr-seid, nicht glücklich seid.

Nur ihr könnt wissen, ob ihr glücklich seid. Nur ihr könnt von eurem Leben sagen: »Das ist meine Schöpfung (Sohn), an der ich großes Wohlgefallen habe.«

Wenn euch eure Werte dienlich sind, dann haltet an ihnen fest. Steht für sie ein. Kämpft, um sie zu verteidigen.

Doch seid bestrebt, so zu kämpfen, daß ihr niemandem Schaden zufügt. Die Schädigung ist ein nicht notwendiger Bestandteil des Heilens.

Du forderst: »Haltet an euren Werten fest«, und gleichzeitig sagst du, daß alle unsere Werte falsch sind. Hilf mir mal, diesen Widerspruch zu klären.

ICH HABE NICHT gesagt, daß eure Werte falsch sind. Aber sie sind auch nicht richtig. Sie sind ganz einfach Beurteilungen – Bewertungen, Entscheidungen. Zum größten Teil sind es Entscheidungen, die nicht ihr getroffen habt, sondern andere: eure Eltern vielleicht, eure Theologen, Lehrer, Historiker, Politiker.

Sehr wenige der Werturteile, die ihr euch als eure Wahrheit einverleibt habt, gründen sich auf eure ganz persönliche Erfahrung. Doch ihr seid um der Erfahrung willen hierhergekommen – und aus eurer Erfahrung heraus sollt ihr euch selbst erschaffen. *Ihr* habt euch aus der Erfahrung *anderer* heraus erschaffen.

Wenn es so etwas wie die Sünde gäbe, dann diese: Daß ihr euch aufgrund der Erfahrung anderer erlaubt, das zu werden, was ihr seid. Das ist die »Sünde«, die ihr begangen habt – ihr alle. Ihr wartet nicht auf eure eigene Erfahrung, ihr akzeptiert die Erfahrung *anderer* (buchstäblich) als das Evangelium, und wenn ihr dann zum ersten Mal der *tatsächlichen Erfahrung* begegnet, stülpt ihr dieser Begebenheit das über, was ihr *bereits zu wissen* glaubt.

Wenn ihr das nicht tätet, würdet ihr möglicherweise eine völlig andere Erfahrung machen – eine, die vielleicht die Erkenntnis bringt, daß euer ursprünglicher Lehrer oder eure ursprüngliche Wissensquelle *nicht recht* haben. In den meisten Fällen wollt ihr eure Eltern, Lehrmeinungen, Religionen, Traditionen, heiligen Schriften nicht anzweifeln – also *leugnet ihr eure eigene Erfahrung* zugunsten dessen, was *zu denken* ihr *angewiesen* wurdet.

Nirgendwo läßt sich das deutlicher aufzeigen als bei eurem Umgang mit der menschlichen Sexualität.

Jedermann weiß, daß die sexuelle Erfahrung die liebevollste, aufregendste, machtvollste, anregendste, erfrischendste, energetisierendste, bestätigendste, intimste, regenerierendste *physische* Einzelerfahrung sein kann, zu der Menschen fähig sind. Nachdem ihr das erfahrungsgemäß entdeckt habt, habt ihr euch statt dessen dazu entschieden, frühere Urteile, Meinungen und Ideen über Sex zu akzeptieren, die von *anderen* verbreitet wurden – welche alle ein Eigeninteresse daran haben, wie und was ihr denkt.

Diese Meinungen, Beurteilungen und Ideen laufen ganz direkt eurer persönlichen Erfahrung zuwider, aber weil ihr es *verabscheut, eure Lehrer ins Unrecht zu setzen*, zwingt ihr euch selbst zu der Überzeugung, daß eure *Erfahrung* falsch sein muß. Die Folge davon ist, daß ihr eure eigene tiefe Wahrheit über dieses Thema verratet – mit katastrophalen Ergebnissen.

Das gleiche habt ihr mit dem Geld veranstaltet. Ihr habt euch jedesmal, wenn ihr in eurem Leben eine Menge Geld hattet, großartig gefühlt. Ihr fandet es großartig, es zu bekommen und ebenso, es auszugeben. Daran war nichts Schlechtes, nichts Böses, an sich nichts »Unrechtes«. Doch wurden die Lehren *anderer* zu diesem Thema von euch dermaßen verinnerlicht, daß ihr eure Erfahrung zugunsten der »Wahrheit« verleugnet habt.

Nachdem ihr euch jene »Wahrheit« zu eigen gemacht hattet, habt ihr Gedankengebilde darum herum aufgebaut – Gedanken, die *schöpferisch* sind. Und ließet ihr eine persönliche Realität um das Geld herum entstehen, die es von euch wegschiebt – denn warum solltet ihr danach streben, euch etwas anzueignen, was nicht gut ist?

Erstaunlicherweise habt ihr den gleichen Widerspruch in bezug auf Gott geschaffen. Alles, was euer Herz über Gott erfährt, sagt euch, daß Gott gut ist. Alles, was euch eure Lehrer über Gott beibringen, sagt euch, daß Gott böse ist. Eurer Herz sagt euch, daß Gott ohne Furcht geliebt werden solle. Eure Lehrer sagen euch, daß Gott gefürchtet werden muß, denn er ist ein rachsüchtiger Gott. Ihr sollt in Angst vor Gottes Zorn leben, sagen sie. Ihr sollt in seiner Gegenwart erzittern, euer ganzes Leben lang das Urteil des Herrn fürchten. Denn der Herr ist »gerecht«, heißt es. Und Gott weiß, daß ihr in Schwierigkeiten steckt, wenn ihr euch mit dieser schrecklichen Gerechtigkeit des Herrn konfrontiert seht. Deshalb sollt ihr Gottes Geboten »gehorchen«, denn sonst …

Vor allem sollt ihr keine so logischen Fragen stellen wie: »Warum hat Gott, wenn er strikten Gehorsam gegenüber seinen Gesetzen verlangte, die Möglichkeit eines Übertretens dieser Gesetze geschaffen?« Weil Gott, so erklären euch eure Lehrer, wollte, daß ihr die »freie Wahl« habt. Doch was ist das für eine Wahlfreiheit, wenn die Entscheidung für die eine Sache die Verdammnis nach sich zieht? Wie kann der »freie Wille« frei sein, wenn es gar nicht euer Wille ist, sondern der eines anderen, dem entsprochen werden muß? Die euch das lehren, machen aus Gott einen Heuchler.

Man sagt euch, daß Gott Vergebung und Mitgefühl ist, doch wenn ihr nicht in »gebührender Form« um diese Vergebung bittet, wenn ihr nicht auf *korrekte* Weise »an Gott herantretet«, wird eure Bitte nicht erhört, bleibt euer Ruf unbeantwortet. Selbst das wäre nicht so tragisch, wenn es nur einen einzigen korrekten Weg gäbe, aber es werden so viele »korrekte Wege« gelehrt, wie es Lehrer gibt.

Deshalb verbringen die meisten von euch den Großteil ihres Erwachsenendaseins mit der Suche nach dem »richtigen Weg«, Gott anzubeten, ihm zu gehorchen und zu dienen. *Die Ironie bei allem ist die, daß ich nicht angebetet werden will, euren Gehorsam nicht brauche und es nicht nötig ist, daß ihr mir dient.*

Das sind Verhaltensweisen, wie sie historisch gesehen die

Monarchen von ihren Untertanen verlangten – meist ego-manische, unsichere, tyrannische Herrscher noch dazu. Es sind in keiner Hinsicht Gottes Forderungen – und es scheint bemerkenswert, daß die Welt bislang noch immer nicht zur Schlußfolgerung gelangt ist, daß es sich um unterstellte Forderungen handelt, die nichts mit göttlichen Bedürfnissen oder Wünschen zu tun haben.

Die Gottheit hat keine Bedürfnisse. Alles-was-Ist ist genau das: alles, das ist. Und deshalb will sie oder mangelt es ihr, schon der Definition nach, *an nichts.*

Wenn ihr die Wahl trefft, an einen Gott zu glauben, der irgendwie etwas *braucht* – und der sich, wenn er es nicht kriegt, in seinen Gefühlen dermaßen verletzt fühlt, daß er die bestraft, von denen er erwartet hat, es zu bekommen –, dann entscheidet ihr euch für den Glauben an einen sehr viel kleineren Gott, als ich es bin. Dann *seid* ihr wahrlich Kinder eines minderen Gottes.

Nein, meine Kinder, laßt mich euch nochmals, mittels dieser Aufzeichnungen versichern, daß ich ohne Bedürfnisse bin. Ich brauche nichts.

Das heißt nicht, daß ich ohne *Verlangen* bin. *Verlangen* und *Bedürfnis* sind nicht das gleiche (obwohl viele von euch es in ihrem gegenwärtigen Leben dazu gemacht haben).

Verlangen ist der Anfang aller Schöpfung. Es ist der erste Gedanke. Es ist ein wunderbares Gefühl in der Seele. Es ist Gott, der die Wahl trifft, was er als nächstes erschafft.

Und was ist Gottes Verlangen?

Erstens verlange ich danach, mich selbst zu erkennen und zu erfahren in all meiner Herrlichkeit – zu wissen, wer-ich-bin. Das zu tun war mir unmöglich, bevor ich euch erschuf – und alle Welten des Universums.

Zweitens verlange ich danach, daß ihr erkennt und erfahrt, wer-ihr-wirklich-seid, durch die euch von mir vermittelte Macht, euch selbst auf jedwelche von euch gewählte Weise zu erschaffen und zu erfahren.

Drittens verlange ich danach, daß der gesamte Lebensprozeß eine Erfahrung ständiger Freude, fortgesetzter Schöpfung, nie endender Ausdehnung und totaler Erfüllung in jedem Moment des Jetzt ist.

Ich habe ein vollkommenes System errichtet, mit dessen Hilfe all mein Verlangen verwirklicht werden kann. Dies geschieht jetzt – genau in diesem Moment. Der einzige Unterschied zwischen mir und euch ist der, daß *ich dies weiß*.

Im Augenblick eurer totalen Erkenntnis (ein Augenblick, der jederzeit eintreten kann) werdet auch ihr so empfinden, wie ich immerwährend fühle: absolut freudig, liebend, akzeptierend, segnend und dankbar.

Das sind die *fünf Einstellungen* Gottes, und bevor wir mit diesem Dialog fertig sind, werde ich euch zeigen, wie euch ein Übernehmen dieser Einstellungen in euer jetziges Leben zur Göttlichkeit bringen kann – und *wird*.

All das ist eine sehr lange Antwort auf eine sehr kurze Frage.

Ja, haltet an euren Werten fest – solange ihr die Erfahrung macht, daß sie euch dienlich sind. Doch schaut, ob ihr diese Werte, denen *ihr* mit euren Gedanken, Worten und Handlungen dient, die höchste und beste Vision, die ihr je von euch hattet, in euren Erfahrungsraum einbringt.

Überprüft eure Werte einen nach dem anderen. Haltet sie

ins Licht öffentlicher kritischer Beurteilung. Wenn ihr der Welt, ohne ins Stolpern zu geraten und ohne Zögern, sagen könnt, wer ihr seid und was ihr glaubt, dann seid ihr mit euch glücklich. Es gibt keinen Grund, diesen Dialog mit mir noch sehr viel weiter fortzusetzen, weil ihr ein Selbst erschaffen habt – und ein Leben *für* das Selbst –, das keiner Verbesserung bedarf. Ihr habt Vollkommenheit erreicht. Legt das Buch beiseite.

Mein Leben ist nicht vollkommen und der Vollkommenheit auch nicht nahe. Ich bin nicht vollkommen. In der Tat bin ich ein Bündel an Unvollkommenheiten. Ich wünschte – und dies manchmal aus ganzem Herzen –, ich könnte diese Unvollkommenheiten korrigieren; wünschte, ich wüßte, was die Ursache meines Verhaltens ist, was mich stets von neuem abstürzen läßt, was sich mir immer wieder in den Weg stellt. Vermutlich bin ich deshalb zu dir gekommen. Ich war nicht imstande, selbst die Antworten zu finden.

Ich bin froh, daß du gekommen bist. Ich war immer da, um dir zu helfen. Ich bin jetzt hier. Du mußt die Antworten nicht allein finden. Das mußtest du nie.

Und doch scheint es so ... *anmaßend* ... zu sein, sich einfach hinzusetzen und auf diese Weise mit dir in Dialog zu treten, ganz zu schweigen von der Vorstellung, daß du – *Gott* – antwortest. Ich meine, das ist *verrückt*.

Ich verstehe, die Autoren der Bibel waren alle geistig gesund, aber *du* bist verrückt.

110

Die Autoren der Bibel waren Zeugen von Christi Leben und haben getreulich berichtet, was sie gehört und gesehen haben.

KORREKTUR. DIE MEISTEN Autoren des Neuen Testaments haben in ihrem Leben Jesus nie getroffen oder gesehen. Als sie lebten, hatte Jesus die Erde schon viele Jahre zuvor verlassen. Sie hätten Jesus von Nazareth nicht einmal erkannt, wenn er auf der Straße direkt vor ihnen gestanden hätte.

Aber …

DIE AUTOREN DER Bibel waren große Gläubige und große Geschichtsschreiber. Sie nahmen die Geschichten auf, die von anderen an sie und ihre Freunde überliefert wurden – von den Ältesten an die Ältesten weitergegeben wurden –, bis schließlich ein schriftlicher Bericht entstand.
Und nicht alle Texte der Bibelautoren fanden Aufnahme in das endgültige Dokument.
Es hatten sich bereits »Kirchengemeinden« um die Lehren Jesu gebildet, und es gab, wie es immer passiert, wenn und wo sich Gruppen um eine machtvolle Idee versammeln, gewisse Individuen innerhalb dieser Kirchengemeinden oder Enklaven, die bestimmten, welche Teile der Geschichte Jesu erzählt werden sollten – und wie. Dieser Auswahl- und Redaktionsprozeß setzte sich während der ganzen Zeit des Sammelns, Schreibens und der Veröffentlichung der Evangelien und der Bibel fort.
Sogar noch einige *Jahrhunderte* nach der Niederlegung der Originalschriften bestimmte ein Hoher Rat der Kirche

noch einmal darüber, welche Doktrinen und Wahrheiten in die damals bereits offizielle Bibel aufgenommen werden sollten, und welche den Massen zu enthüllen »ungesund« oder zu »verfrüht« wäre.

Und es gab auch noch andere heilige Schriften, die alle in Momenten der Inspiration von ansonsten ganz normalen Menschen niedergeschrieben wurden, von denen keiner verrückter war als du.

Willst du damit andeuten – doch wohl nicht, oder? –, daß *diese* Aufzeichnungen eines Tages eine »heilige Schrift« werden könnten?

MEIN KIND, *ALLES im Leben ist heilig.* So gesehen, ja, ist der Text eine heilige Schrift. Aber ich will mit dir keine Wortklauberei betreiben, denn ich weiß, was du meinst.

Nein, ich deute nicht an, daß dieses Manuskript eines Tages eine heilige Schrift werden wird. Jedenfalls nicht Hunderte von Jahren lang oder bis seine Sprache veraltet ist.

Siehst du, das Problem ist, daß die Sprache hier zu sehr Umgangssprache, zu sehr Unterhaltungston, zu zeitbezogen ist. Die Leute gehen davon aus, daß Gott, wenn er direkt mit jemandem spricht, sich nicht wie der Mensch von nebenan anhört. Die Sprache sollte eine einigende, um nicht zu sagen göttliche Struktur aufweisen. Sie sollte eine gewisse Würde ausstrahlen, ein gewisses Gefühl von Göttlichkeit vermitteln.

Wie ich bereits sagte, ist das Teil eines allgemeinen Problems. Das Gefühl, das die Leute hinsichtlich Gott haben, läßt sie glauben, daß er nur in einer einzigen Form »aufkreuzt«. Und alles, was diese Form durchbricht, wird als Blasphemie bezeichnet.

Wie ich schon sagte.

WIE DU SCHON sagtest.
Aber kommen wir auf den Kern deiner Frage zu sprechen. Warum hältst du es für Verrücktheit, wenn du imstande bist, einen Dialog mit Gott zu führen? Glaubst du nicht an das Gebet?

Ja, schon, aber das ist etwas anderes. Das Gebet war für mich immer eingleisig. Ich frage, und Gott bleibt unveränderlich.

GOTT HAT DEIN Gebet nie beantwortet?

O doch, aber nie *verbal*. Mir passieren alle *möglichen Dinge* in meinem Leben, die meiner Überzeugung nach eine Antwort – eine sehr direkte Antwort – auf mein Gebet waren. Aber Gott hat nie zu mir *gesprochen*.

ICH VERSTEHE. ALSO dieser Gott, an den du glaubst, dieser Gott kann alles *tun*. Er kann nur nicht sprechen.

Natürlich kann Gott sprechen, wenn er will. Es schien nur nicht wahrscheinlich, daß Gott zu *mir* sprechen wollte.

DAS IST DIE Wurzel jedes Problems, das du in deinem Leben erfährst – denn du hältst dich nicht für würdig genug, daß Gott zu dir spricht.

Gütiger Himmel, wie kannst du je erwarten, meine Stimme zu hören, wenn du dir nicht vorzustellen vermagst, daß du es in ausreichendem Maße verdienst, daß man überhaupt *zu dir spricht?*

Ich sage dir dies: Ich vollbringe in diesem Moment ein Wunder. Denn ich spreche nicht nur zu dir, sondern auch zu jeder Person, die dieses Buch in die Hand nimmt und diese Worte liest.

Zu ihnen allen spreche ich jetzt. Ich kenne sie alle einzeln. Ich weiß jetzt, wer seinen Weg zu diesen Worten finden wird – und ich weiß, daß (wie bei allen meinen anderen Mitteilungen) manche imstande sein werden zu hören, und manche werden nur zuhören können, aber *nichts vernehmen.*

Na gut, das führt mich zu einer anderen Sache. Ich denke schon jetzt, noch während es geschrieben wird, daran, dieses Material zu veröffentlichen.

JA. WAS IST »falsch« daran?

Könnte nicht eingewendet werden, daß ich das Ganze nur aus Profitdenken durchziehe? Macht das nicht die ganze Sache suspekt?

IST ES DEINE Motivation, etwas zu schreiben, damit du eine Menge Geld verdienen kannst?

Nein. Das ist nicht der Grund, warum das hier angefangen hat. Ich begann mit diesem schriftlichen Dialog, weil ich

mich schon an die dreißig Jahre lang mit Fragen herumge-
quält habe – Fragen, nach deren Beantwortung mich dürste-
te, ich war schon ganz *ausgedörrt*. Der Gedanke, eventuell
daraus ein Buch werden zu lassen, kam erst später.

VON MIR.

Von dir?

JA. DU GLAUBST doch nicht, daß ich dich all diese wunderbaren Fragen und Antworten vergeuden lassen würde,
oder?

Daran habe ich nicht gedacht. Zu Anfang wollte ich nur die
Fragen beantwortet haben; ich wollte, daß die Frustration
ein Ende hätte; die Suche vorbei wäre.

GUT. DANN HÖR auf, deine Motivationen in Frage zu stellen (wie du es unaufhörlich tust), und laß uns damit weiterkommen.

3

Nun, ich habe hundert, tausend, eine *Million* Fragen. Das Problem ist, daß ich manchmal nicht weiß, wo ich anfangen soll.

Nᴇɴɴ ᴅɪᴇ Fʀᴀɢᴇɴ einfach, wie sie dir einfallen. Fang *irgendwo* an. Leg los. Liste die Fragen auf, die dir einfallen.

Gut. Manche scheinen ziemlich einfach, ziemlich gewöhnlich zu sein.

Hᴏ̈ʀ ᴀᴜꜰ, ᴅɪᴄʜ zu verurteilen. Führ sie einfach auf.

Also, hier sind die Fragen, die mir im Moment einfallen.

1. Wann wird mein Leben endlich abheben? Was ist nötig, um es »auf die Reihe zu kriegen«, und zu einem Mindestmaß an Erfolg zu gelangen? Hat es mit dem Kämpfen mal ein Ende?

2. Wann werde ich genug über Beziehungen lernen und imstande sein, sie reibungslos zu gestalten? Gibt es irgendeine Möglichkeit, in Beziehungen glücklich zu sein? Müssen sie ständig eine solche Herausforderung darstellen?

3. Warum scheine ich in meinem Leben nie über ausreichend Geld verfügen zu können? Ist es mein Schicksal, für den Rest meines Lebens knapsen und die Pfennige zusammenkratzen zu müssen? Was hindert mich

daran, in dieser Hinsicht mein ganzes Potential zu verwirklichen?

4. Warum kann ich nicht das tun, was ich wirklich mit
   meinem Leben anfangen *will*, und trotzdem meinen
   Lebensunterhalt verdienen?

5. Wie kann ich einige meiner gesundheitlichen Schwierigkeiten beseitigen? Ich war das Opfer von so vielen
   chronischen Problemen, daß sie mindestens für drei
   Leben ausreichen. Warum habe ich sie alle jetzt – in
   diesem Leben?

6. Welche karmische Lektion soll ich hier lernen? Was
   versuche ich zu meistern?

7. Gibt es so etwas wie Reinkarnation? Wie viele vergangene Leben hatte ich? Was war ich in diesen Leben? Ist
   »karmische Schuld« eine Realität?

8. Manchmal fühle ich mich sehr medial. Gibt es so etwas wie »Medialität«? Bin ich medial? Schließen Menschen, die behaupten, medial zu sein, »einen Pakt mit
   dem Teufel«?

9. Ist es in Ordnung, Geld dafür zu nehmen, daß man Gutes tut? Kann ich, wenn ich mich dazu entscheiden
   würde, in dieser Welt heilerisch tätig zu sein – Gottes
   Werk zu tun –, das tun und gleichzeitig wohlhabend
   sein? Oder schließt sich das gegenseitig aus?

10. Hat das mit dem Sex alles seine Richtigkeit? Sag schon
    – was für eine Geschichte steckt wirklich hinter dieser
    menschlichen Erfahrung? Ist Sex nur für die Fortpflan-
    zung da, wie in manchen Religionen behauptet wird?
    Werden wahre Heiligkeit und Erleuchtung durch Ent-
    haltsamkeit oder durch die Transformierung der sexu-

ellen Energie erreicht? Ist Sex ohne Liebe in Ordnung? Ist nur das gute körperliche Gefühl dabei schon allein Grund genug?

11. Warum hast du Sex zu einer so guten, so spektakulären, so machtvollen menschlichen Erfahrung gemacht, wenn wir uns alle davon so weit wie möglich fernhalten sollten? Und warum sind, wenn wir schon davon reden, alle Dinge, die Spaß machen, entweder »unmoralisch«, »illegal« oder »dickmachend«?

12. Gibt es Leben auf anderen Planeten? Sind wir von Außerirdischen besucht worden? Werden wir jetzt beobachtet? Werden wir noch zu unseren Lebzeiten einen unwiderlegbaren und unstrittigen Beweis dafür erhalten? Hat jede Lebensform ihren eigenen Gott? Bist du der Gott von allem?

13. Wird sich Utopia je auf diesem Planeten Erde verwirklichen? Wird sich Gott, wie versprochen, den Menschen auf dieser Erde je zeigen? Gibt es so etwas wie die Zweite Ankunft? Wird es jemals ein Ende der Welt geben, oder eine Apokalypse, wie es die Bibel prophezeit? Gibt es eine einzige wahre Religion? Und wenn ja, welche?

Das sind nur ein paar meiner Fragen. Wie ich schon sagte, habe ich Hunderte mehr. Für manche dieser Fragen schäme ich mich – sie scheinen so pubertär zu sein. Aber bitte beantworte sie, eine nach der anderen, und laß uns über sie »sprechen«.

GUT. NUN KOMMEN wir weiter. Entschuldige dich nicht für deine Fragen. Sie sind bereits von Männern und Frauen während Hunderten von Jahren gestellt worden. Wenn die Fragen so töricht wären, hätte nicht jede nachfolgende Generation sie immer und immer wieder gestellt. Kommen wir also zur ersten Frage.

Ich habe Gesetze im Universum festgelegt, die es euch ermöglichen, genau das zu bekommen – zu erschaffen –, was ihr euch erwählt. Diese Gesetze können weder übertreten noch ignoriert werden. Ihr befolgt diese Gesetze in eben jenem Moment, indem ihr dies lest. Es ist unmöglich, sie nicht zu befolgen, denn so funktionieren die Dinge. Ihr könnt ihnen nicht entkommen; ihr könnt nicht außerhalb davon operieren.

Jede Minute eures Lebens habt ihr euch *innerhalb* dieser Gesetze bewegt und alles, was euch jemals an Erfahrung zuteil wurde, habt ihr auf diese Weise erschaffen.

Ihr befindet euch in Partnerschaft mit Gott. Wir haben einen ewigen Bund geschlossen. Mein euch gegebenes Versprechen lautet, daß ihr stets von mir bekommt, worum ihr bittet. Euer Versprechen lautet, daß ihr bittet; daß ihr den Prozeß des Bittens und der Entsprechung der Bitte versteht. Ich habe euch diesen Prozeß schon einmal erklärt. Ich werde ihn noch einmal erläutern, damit ihr ihn ganz klar begreift.

Ihr seid ein dreifaltiges Wesen. Ihr besteht aus *Körper, Geist* und *Seele.* Ihr könnte das auch das *Physische, das Nichtphysische und das Metaphysische* nennen. *Das ist die Heilige Dreieinigkeit, und sie hat viele Namen.*

Das, was ihr seid, bin ich. Ich manifestiere mich als Drei-In-Einem. Manche eurer Theologen haben das als Vater, Sohn und Heiligen Geist bezeichnet.

Euren Psychiatern ist dieses Triumvirat ebenfalls bekannt,

sie definieren es als Bewußtsein, Unterbewußtsein und Überbewußtsein.

Eure Philosophen haben es das Es, das Ich und das Über-Ich genannt.

In der Wissenschaft ist die Rede von Energie, Materie und Antimaterie.

Die Dichter sprechen von Herz, Geist und Seele; New-Age-Denker von Körper, Verstand und Geist.

Eure Zeit ist in Vergangenheit, Gegenwart und Zukunft unterteilt. Könnte das nicht das gleiche sein wie Unterbewußtsein, Bewußtsein und Überbewußtsein?

Auch der Raum wird dreifach unterteilt in hier, dort und Zwischenraum.

Die Definition und die Beschreibung dieses »Zwischenraums« sind es, die schwierig, schwer faßbar sind. Der Raum wird in dem Moment, in dem man ihn zu definieren oder zu beschreiben beginnt, zum »hier« oder »dort«. Doch wir wissen, daß dieser »Zwischenraum« existiert. Er ist das, was das »hier« und »dort« an seinem Ort hält.

Diese drei Aspekte von euch sind an sich drei Energieformen. Man kann sie *Gedanke*, *Wort* und *Handlung* nennen. Zusammengenommen produzieren sie ein *Ergebnis*, das in eurer Sprache und nach eurem Verständnis als Gefühl oder Erfahrung bezeichnet wird.

Eure Seele (Unterbewußtsein, Es, reiner Geist, Vergangenheit usw.) *ist die Gesamtsumme jedes Gefühls, das ihr jemals hattet* (erschaffen habt). Euer Gewahrsein von einigem davon wird Erinnerung genannt. Die Erinnerung beinhaltet einen Vorgang, bei dem ihr innerlich Einzelteilchen wieder zusammenfügt.

Sind alle Einzelteilchen wieder zusammengefügt worden, so habt ihr euch erinnert, wer-ihr-wirklich-seid.

Der Schöpfungsprozeß beginnt mit einem Gedanken – einer Idee, Konzeption, Visualisierung. Alles, was ihr seht, war einst jemandes Idee. In eurer Welt existiert nichts, was nicht zunächst als reiner Gedanke vorhanden war.

Dies gilt auch für das Universum.

Der *Gedanke* ist die erste Ebene der Schöpfung.

Als nächstes kommt das *Wort*. Alles, was ihr sagt, ist ein zum Ausdruck gebrachter Gedanke. Er ist schöpferisch und schickt schöpferische Energie ins Universum. Worte sind dynamischer (und somit könnten manche sagen, schöpferischer) als der Gedanke, weil sie eine andere Schwingungsebene haben. Sie brechen stärker ins Universum ein (verändern, beeinflussen es, wirken sich stärker aus).

Worte sind die zweite Ebene der Schöpfung.

Als nächstes kommt die *Handlung*.

Handlungen sind in Bewegung befindliche Worte. Worte sind zum Ausdruck gebrachte Gedanken. Gedanken sind in Form gebrachte Ideen. Ideen sind zusammengebrachte Energien. Energien sind freigesetzte Kräfte. Kräfte sind existente Elemente. Elemente sind Partikel Gottes, Teile des Alles, der Stoff, aus dem alles besteht.

Der Anfang ist Gott. Das Ende ist Handlung. Handlung ist der erschaffende Gott – oder der erfahrende Gott.

Ihr hegt den Gedanken über euch, daß ihr nicht gut, nicht wunderbar, nicht sündenlos genug seid, um ein Teil Gottes zu sein, in Partnerschaft mit Gott zu stehen. Ihr habt so lange verleugnet, wer-ihr-seid, daß ihr *vergessen* habt, wer-ihr-seid.

Das ist nicht zufällig geschehen. Es ist alles Teil des göttlichen Plans, denn ihr könntet nicht beanspruchen, nicht erschaffen, nicht erfahren, wer-ihr-seid, wenn ihr es schon wäret. Ihr mußtet zunächst die Verbindung mit mir lösen (leugnen, vergessen), um sie voll und ganz zu erfahren, indem ihr sie voll und ganz erschafft, indem ihr sie herbeibeschwört. Denn euer erhabenster Wunsch – und mein erhabenstes Verlangen – war es, euch selbst als den Teil von mir zu erfahren, der ihr seid. Ihr befindet euch daher im Prozeß der Selbst-Erfahrung, indem ihr euch selbst in jedem einzelnen Moment neu erschafft. So wie auch ich dies tue – durch euch.

Erkennt ihr die Partnerschaft? Begreift ihr die Implikationen? Es ist eine heilige Zusammenarbeit – wahrlich eine heilige Kommunion.

Dein Leben wird dann »abheben«, wenn du dich dazu entscheidest. Bislang hast du noch gezaudert, verlängert, hinausgezögert, Einwände erhoben. Jetzt ist es an der Zeit, daß du das verkündest und herstellst, was dir versprochen worden ist. Dazu mußt du an das Versprechen glauben und es leben. *Du mußt das Versprechen Gottes leben.*

Das Versprechen Gottes ist, daß du sein Sohn bist. Ihr Nachkömmling. Nach ihrem Ebenbild geschaffen. Ihm gleichgestellt.

Ah – hier ist der Haken. Du kannst »sein Sohn«, »Nachkömmling«, »Ebenbild« akzeptieren, aber bei »ihm gleichgestellt« zuckst du zurück. Dies zu akzeptieren ist zuviel verlangt. Das ist zuviel Größe, zuviel an Wundersamem – zuviel *Verantwortung.* Denn wenn ihr Gott gleichgestellt seid, dann bedeutet das, daß euch nichts getan und alles *von* Euch erschaffen wird. *Dann kann es keine Opfer und*

Schurken mehr geben – nur noch des Ergebnis eures Gedankens in bezug auf etwas.

Ich sage euch dies: Alles, was ihr in eurer Welt seht, ist das Ergebnis eurer Gedanken hinsichtlich dieser Dinge.

Möchtest du wirklich, daß dein Leben »abhebt«? Dann verändere deine Vorstellung davon, von dir selbst. Denke, sprich und handle als der *Gott, der du bist.*

Natürlich wird dich das von vielen – den meisten – deiner Mitmenschen trennen. Sie werden dich verrückt nennen. Sie werden sagen, daß du blasphemisch bist. Sie werden schließlich von dir genug haben und versuchen, dich zu kreuzigen.

Das werden sie tun, nicht weil sie denken, daß du in deiner eigenen Welt der Illusionen lebst (die meisten Menschen sind großzügig genug, dir deine privaten Vergnügungen zu gestatten), sondern weil früher oder später andere von deiner Wahrheit, von den Versprechungen, die sie für *sie* bereithält, *angezogen* werden.

Und an diesem Punkt werden deine Mitmenschen eingreifen, weil du von da an beginnst, für sie eine Bedrohung darzustellen. Denn deine einfache Wahrheit, einfach gelebt, hat mehr Schönheit, Trost, Frieden, Freude und Liebe zu sich selbst und zu anderen anzubieten als alles, was deine Mitmenschen ersinnen könnten.

Und wenn alle sich diese Wahrheit zu eigen machten, würde dies das Ende ihrer Lebensweise bedeuten. Es wäre das Ende von Haß und Angst und Bigotterie und Krieg. Das Ende des Verdammens und Tötens, mit dem in *meinem Namen* ständig fortgefahren wird. Das Ende des Faustrechts. Das Ende des Erkaufens durch Macht. Das Ende der auf Furcht gegründeten Loyalität und Verehrung. Das Ende der Welt, wie sie sie kennen – und wie *ihr* sie bislang erschaffen habt.

Also sei bereit, liebe Seele. Denn du wirst verunglimpft werden, man wird auf dich spucken, du wirst beschimpft und verlassen werden, und schließlich werden sie dich anklagen, dir den Prozeß machen und dich verdammen – alle auf ihre eigene Weise –, und das von dem Moment an, in dem du deine heilige Sache, die Selbst-Verwirklichung, akzeptierst und dir zu eigen machst.

Warum also solltest du das überhaupt tun?

Weil du dich nicht länger um die Akzeptanz oder Billigung durch die Welt bemühst. Du bist nicht mehr zufrieden mit dem, was sie dir eingebracht haben. Dir gefällt nicht mehr, was die Welt anderen gegeben hat. Du willst, daß der Schmerz, das Leiden aufhört, die Illusion ein Ende hat. Du hast genug von der Welt, so wie sie gegenwärtig ist. Du suchst nach einer neueren Welt.

Suche sie nicht länger. Beschwöre sie jetzt *herbei*.

Kannst du mir helfen, besser zu verstehen, wie ich das anstellen soll?

JA. WENDE DICH als erstes deinem allerhöchsten Gedanken über dich selbst zu. Stell dir das Ich vor, das du wärest, wenn du diesen Gedanken jeden Tag lebtest. Stell dir vor, was du denken, tun, sagen und wie du auf das reagieren würdest, was andere tun und sagen.

Erkennst du einen Unterschied zwischen dieser Projektion und dem, was du jetzt denkst, tust und sagst?

Ja. Ich bemerke einen großen Unterschied.

GUT. DAS SOLLTEST du auch, da wir wissen, daß du im Moment nicht die höchste Vision von dir selbst lebst. Fang nun an, nachdem du den Unterschied zwischen dem, wo du bist und wo du sein möchtest, gesehen hast, deine Gedanken, Worte und Handlungen ganz bewußt so zu verändern, daß sie deiner erhabensten Vision entsprechen.

Das erfordert eine ungeheuer große mentale und physische Anstrengung. Es beinhaltet in jedem Augenblick eine ständige Überprüfung all deiner Gedanken, Worte und Taten. Es beinhaltet auch ein fortgesetztes, ganz bewußtes Fällen von Entscheidungen. Der gesamte Prozeß bedeutet eine massive Bewegung hin zu Bewußtsein. Wenn du dich dieser Herausforderung stellst, wirst du feststellen, daß du *dein halbes Leben unbewußt verbracht hast*. Das heißt, du warst dir auf bewußter Ebene nicht gewahr, welche *Wahl* du im Hinblick auf deine Gedanken, Worte und Taten *getroffen hast*, bis du deren Auswirkungen erfuhrst. Und als du nun diese Resultate erlebtest, hast du bestritten, daß deine Gedanken, Worte und Taten irgend etwas damit zu tun hatten.

Dies ist ein Aufruf, mit einem solchen unbewußten Leben aufzuhören. Es ist eine Herausforderung, zu der dich deine Seele seit Anbeginn der Zeit aufgerufen hat.

Diese Art beständiger mentaler Überprüfung scheint mir schrecklich anstrengend zu sein ...

DAS KANN SO lange dauern, bis sie dir zur zweiten Natur wird. Tatsächlich *ist* sie deine zweite Natur. Deine erste

Natur ist die bedingungslose Liebe. Deine zweite Natur ist die ständige bewußte Wahl, wie du deiner ersten, deiner wahren Natur Ausdruck verleihen willst.

Entschuldige, aber würde mich dieses unaufhörliche Redigieren von allem, was ich denke und sage, nicht zu einem ziemlichen Langweiler machen?

NIEMALS. ANDERS, JA – langweilig, nein. War Jesus langweilig? Ich denke, nicht. War es in der Gegenwart Buddhas langweilig? Die Leute kamen in Scharen, bettelten darum, sich in seiner Gegenwart aufhalten zu dürfen. Keiner, der Meisterschaft erlangt hat, ist langweilig. Er mag vielleicht ungewöhnlich, möglicherweise sogar außergewöhnlich sein. Aber er ist niemals langweilig.

Also, willst du, daß dein Leben »abhebt«? *Dann fang sofort an, es dir vorzustellen, wie es deinen Wunsch nach sein soll – und begib dich in diese Projektion hinein. Überprüfe jeden Gedanken, jedes Wort und jede Handlung, die sich nicht in Einklang damit befinden, und entferne dich von diesen.*

Wenn du einen Gedanken hast, der mit deiner höheren Vision keine Übereinstimmung aufweist, *wechsle* auf der Stelle zu *einem neuen Gedanken über.* Wenn du etwas sagst, das nicht mit deiner erhabensten Vorstellung in Einklang steht, nimm dir vor, nie wieder so etwas zu sagen. Wenn du etwas tust, das sich nicht mit deiner besten Absicht vereinbaren läßt, beschließe, daß das das letzte Mal war. Und bring die Dinge bei all denen in Ordnung, die daran beteiligt waren.

Ich hab das schon früher gehört und mich immer dagegen aufgelehnt, weil es so unehrlich erscheint. Ich meine, wenn es dir hundeelend geht, sollst du es nicht zugeben. Wenn du total pleite bist, sollst du es niemals sagen. Wenn du höllisch aufgebracht bist, sollst du es nicht zeigen. Das erinnert mich an einen Witz über drei Leute, die in die Hölle geschickt wurden. Einer war ein Katholik, einer ein Jude und einer ein New-Age-Anhänger. Der Teufel fragte höhnisch den Katholiken: »Na, wie gefällt's dir in der Hitze?« Und der Katholik schniefte und sagte: »Ich bring sie als Opfer dar.« Dann fragte der Teufel den Juden: »Und wie gefällt's *dir* in der Hitze?« Und der Jude antwortete: »Na, was hätt' ich denn anderes erwarten können als noch mehr Hölle?« Und schließlich wandte sich der Teufel an den New-Age-Anhänger: »Hitze?« fragte der schwitzend. »Welche Hitze?«

Das ist ein guter Witz. Aber ich spreche nicht davon, daß ihr ein Problem ignorieren oder so tun sollt, als wäre es nicht vorhanden. Ich spreche davon, daß ihr einen Umstand zur Kenntnis nehmt und dann eure höchste Wahrheit darüber sagt.

Wenn du pleite bist, bist du pleite. Es ist sinnlos zu lügen, und der Versuch, eine Geschichte zu fabrizieren, um es nicht zuzugeben, schwächt nur. Doch wie ihr darüber denkt – »Pleite zu sein ist schlecht«, »das ist ja entsetzlich«, »ich bin ein schlechter Mensch, weil gute Menschen, die hart arbeiten und sich wirklich bemühen, *nie* pleite sind« usw. –, das bestimmt, wie ihr das »Pleitesein« *erfahrt*. Eure Worte dazu – »ich bin pleite«, »ich habe keinen Pfennig«, »ich habe überhaupt kein Geld« – diktieren, wie lange ihr pleite *bleibt*. Eure diesbezüglichen Handlungen – sich selbst bemitleiden, niedergeschlagen herumsitzen, nicht den Versuch unternehmen, einen Ausweg zu finden, weil »es ja doch nichts hilft« – erschaffen eure langfristige Realität.

Was das Universum angeht, so müßt ihr als erstes verstehen, daß kein Zustand »schlecht« oder »gut« ist. Er *ist* einfach. Also höre auf, Werturteile abzugeben.

Als zweites müßt ihr wissen, daß *alle Zustände vorübergehend sind. Nichts bleibt, wie es ist, nichts bleibt statisch. Wie sich etwas verändert, hängt von euch ab.*

Entschuldige, aber ich muß dich hier wieder unterbrechen. Was ist mit einer Person, die todkrank ist, aber jenen Glauben hat, der Berge versetzen kann, und die in dieser Weise denkt, sagt und *glaubt*, daß es ihr wieder bessergehen wird … nur um sechs Wochen später zu sterben. Wie deckt sich *das* mit all diesem Zeug vom positiven Denken, affirmativen Handeln?

DAS IST GUT. Du stellst die harten Fragen. Du glaubst nicht nur einfach meinen Worten. Doch gelangen wir letztendlich irgendwann an einen Punkt, da du meinen Worten Glauben schenken mußt, weil, wie du feststellen wirst, wir – du und ich – diese Dinge ewig diskutieren könnten, bis nichts anderes mehr übrigbleibt, als sie auszuprobieren oder aber zu negieren. Doch diesen Punkt haben wir noch nicht erreicht. Also setzen wir unseren Dialog fort.

Die Person mit dem »Berge versetzenden Glauben«, die sechs Wochen später stirbt, hat sechs Wochen lang tatsächlich »Berge versetzt«. Das mag für sie ausreichend gewesen sein. Sie mag sich in der letzten Stunde des letzten Tages entschieden und sich gesagt haben: »Das war's, ich habe genug. Ich bin jetzt bereit, mich auf ein anderes Abenteuer einzulassen.« Du weißt von dieser Entscheidung vielleicht nichts, weil sie sie dir nicht mitgeteilt hat. In Wahrheit hat sie sie vielleicht schon etwas früher – Tage, Wochen zuvor – getroffen und es dir nicht gesagt; hat es niemandem gesagt.

Ihr habt eine Gesellschaft geschaffen, in der es überhaupt nicht in Ordnung ist, sterben zu wollen – überhaupt nicht in Ordnung, ein ausgesprochen gutes Verhältnis zum Tod zu haben. Weil ihr nicht sterben wollt, vermögt ihr euch nicht vorzustellen, daß *irgend jemand* sterben wollen könnte, ganz gleich, wie die Umstände sind oder in welcher Verfassung sich die Person befindet.

Aber es gibt viele Situationen, in denen der Tod dem Leben vorzuziehen ist, und die ihr euch, wie ich weiß, durchaus vorstellen könnt, wenn ihr ein bißchen darüber nachdenkt. Doch diese Wahrheiten kommen euch nicht in den Sinn – sie treten weniger deutlich zutage –, wenn ihr ins Gesicht eines Menschen blickt, der sterben möchte. Und die sterbende Person weiß das. Sie fühlt den Grad der Zustimmung in bezug auf ihre Entscheidung.

Ist euch je aufgefallen, wie viele Menschen mit dem Sterben warten, bis das Zimmer leer ist? Manche müssen ihren Lieben sogar sagen: »Nein, wirklich, geh nur. Iß einen Happen«, oder: »Geh, schlaf ein bißchen. Mir geht's gut. Ich seh dich dann morgen früh.« Und wenn dann der getreue Wachposten den Raum verläßt, verläßt auch die Seele den Körper des Bewachten.

Wenn sie zu ihren versammelten Verwandten und Freunden sagen würden: »Ich möchte einfach sterben«, dann bekämen sie zu hören: »Aber das meinst du doch nicht wirklich«, oder: »So etwas darfst du nicht sagen«, oder: »Halte durch«, oder: »Bitte, verlaß mich nicht.«

Der ganze medizinische Berufsstand ist darauf ausgerichtet, die Menschen am Leben zu erhalten, statt es ihnen so leicht wie möglich zu machen und sie in Würde sterben zu lassen.

Siehst du, für einen Arzt oder eine Krankenschwester bedeutet der Tod eine Niederlage. Für einen Freund oder Verwandten ist der Tod eine Katastrophe. Nur für die Seele ist der Tod eine Erleichterung – eine Befreiung.

Das größte Geschenk, das ihr Sterbenden machen könnt, ist, sie in Frieden sterben zu lassen. Denkt nicht, daß sie »durchhalten« oder weiterhin leiden oder sich in dieser entscheidensten Passage ihres Lebens um *euch* sorgen müßten.

Und im Fall eines Menschen, der sagt, daß er leben wird, der glaubt, daß er am Leben bleibt, sogar darum betet, passiert es sehr oft, daß er auf der Seelenebene »seine Meinung ändert«. Es ist nun an der Zeit, den Körper abzustreifen und die Seele freizusetzen, damit sie andere Ziele verfolgen kann. Wenn die Seele diese Entscheidung trifft, hat der Körper keine Möglichkeit, das zu verhindern. Und auch kein Gedanke des Geistes kann daran etwas ändern. Im Augenblick des Todes erfahren wir, wer im Triumvirat von Körper, Geist und Seele letztlich bestimmt.

Euer ganzes Leben lang denkt ihr, daß ihr euer Körper seid. Manchmal denkt ihr auch, daß ihr euer Geist seid. Zum

Zeitpunkt des Todes findet ihr heraus, wer-ihr-wirklich-seid.

Nun gibt es aber Zeiten, in denen der Körper und der Geist einfach nicht auf die Seele *hören*. Auch das führt zu einem Szenarium, wie du es eben beschrieben hast. Am schwersten fällt es den Menschen, die Stimme ihrer eigenen Seele zu vernehmen. (Beachtet, wie wenige dies tun.)

Es passiert also häufig, daß die Seele die Entscheidung fällt, daß nun der Moment gekommen ist, den Körper zu verlassen. Der Körper und Geist – stets der Diener der Seele – vernehmen das, und der Loslösungsprozeß beginnt. Doch der Geist des Ego möchte dies nicht akzeptieren. Schließlich würde dies das Ende seiner Existenz bedeuten. Also weist er den Körper an, sich dem Tod zu widersetzen. Das tut der Körper gerne, da auch er nicht sterben will. Dabei erfahren der Körper und der Geist des Ego viel Ermunterung und großes Lob von der Außenwelt – der Welt ihrer Schöpfung –, wodurch sie in ihrer Strategie bestätigt werden.

An diesem Punkt hängt alles davon ab, wie dringlich die Seele den Körper zu verlassen wünscht. Ist es nicht allzu dringlich, sagt die Seele vielleicht: »In Ordnung, ihr gewinnt. Ich bleibe noch ein kleines Weilchen da.« Ist sich die Seele aber völlig im klaren darüber, daß ein weiteres Verweilen nicht ihren höheren Zielen dient – daß sie sich durch diesen Körper nicht mehr *weiterentwickeln* kann –, dann wird sie den Körper verlassen, und nichts und niemand vermag sie daran zu hindern und sollte es auch gar nicht erst versuchen.

Das Ziel der Seele ist ganz klar ihre Evolution. Das ist ihr *einziges* Ziel – und ihr *seelisches* Anliegen. Sie bekümmert sich nicht um die Leistungserfolge des Körpers oder um die geistige Entwicklung. Diese sind für die Seele alle ohne Bedeutung.

Der Seele ist auch klar, daß ihr Verlassen des Körpers keine große Tragödie bedeutet. In vielerlei Hinsicht besteht die Tragödie in ihrer Existenz *im* Körper. Ihr müßt also verstehen, daß die Seele die ganze Sache mit dem Tod anders sieht. Natürlich sieht sie auch die ganze »Sache mit dem Leben« anders, und das ist die Ursache von viel Frustration und Angst, die der Mensch im Leben empfindet. Frustration und Angst entstehen, wenn ihr nicht auf eure Seele hört.

Wie kann ich am besten auf meine Seele hören? Wie kann ich, wenn die Seele die Chefin ist, sichergehen, daß ich Anweisungen aus der Chefetage erhalte?

ALS ERSTES KÖNNTEST du dir darüber klarwerden, worauf die Seele aus ist – und aufhören, deine Urteile darüber abzugeben.

Ich gebe Urteile über meine eigene Seele ab?

STÄNDIG. ICH HABE dir gerade gezeigt, wie du dich dafür verurteilst, daß du sterben willst. Du verurteilst dich auch dafür, daß du leben willst – wirklich *leben*. Du verurteilst dich dafür, daß du lachen, weinen, gewinnen, verlieren, daß du Freude und Liebe erfahren willst, für letzteres verurteilst du dich sogar ganz *besonders*.

Ist das wahr?

Irgendwie seid ihr mal auf die Idee verfallen, daß es gottge-
fällig sei, sich selbst Freude zu *verwehren*; daß es eine
himmlische Tugend sei, das Leben *nicht* zu feiern. Selbstverleugnung, so habt ihr euch gesagt, heißt Gutsein.

Und du meinst, daß Selbstverleugnung schlecht ist?

Sie ist weder gut noch schlecht, sie ist einfach Selbstverleugnung. Wenn du dich gut fühlst, nachdem du dir etwas
verweigert hast, dann heißt das in eurer Welt, daß es etwas
Gutes ist. Wenn du dich schlecht fühlst, dann heißt das,
daß es etwas Schlechtes ist. Meist könnt ihr euch nicht
entscheiden. Ihr verweigert euch dies oder jenes, weil ihr
euch sagt, daß es sich so gehört. Dann sagt ihr, es war gut,
daß ihr so gehandelt habt, wundert euch aber, daß ihr euch
nicht gut *fühlt*.

Also müßt ihr als erstes aufhören, euch selbst zu verurteilen. Bringt in Erfahrung, wonach eure Seele verlangt, und
haltet euch daran. Richtet euch nach eurer Seele.

Die Seele ist auf das höchste Gefühl der Liebe aus, das ihr
euch vorstellen könnt. Danach verlangt sie. Das ist ihr Ziel.

Die Seele ist auf das Gefühl aus. Nicht auf das Wissen, sondern auf das Gefühl. Das Wissen hat sie bereits, aber es ist
begrifflicher Natur. Das Gefühl ist erfahrungsgemäßer Natur. Die Seele will sich selbst fühlen und sich so *in ihrer
eigenen Erfahrung* kennenlernen, erkennen.

Das höchste Gefühl ist die Erfahrung der Einheit mit Allem-Was-Ist. Dies ist die große Rückkehr zur Wahrheit,
welche die Seele ersehnt. Dies ist das Gefühl vollkomme-
ner Liebe.

Die vollkommene Liebe ist für das Gefühl das, was Weiß für die Farben ist. Viele glauben, daß Weiß die *Abwesenheit* von Farbe sei. Das Gegenteil ist der Fall: Weiß beinhaltet sämtliche Farben. Es ist die Verbindung von *allen anderen existierenden Farben.*

Und so ist die Liebe auch nicht die Abwesenheit von Emotion (Haß, Wut, sinnliche Begierde, Eifersucht, Gier), sondern die Summe aller Gefühle. Die Gesamtsumme. Der Gesamtbetrag. Alles und jedes.

Die Seele muß also, um die vollkommene Liebe zu erfahren, *jedes menschliche Gefühl* durchleben.

Wie kann ich Mitgefühl für etwas empfinden, das ich nicht verstehe? Wie kann ich jemandem für etwas vergeben, das ich nie selbst in mir erfahren habe? Wir sehen also die Einfachheit und die ehrfurchtgebietende Großartigkeit der Reise der Seele. Wir verstehen endlich, worauf sie aus ist: Das Ziel der menschlichen Seele ist die Erfahrung von allem, damit sie alles sein kann.

Wie kann sie oben sein, wenn sie nie unten war, links, wenn sie nie rechts war? Wie kann sie warm sein, wenn sie nie das Kalte kennenlernte, gut, wenn sie das Böse verweigert? Ganz offensichtlich kann die Seele keine Wahl für irgend etwas treffen, *wenn es nichts zu wählen gibt.* Wenn sich die Seele in ihrer ganzen Macht und Herrlichkeit erfahren will, muß sie *wissen, was Macht und Herrlichkeit sind.*

Aber dazu ist sie nicht in der Lage, wenn es *lediglich* Macht und Herrlichkeit gibt. Und so erkennt die Seele, daß Macht und Herrlichkeit nur im Raum dessen existieren, was *nicht* Macht und Herrlichkeit ist. Daher verdammt die Seele nie das, was nicht großartig ist, sondern segnet es – sieht *in* ihm einen *Teil von sich selbst, der existieren muß*, damit sich ein anderer Teil ihrer selbst manifestieren kann.

Die Seele hat natürlich die Aufgabe, euch dazu zu bringen, die Macht und Herrlichkeit zu wählen – das Beste von wer-ihr-seid auszusuchen –, ohne das zu verdammen, was ihr nicht auswählt.

Das ist die große Aufgabe, die viele Leben in Anspruch nimmt, denn ihr neigt zu einem allzu raschen Urteil und nennt etwas »falsch« oder »schlecht« oder »nicht ausreichend«, statt das zu segnen, was ihr nicht wählt.

Ihr begeht noch etwas Schlimmeres als nur zu verurteilen: Ihr trachtet danach, dem, was ihr nicht wählt, Schaden zuzufügen. Ihr seid bestrebt, es zu zerstören. Ihr attackiert eine Person, einen Ort, eine Sache, mit der ihr nicht übereinstimmt. Eine Religion, die sich nicht mit der euren vereinbaren läßt, erklärt ihr für falsch. Einen Gedanken, der dem euren widerspricht, macht ihr lächerlich. Eine Idee, die nicht die eure ist, lehnt ihr ab. Und damit begeht ihr einen Fehler, denn so erschafft ihr nur die Hälfte eines Universums. Und ihr könnt noch nicht einmal *eure* Hälfte verstehen, wenn ihr die andere Hälfte einfach so in Bausch und Bogen ablehnt.

Das ist alles sehr tiefgründig – und ich danke dir. Keiner hat mir je diese Dinge so erklärt. Wenigstens nicht in solcher Einfachheit. Und ich versuche zu verstehen. Ich versuche es wirklich. Doch einiges läßt sich nur schwer begreifen. So scheinst du zum Beispiel von uns zu fordern, daß wir das »Unrechte« lieben sollten, um das »Rechte« kennenzulernen. Willst du damit sagen, daß wir sozusagen den Teufel umarmen sollen?

WIE SONST KANNST du ihn heilen? Natürlich existiert kein wirklicher Teufel, aber ich antworte dir mit dem Begriff, den du gebraucht hast.

Heilung ist der Prozeß, bei dem ihr alles akzeptiert und dann das Beste wählt. Verstehst du das? Du kannst nicht die *Wahl treffen*, Gott zu sein, wenn *nichts* anderes zur *Auswahl* steht.

Halt, Moment mal! Wer hat was von einer Wahl, *Gott zu sein*, gesagt?

DAS HÖCHSTE GEFÜHL ist vollkommene Liebe, nicht wahr?

Ja, das denke ich.

UND KANNST DU eine bessere Beschreibung Gottes finden?

Nein, kann ich nicht.

NUN, DEINE SEELE strebt das höchste Gefühl an. Sie trachtet danach, die vollkommene Liebe zu erfahren, die vollkommene Liebe *zu sein*.

Sie *ist* vollkommene Liebe – und sie *weiß* das. Aber sie möchte *mehr* tun, als dies nur wissen. Sie möchte sie *in ihrer Erfahrung* sein.

Natürlich ist euer Bemühen darauf ausgerichtet, Gott zu sein! Was denkst du, worauf ihr sonst aus seid?

Ich weiß nicht, bin mir nicht sicher. Ich schätze, ich habe das nie so bedacht. Es scheint nur so etwas vage Blasphemisches an sich zu haben.

Ist es nicht interessant, daß du nichts Blasphemisches daran findest, wenn jemand bestrebt ist, dem Teufel zu gleichen, du dich aber in deinen Gefühlen verletzt fühlst, wenn es ums Bestreben geht, Gott zu gleichen ...

Nun hör aber auf! Wer ist bestrebt, dem Teufel zu gleichen?

Ihr seid es. Ihr *alle* seid es! Ihr habt sogar Religionen erschaffen, die euch lehren, daß ihr sündig zur Welt kommt – daß ihr *von Geburt an Sünder* seid –, um euch von eurer eigenen Schlechtigkeit zu überzeugen. Doch wenn ich euch sagte, daß ihr aus Gott geboren seid – daß ihr bei der Geburt reine Götter und Göttinnen, *reine Liebe* seid, würdet ihr mich ablehnen.

Euer ganzes Leben habt ihr damit verbracht, euch die Überzeugung einzuhämmern, daß ihr schlecht seid. Und nicht nur das, sondern auch, daß die Dinge, die ihr haben wollt, schlecht sind: Sex, Geld, Freude, Macht. Eine Menge – *von was auch immer* – zu haben ist ebenfalls schlecht. Manche eurer Religionen haben euch sogar glauben machen lassen, daß *Tanzen, Musik*, das *Leben* feiern schlecht ist. Bald werdet ihr euch einig sein, daß Lächeln, Lachen, *Lieben* schlecht ist.

Nein, mein Freund, ihr seid euch vielleicht über viele Dinge nicht im klaren, aber eines steht für euch felsenfest: Ihr seid *schlecht*, und das meiste von dem, was ihr euch sehnlichst wünscht, ist ebenfalls *schlecht*. Nachdem ihr dieses Urteil über euch gefällt habt, faßtet ihr den Beschluß, daß es eure Aufgabe ist, euch zu *bessern*.

Das ist in Ordnung. Es ist jedenfalls die gleiche Zielsetzung – nur daß es eine raschere Möglichkeit, eine kürzere Route, einen schnelleren Weg gibt.

Welcher wäre?

DIE AKZEPTANZ DESSEN, wer und was ihr im Moment seid – und es zu demonstrieren.

Das ist es, was Jesus tat. Das ist der Weg Buddhas, der Weg Krischnas, der Weg jedes Meisters, der auf dem Planten erschienen ist.

Und jeder dieser Meister verkündete auch die gleiche Botschaft: Was ich bin, seid ihr ebenso. Was ich tun kann, könnt ihr ebenfalls tun. Diese Dinge und *mehr* werdet auch ihr tun.

Aber ihr habt nicht zugehört. Ihr habt statt dessen den weitaus schwierigeren Weg des Menschen gewählt, *der glaubt, der Teufel zu sein, der sich einbildet, schlecht zu sein*.

Ihr sagt, es sei schwierig, den Weg Christi zu beschreiten, den Lehren Buddhas zu folgen, das Licht Krischnas leuchten zu lassen, ein Meister zu sein. Ich sage euch dies: Es ist weitaus schwieriger, zu *leugnen*, wer-ihr-seid, als es zu akzeptieren.

Ihr seid das Gute und Erbarmen und Mitgefühl und Verständnis. Ihr seid Friede und Freude und Licht. Ihr seid Vergebung und Geduld, Stärke und Mut, Helfer in Zeiten der Not, Tröster in Zeiten des Leids, Heiler in Zeiten der Verletzung, Lehrer in Zeiten der Verwirrung. Ihr seid die tiefste Weisheit und höchste Wahrheit; der höchste Friede und die großartigste Liebe. Diese Dinge *seid ihr*. Und es gibt Momente in eurem Leben, in denen ihr euch als diese Dinge *erkannt* habt.

Trefft nun die Wahl, euch immer als diese Dinge zu erkennen.

4

Toll! Du inspirierst mich!

Nun, wenn Gott dich nicht inspirieren kann, wer zur Hölle dann?

Bist du immer so schnodderig?

Das war nicht schnodderig gemeint. Lies es noch mal.

Oh, ich sehe.

Ja. Doch wäre es ja wohl in Ordnung, wenn ich schnodderig wäre, oder?

Ich weiß nicht. Ich bin es gewöhnt, daß mein Gott ein bißchen ernsthafter ist.

Also, tu mir einen Gefallen und versuch nicht, mir Grenzen aufzuerlegen. Und tu dir übrigens diesen Gefallen ebenfalls.
Es ist nun mal so, daß ich einen starken Sinn für Humor habe. Ich würde sagen, den braucht man, wenn man sieht, was ihr alle mit dem Leben angefangen habt, oder? Ich meine, manchmal muß ich einfach darüber lachen.
Das ist jedoch in Ordnung, denn schau, ich weiß, daß am Ende alles gut ausgehen wird.

Was meinst du?

ICH MEINE, DASS ihr dieses Spiel nicht verlieren könnt. Ihr könnt nicht fehlgehen. Das gehört nicht zum Plan. Es gibt keine Möglichkeit, nicht dorthin zu kommen, wohin ihr unterwegs seid. Es gibt keine Möglichkeit, euer Ziel zu verfehlen. Wenn Gott euer Ziel ist, dann habt ihr Glück, *weil Gott so groß ist, daß ihr ihn nicht verfehlen könnt.*

Das ist natürlich die große Sorge. Die Sorge, daß wir irgendwie alles vermasseln und nie dazu kommen, dich zu sehen, bei dir zu sein.

DU MEINST, »IN den Himmel kommen«?

Ja. Wir haben alle Angst, in der Hölle zu landen.

ALSO HABT IHR euch selbst von Anfang an dort niedergelassen, um zu vermeiden, dort *hinzukommen.* Hm – interessante Strategie.

Du bist schon wieder flapsig.

ICH KANN'S NICHT ändern. Diese ganze Höllen-Angelegenheit bringt das Schlimmste in mir zum Vorschein!

Grundgütiger, du bist ja ein richtiger *Komödiant.*

HAST DU SO lange gebraucht, um *das* rauszufinden? Hast du mal kürzlich einen Blick auf die Welt geworfen?

141

Was mich zu einer anderen Frage veranlaßt. Warum bringst du die Welt nicht einfach *in Ordnung*, statt sie zur Hölle gehen zu lassen?

Warum übernimmst du das nicht?

Ich habe nicht die Macht dazu.

Unsinn. Ihr verfügt über die Macht und die Fähigkeit, in dieser Minute dem Hunger in der Welt ein Ende zu setzen, in diesem Moment Krankheiten zu heilen. Was, wenn ich dir sagte, daß euer eigener schulmedizinischer Berufsstand Heilmethoden *zurückhält*, sich weigert, alternative Heilmittel und Heilverfahren zuzulassen, weil sie den Beruf des »Heilens« in seiner Struktur bedrohen? Was, wenn ich dir sagte, daß die Regierungen der Welt den Hunger überhaupt nicht beseitigen *wollen*? Würdest du mir glauben?

Das fiele mir schwer. Ich weiß, das ist eine häufig vertretene Ansicht, aber ich glaube nicht, daß sie wirklich zutrifft. Kein Arzt möchte sich einer Heilungsmöglichkeit verweigern. Niemand möchte seine Landsleute sterben sehen.

Kein einzelner Arzt, das ist wahr. Kein *bestimmter* Landsmann, das ist richtig. Aber die ärztliche Versorgung und das Politikmachen sind *institutionalisiert* worden, und es sind die Institutionen, die gegen diese Dinge ankämpfen. Manchmal sehr subtil, manchmal sogar unbewußt, aber sie tun es unweigerlich, weil es für sie eine Sache des Überlebens ist.

Und so, um dir nur ein einfaches und sehr offensichtliches Beispiel zu geben, bestreiten die Ärzte im Westen die Wirksamkeit der östlichen medizinischen Heilmethoden, denn wenn sie diese akzeptierten, müßten sie zugeben, daß gewisse alternative Vorgehensweisen ebenfalls zur Heilung führen können, und dies würde im Gebäude der Institution, so wie sie sich strukturiert hat, Risse verursachen.

Das ist kein böser Wille, doch es ist hinterhältig. Der Berufsstand handelt nicht so, weil er verdorben ist. Ihn veranlaßt die Angst dazu.

Jeder Angriff ist ein Hilferuf.

Das habe ich in *Ein Kurs in Wundern* gelesen.

ICH HABE DAFÜR gesorgt, daß es da drinsteht.

Du hast aber auch auf alles eine Antwort.

WAS MICH DARAN erinnert, daß wir erst angefangen haben, auf deine Fragen einzugehen. Wir sprachen darüber, wie du dein Leben »auf die Reihe kriegen« und »abheben« kannst. Ich sprach über den Schöpfungsprozeß.

Ja, und du wurdest von mir ständig unterbrochen.

DAS IST IN Ordnung, aber laß uns nun darauf zurückkommen, da wir ja nicht den Faden von etwas sehr Wichtigem verlieren wollen.

Das Leben ist eine Schöpfung, nicht eine Entdeckung.

Ihr lebt nicht, um zu entdecken, was jeder Tag für euch

bereithält, sondern um ihn zu *erschaffen*. Ihr erschafft eure Realität jede Minute und wahrscheinlich ohne es zu wissen.

Hier folgt nun, warum das so ist und wie es funktioniert.

1. Ich habe euch nach dem Ebenbild Gottes erschaffen.

2. Gott ist der Schöpfer.

3. Ihr seid drei Wesen in einem. Ihr könnt diese drei Aspekte benennen, wie ihr wollt: Vater, Sohn und Heiliger Geist; Körper, Geist und Seele; Überbewußtsein, Bewußtsein, Unterbewußtsein.

4. Die Schöpfung ist ein Prozeß, der von diesen drei Bereichen eures Körpers ausgeht. Anders ausgedrückt: Ihr erschafft auf drei Ebenen. Die Instrumente der Schöpfung sind: Gedanke, Wort und Tat.

5. Alle Schöpfung beginnt mit dem Gedanken (»geht vom Vater aus«). Alle Schöpfung geht dann über zum Wort (»Bittet, dann wird euch gegeben, sprecht und es wird euch getan werden«). Alle Schöpfung erfüllt sich in der Tat (»Und das Wort ist Fleisch geworden und hat unter uns gewohnt«).

6. Das, woran ihr denkt, worüber ihr aber danach nie sprecht, erschafft auf einer Ebene. Das, woran ihr denkt und worüber ihr sprecht, erschafft auf einer anderen Ebene. Das, woran ihr denkt, worüber ihr sprecht und es *tut*, manifestiert sich in eurer Realität.

7. Es ist unmöglich, daß ihr an etwas denkt, es aussprecht und tut, wenn ihr dieses Etwas nicht wirklich glaubt. Deshalb muß der Schöpfungsprozeß Glaube oder Wissen beinhalten. Das ist der absolute Glaube. Dies geht über das Hoffen *hinaus*. Das ist das *Wissen um eine*

Gewißheit (»Durch euren Glauben sollt ihr geheilt werden«). Deshalb beinhaltet der Teil des Tuns beim Schöpfungsakt immer Wissen. Dies ist eine tiefe innere Klarheit, eine absolute Gewißheit, das totale *Akzeptieren* von etwas als *Realität.*

8. Dieser Ort des Wissens ist ein Ort innigster und unglaublicher Dankbarkeit. Es ist eine *Dankbarkeit* im voraus. Und das ist vielleicht der bedeutsamste Schlüssel für das Erschaffen: dankbar sein vor der und für die Erschaffung. Dieses Für-selbstverständlich-Nehmen wird nicht nur entschuldigt, es wird dazu sogar ermuntert. Das ist das *sichere Zeichen der Meisterschaft.* Alle Meister *wissen im voraus, daß die Tat vollbracht ist.*

9. Feiere und freue dich an allem, was du erschaffst, erschaffen hast. Einen Teil davon ablehnen, heißt einen Teil von dir ablehnen. Erkenne als dein eigen an, beanspruche, segne, sei dankbar für das, was immer sich dir im Moment als Teil deiner Schöpfung zeigt. Verdamme es nicht (»Gottverdammt noch mal!«), denn es verdammen heißt dich selbst verdammen.

10. Wenn es einen Aspekt der Schöpfung gibt, der dir nicht gefällt, dann segne und ändere ihn einfach. Triff eine neue Wahl. Ruf eine neue Realität herbei. Denk einen neuen Gedanken. Sag ein neues Wort. Tu etwas Neues. Mach es hervorragend, und der Rest der Welt wird dir folgen. Bitte sie darum. Ruf sie an. *Sag:* »Ich bin das Leben und der Weg, folge mir.«

So manifestiert sich Gottes Wille »wie im Himmel so auf Erden«.

Wenn das alles so einfach ist und es nur dieser zehn Schritte bedarf – warum funktioniert das bei den meisten von uns nicht so?

ES *FUNKTIONIERT* SO, bei *allen* von euch. Manche benutzen das »System« bewußt, in vollem Gewahrsein, und manche benutzen es unbewußt, ohne überhaupt zu wissen, was sie tun.

Manche von euch gehen ihren Weg in aller Wachheit, während manche schlafwandeln. Doch ihr *alle* erschafft eure Realität – ihr *erschafft* sie, ihr *entdeckt* sie nicht –, benutzt die Macht, die euch von mir verliehen wurde, und wendet den Prozeß an, den ich gerade beschrieben habe.

Du hast gefragt, wann dein Leben »abheben« wird, und ich habe dir nun die Antwort gegeben.

Dein Leben wird »abheben«, wenn du als erstes darüber nachdenkst und dir sehr klar darüber wirst. Denk darüber nach, was du sein, tun und haben willst. Denk oft darüber nach, bis du dir völlig im klaren darüber bist. Wenn du diese Klarheit gewonnen hast, dann *denk über nichts anderes nach.* Stell dir keine anderen Möglichkeiten vor.

Verbanne sämtliche negativen Gedanken aus deinen mentalen Gebäuden. Verliere jeglichen Pessimismus. Entlasse alle Zweifel. Sag dich von allen Ängsten los. Diszipliniere deinen Geist und bring ihn dazu, am ursprünglichen schöpferischen Gedanken festzuhalten.

Wenn deine Gedanken klar und beständig sind, dann fang an, sie als Wahrheit auszusprechen. Formuliere sie laut. Bediene dich des großen Befehls, der die schöpferische Macht aufruft: Ich bin. Mach diese Aussagen des »Ich bin« auch anderen gegenüber. »Ich bin« ist die stärkste schöpferische Aussage im Universum. Was immer du denkst, was immer du sagst, die entsprechenden Erfahrungen werden nach den Worten »Ich bin« in Gang gesetzt, herbeigerufen, zu dir gebracht.

Das Universum kennt keine andere Weise des Funktionierens. Es kennt keine andere Route, die es nehmen kann. Das Universum reagiert auf das »Ich bin« wie der Geist in der Flasche.

Du sagst »Entlasse alle Zweifel, sag dich von allen Ängsten los, verliere allen Pessimismus« so, als ginge es darum, einen Laib Brot zu holen. Aber diese Dinge sind leichter gesagt als getan. »Verbanne sämtliche negativen Gedanken aus deinen mentalen Gebäuden« könnte genausogut heißen: »Erklimme den Everest – vor dem Mittagessen.« Das ist eine ziemlich gewaltige Anforderung.

Die Zähmung deiner Gedanken, die Kontrolle über sie ist nicht so schwierig, wie es vielleicht erscheint (übrigens, was das angeht, auch nicht das Erklimmen des Everest). Es ist alles eine Sache der Disziplin, eine Frage der Absicht.

Der erste Schritt besteht darin, daß du lernst, deine Gedanken zu überprüfen; über das *nachzudenken*, worüber du nachdenkst.

Wenn du dich dabei ertappst, daß du negative Gedanken hegst – Gedanken, die deine höchste gedankliche Vorstellung von etwas negieren –, dann denk noch einmal! Ich möchte, daß du das tust, *buchstäblich*. Wenn du denkst, daß du eine Depression hast, in der Patsche sitzt und nichts

147

Gutes dabei herauskommen kann – *denk noch einmal!* Wenn du denkst, daß die Welt ein gräßlicher Ort ist, voller negativer Ereignisse – *denk noch einmal.* Wenn du denkst, daß dein Leben auseinanderbricht und du es anscheinend nie wieder zusammensetzen kannst – *denk noch einmal.* Du *kannst* dich dazu trainieren. (Schau, wie gut du es dir beigebracht hast, es *nicht* zu tun!)

Ich danke dir. Der Prozeß wurde mir noch nie so klar und deutlich erklärt. Ich wollte, es wäre alles so leicht getan wie gesagt, aber jetzt verstehe ich zumindest besser – denke ich.

NA GUT. FALLS du eine Repetition der Lektion brauchst – wir haben ja noch einige Leben.

5

Was ist der wahre Weg zu Gott?

Ist es der Weg der Entsagung, wie manche Yogis glauben? Und wie steht es mit dem, was man Leiden nennt? Sind Leiden und Dienen der Weg, der zu Gott führt, wie viele Asketen behaupten? Verdienen wir uns den Weg in den Himmel dadurch, daß wir »gut sind«, wie so viele Religionen lehren? Oder sind wir frei zu tun, wie es uns beliebt, können wir jede Regel brechen oder ignorieren, irgendwelche traditionellen Lehren beiseite lassen, uns hemmungslos in alles mögliche stürzen und ins Nirwana eingehen, wie viele New-Age-Anhänger meinen? Wie ist es nun? Strenge moralische Prinzipien oder tu, wie dir beliebt? Traditionelle Werte oder schaff sie dir selbst, so wie es sich eben ergibt? Die Zehn Gebote oder die Sieben Schritte zur Erleuchtung?

Du hast ein großes Bedürfnis danach, daß es entweder so oder so sein soll, nicht wahr ... Könnte es nicht alles das sein?

Ich weiß nicht. Ich frage dich.

Dann will ich dir so antworten, wie du es am besten verstehen kannst, obwohl ich dir jetzt auch sage, daß die Antwort in deinem Innern liegt. Ich sage das allen Menschen, die meine Worte hören und meine Wahrheit suchen.

Jedem Herz, das ernsthaft die Frage nach dem Weg zu Gott stellt, wird die Antwort gezeigt. Ein jeder erhält eine tief im Herzen empfundene Wahrheit. Kommt zu mir auf dem Weg eures Herzens, nicht über eine Verstandesreise. Ihr werdet mich nie in eurem verstandesmäßigen Bewußtsein finden.

Um Gott wirklich zu erkennen und zu erfahren, müßt ihr euren Verstandesbereich verlassen.

Doch deine Frage verlangt eine Antwort, und ich werde mich der Vehemenz deiner Befragung nicht entziehen.

Ich werde mit einer Aussage beginnen, die dich bestürzen und vielleicht viele Menschen in ihren Empfindungen verletzen wird: So etwas wie die Zehn Gebote *gibt es nicht*.

Was, es gibt sie nicht?

NEIN. DENN WEM sollte ich gebieten? Mir selbst? Und warum wären solche Gebote erforderlich? Was immer ich will, das ist. Oder etwa nicht? Wie sollte es da also nötig sein, irgend jemandem zu gebieten?

Und würden Gebote, wenn ich sie erließe, nicht automatisch befolgt werden? Wie könnte ich so sehr wünschen, daß etwas so sein soll, daß ich es gebiete – um dann dazusitzen und mir anzusehen, daß es nicht so ist?

Welcher König würde das tun? Welcher Herrscher?

Und doch sage ich euch dies: Ich bin weder ein König noch ein Herrscher. Ich bin einfach – und ehrfurchtgebietend – der Schöpfer. Doch der Schöpfer herrscht nicht, er erschafft nur, erschafft und erschafft immerfort.

Ich habe euch erschaffen – euch gesegnet – nach meinem

Ebenbild. Und ich habe euch gewisse Versprechen gegeben, bin euch gegenüber gewisse Verpflichtungen eingegangen. Ich habe euch in einfachen und klaren Worten erklärt, wie es sich mit euch verhalten wird, wenn ihr mit mir eins werdet.

Du bist wie Moses ein ernsthaft Suchender. Auch Moses stand wie du jetzt vor mir und bat um Antworten. »O Gott meiner Väter!« rief er. »Gott meines Gottes, laß dich herab und zeig dich mir. Gib mir ein Zeichen, damit ich meinem Volk davon berichten kann! Woran können wir erkennen, daß wir auserwählt sind?«

Und ich kam zu Moses, so wie ich jetzt zu dir gekommen bin, mit einem göttlichen Bund – einem immerwährenden Versprechen – mit einer sicheren und gewissen Verpflichtung. »Wie kann ich sicher sein?« fragte Moses klagend.

»Weil ich es dir gesagt habe«, antwortete ich. »Du hast das Wort Gottes.«

Und das Wort Gottes war kein Gebot, sondern ein Bund. Und dies nun sind die ...

... ZEHN VERPFLICHTUNGEN

Ihr werdet *wissen*, daß ihr den Weg zu Gott genommen habt, und ihr werdet *wissen*, daß ihr Gott *gefunden* habt, denn es wird diese Zeichen, diese Hinweise, diese *Veränderungen* in euch geben:

1. Ihr werdet Gott mit eurem ganzen Herzen, mit eurem ganzen Geist und mit eurer ganzen Seele lieben. Und ihr werdet keinen anderen Gott über mich stellen. Ihr werdet nicht länger menschliche Liebe oder Erfolg oder Macht oder irgendein Symbol davon anbeten. Ihr wer-

det alle diese Dinge aufgeben, so wie ein Kind sein Spielzeug ablegt. Nicht, weil diese Dinge nichts wert sind, sondern weil *ihr ihnen entwachsen seid*.

Und ihr werdet *wissen*, daß ihr den Weg zu Gott genommen habt, weil

2. ihr den Namen Gottes nicht mißbrauchen werdet. Und ihr werdet mich auch nicht um nichtiger Dinge willen anrufen. Ihr werdet die *Macht* des Wortes und der Gedanken verstehen und nicht daran *denken*, den Namen Gottes auf gottlose Weise auszusprechen. Ihr werdet meinen Namen nicht vergeblich gebrauchen, weil ihr es *nicht könnt*. Denn mein Name – das große »Ich Bin« – wird nicht und kann *niemals* vergeblich (das heißt ergebnislos) gebraucht werden. Und wenn ihr Gott gefunden habt, werdet ihr *dies wissen*.

Und ich will euch auch diese anderen Zeichen geben:

3. Ihr werdet daran denken, mir einen Tag vorzubehalten, und ihr werdet ihn heilig nennen. Das, damit ihr nicht lange in eurer Illusion verharrt, sondern euch dazu bringt, euch daran zu erinnern, wer und was ihr seid. Und dann werdet ihr bald jeden Tag einen Sabbat und *jeden* Augenblick heilig nennen.

4. Ihr werdet eure Mutter und euren Vater ehren – und ihr werdet *wissen*, daß ihr Gotteskinder seid, wenn ihr euren Gottvater/eure Gottmutter in allem, was ihr sagt oder tut oder denkt, ehrt. Und so wie ihr Gottvater/Gottmutter und euren Vater und eure Mutter auf Erden ehrt (denn sie haben euch *Leben* gegeben), werdet ihr *ein jedes Wesen* ehren.

5. Ihr *wißt*, daß ihr Gott gefunden habt, wenn ihr darauf

achtet, daß ihr nicht mordet (das heißt, willentlich ohne Grund tötet. Denn obgleich ihr versteht, daß ihr keinesfalls das Leben eines anderen *beenden* könnt (alles Leben ist ewig), werdet ihr euch doch nicht dazu entscheiden, ohne allerheiligsten, gerechtfertigtsten Grund irgendeiner bestimmten Inkarnation ein Ende zu setzen oder irgendeine Lebensenergie von einer Form in eine andere zu verwandeln. Eure neue Ehrfurcht vor dem Leben wird euch dazu veranlassen, *alle* Lebensformen – einschließlich der Pflanzen, Bäume und Tiere – zu achten und nur dann auf sie einzuwirken, wenn es dem höchsten Gut dient.

Und diese anderen Zeichen will ich euch auch schikken, damit ihr wißt, daß ihr auf dem Weg seid:

6. Ihr werdet die Reinheit der Liebe nicht durch Unehrlichkeit oder Täuschung entweihen, denn das ist ehebrecherisch. Ich verspreche euch, daß ihr, wenn ihr Gott gefunden habt, *diesen Ehebruch (diese Unkeuschheit) nicht begehen werdet.*

7. Ihr werdet kein Ding nehmen, das euch nicht gehört, noch werdet ihr betrügen, ein Komplott schmieden, einem anderen schaden, um etwas zu bekommen, denn das hieße stehlen. Ich verspreche euch, daß ihr, wenn ihr Gott gefunden habt, *nicht stehlen* werdet.

Noch werdet ihr ...

8. ... etwas Unwahres sagen und so falsches Zeugnis geben.

Noch werdet ihr ...

9. ... eures Nächsten Gefährtin/Gefährten begehren, denn warum solltet ihr eures *Nächsten* Gefährtin/Ge-

fährten haben wollen, wenn ihr wißt, daß *alle* anderen eure Seelengefährten sind?

Noch werdet ihr ...

10. ... eures Nächsten Güter begehren, denn warum solltet ihr eures *Nächsten* Güter haben wollen, wenn ihr wißt, daß *alle* Güter die euren sein können und alle eure Güter der Welt angehören?

Ihr werdet *wissen*, daß ihr den Weg zu Gott gefunden habt, wenn ihr diese Zeichen seht. Denn ich verspreche euch, daß keiner, der wahrhaft Gott sucht, noch länger diese Dinge tun wird. Es wäre unmöglich, solche Verhaltensweisen fortzusetzen.

Das sind eure *Freiheiten*, nicht eure *Beschränkungen*. Das sind meine *Verpflichtungen*, nicht meine *Gebote*. Denn Gott kommandiert nicht herum, was von ihm erschaffen worden ist – Gott sagt Gottes Kindern nur: Auf diese Weise werdet ihr wissen, daß ihr nach Hause kommt.

Moses fragte ernsthaft: »Wie kann ich wissen? Gib mir ein Zeichen.« Moses stellte die gleiche Frage wie du jetzt, jene Frage, die alle Menschen allerorten seit Anbeginn der Zeit gestellt haben.

Meine Antwort ist gleichermaßen ewig gültig. Aber es gab nie und wird nie ein Gebot geben. Denn wem soll ich gebieten? Und wen soll ich bestrafen, wenn meine Gebote nicht eingehalten werden?

Es gibt nur mich.

Also muß ich die Zehn Gebote nicht einhalten, um in den Himmel zu kommen.

So etwas wie »in den Himmel kommen« gibt es nicht. Es gibt nur ein Wissen, daß du schon dort bist. Es gibt ein Akzeptieren, ein Verstehen, es gibt kein dafür Arbeiten, kein Hinstreben.

Du kannst nicht dorthin gehen, wo du schon bist. Dazu müßtest du den Ort, wo du bist, verlassen, und das würde den ganzen Zweck der Reise zunichte machen.

Ironischerweise denken die meisten Menschen, daß sie von dort, wo sie sind, weggehen müssen, um dahin zu kommen, wo sie hinwollen. Und so verlassen sie den Himmel, um in den Himmel zu *gelangen* – und gehen durch die Hölle.

Erleuchtung ist das Verstehen, daß ihr nirgendwohin gehen müßt, nichts tun müßt und niemand sein müßt, außer genau der Mensch, der ihr jetzt seid.

Ihr seid auf einer Reise nach nirgendwohin.

Der Himmel – wie ihr ihn nennt – ist nirgendwo. Er ist jetzt, und er ist hier.

Alle Welt sagt das – jedermann! Es macht mich verrückt! Wie kommt es, daß wenn der »Himmel jetzt und hier ist«, ich ihn nicht sehen kann? Warum fühle ich ihn nicht? Und warum ist die Welt ein solcher Schlamassel?

Ich verstehe deine Frustration. Es ist fast ebenso frustrierend zu versuchen, all das zu verstehen, wie zu versuchen, jemanden dazu zu *bringen*, das zu verstehen.

Halt! Moment mal! Willst du mir zu verstehen geben, daß Gott frustriert sein kann?

WER, GLAUBST DU, hat die Frustration *erfunden?* Und bildest du dir ein, daß *du* etwas erfahren kannst, das ich nicht erfahren kann?

Ich sage euch dies: Jede Erfahrung, die ihr macht, mache ich auch. Seht ihr nicht, daß ich mein Selbst *durch euch* erfahre? Wozu sonst, denkt ihr, findet das alles statt?

Ich könnte mich ohne euch nicht selbst erfahren. Ich habe euch erschaffen, damit ich erfahren kann, Wer-Ich-Bin.

Nun will ich ja nicht *alle* deine Illusionen über mich in einem einzigen Kapitel zerstören, weshalb ich dir sage, daß ich in meiner erhabensten Form – also jener, die ihr Gott nennt – *keine* Frustration erfahre.

Na, das ist schon besser. Du hast mich für einen Moment ganz schön erschreckt.

ABER DAS IST nicht so, weil ich es nicht könnte. Es ist ganz einfach so, weil ich mich dagegen entscheide. Und diese Wahl könnt ihr übrigens ebenfalls treffen.

Nun, frustriert oder nicht – ich frage mich immer noch, wie es sein kann, daß der Himmel genau hier ist und ich ihn nicht erfahre.

IHR KÖNNT NICHT erfahren, was ihr nicht wißt. Und ihr wißt nicht, daß ihr hier und jetzt im »Himmel« seid, weil ihr ihn nicht erfahren habt. Für euch ist das ein Teufelskreis. Ihr könnt nicht erfahren – habt noch keinen Weg dorthin gefunden –, was ihr nicht wißt, und ihr wißt nicht, was ihr noch nicht erfahren habt.

Erleuchtung verlangt von euch, etwas zu wissen, was ihr nicht erfahren habt, und es somit zu erfahren. Wissen öffnet die Tür zur Erfahrung – und ihr stellt euch vor, daß es andersherum ist.

Tatsächlich wißt ihr sehr viel mehr, als ihr erfahren habt. Ihr wißt einfach nicht, daß ihr wißt.

Ihr wißt zum Beispiel, daß ein Gott existiert. Aber unter Umständen wißt ihr nicht, daß ihr dies wißt. Also *wartet* ihr *weiterhin* auf die Erfahrung. Doch die ganze Zeit über *habt* ihr sie schon. Ihr habt sie, ohne es zu wissen – was damit gleichbedeutend ist, sie gar nicht zu haben.

Jetzt bewegen wir uns aber im Kreis.

JA. UND STATT ständig im Kreis herumzugehen, sollten wir vielleicht der Kreis selbst sein. Dies muß kein Teufelskreis sein. Es kann ein sublimer Kreis sein.

Gehört Entsagung zu einem wahrhaft spirituellen Leben?

JA, WEIL LETZTLICH jeglicher reine Geist dem entsagt, was nicht wirklich ist; und nichts im Leben, das ihr führt, ist wirklich – außer eurer Beziehung zu mir. *Doch die Entsagung im klassischen Sinn von Selbstverleugnung ist nicht erforderlich.*

Ein wahrer Meister »gibt nicht irgend etwas auf«. Er legt es nur beiseite, wie er mit allem verfahren würde, das er nicht länger brauchen kann.

Da gibt es jene, die sagen, daß ihr alle eure Begierden und Wünsche überwinden müßt. Ich sage, ihr müßt sie einfach

ändern. Erstere Praxis nimmt sich wie eine rigorose Disziplin aus, die zweite ist eine freudvolle Übung.

Da gibt es jene, die sagen, daß ihr alle irdischen Leidenschaften überwinden müßt, um Gott zu erkennen. Doch es
reicht aus, sie zu verstehen und zu akzeptieren. *Etwas, dem
ihr euch widersetzt, das bleibt bestehen. Das, was ihr anschaut, das verschwindet.*

Diejenigen, die ernsthaft versuchen, alle irdischen Leidenschaften zu überwinden, arbeiten oft so hart daran, daß
man sagen könnte, *dies* sei zu ihrer Leidenschaft geworden.
Sie leben in einer »Leidenschaft für Gott«; einer Leidenschaft, ihn zu erfahren. Aber Leidenschaft ist Leidenschaft,
die nicht dadurch ausgelöscht wird, daß ihr die eine durch
die andere ersetzt.

Deshalb sollt ihr nicht über das richten, wofür ihr eine Leidenschaft empfindet. Nehmt es lediglich zur Kenntnis und
schaut euch dann an, ob es euch gemessen an dem, wer und
was ihr zu sein wünscht, dienlich ist.

Denkt daran, daß ihr euch ständig selbst erschafft. Ihr entscheidet in jedem Moment, wer und was ihr seid. Ihr entscheidet das weitgehend durch die Wahl, die ihr hinsichtlich derjenigen und jener Dinge trefft, für die ihr eine Leidenschaft verspürt.

Oft *sieht es so aus*, als hätte eine Person, die sich auf dem
sogenannten spirituellen Weg befindet, aller irdischen Leidenschaften entsagt, allem menschlichen Begehren. Doch
sie verstand zwar, erkannte die Illusion und legte die ihr
nicht dienlichen Leidenschaften ab, liebt aber weiterhin die
Illusion für das, was sie ihr gab: die Chance, völlig frei zu
sein.

Leidenschaft ist die Liebe, das Sein in Handlung zu verwandeln. Sie treibt die Maschine der Schöpfung an. Sie verwandelt Vorstellungen in Erfahrung.

Leidenschaft ist das Feuer, das uns beflügelt, dem Ausdruck zu geben, wer wir wirklich sind. Verweigere dich nie der Leidenschaft, denn das heißt, dich dem verweigern, wer-du-bist und wer-du-wirklich-sein-willst.

Entsagung verwehrt sich nie der Leidenschaft – Entsagung verweigert sich einfach dem Anhaften an Resultaten. Leidenschaft ist eine Liebe zum Tun. Tun ist *erfahrenes* Sein. Doch was wird oft als Bestandteil des Tuns erschaffen? *Erwartung.*

Dein Leben ohne *Erwartung* zu leben – ohne Bedürfnis nach bestimmten Resultaten –, *das* ist Freiheit. Das ist Göttlichkeit. Das ist, wie *ich* lebe.

Du bist nicht irgendwelchen Resultaten verhaftet?

ABSOLUT NICHT. MEINE Freude liegt im Erschaffen, nicht in den Nachwirkungen. Entsagung ist *nicht* die Entscheidung, sich dem Handeln zu verweigern. Entsagung ist eine Entscheidung, sich dem Bedürfnis nach einem bestimmten *Resultat* zu verweigern. Das ist ein riesengroßer Unterschied.

Könntest du erklären, was du mit der Aussage meinst: »Leidenschaft ist die Liebe, das Sein in Handlung zu verwandeln«?

DAS REINE SEIN ist die höchste Daseinsform von Existenz, die reinste Essenz. Es ist der »Jetzt-/Nicht-Jetzt-«, der »Alles-/Nicht-Alles-«, der »Immer-/Niemals«-Aspekt Gottes. Reines Sein ist reines Gottsein.

Doch es war uns nie genug, nur einfach zu *sein*. Wir haben uns immer danach gesehnt, zu *erfahren*, was-wir-sind – und das verlangt einen ganz anderen Aspekt der Göttlichkeit, genannt das Tun.

Sagen wir, ihr seid im Kern eures wunderbaren Selbst der Aspekt der Göttlichkeit, der Liebe genannt wird (was übrigens der Wahrheit über euch entspricht).

Nun ist es eine Sache, Liebe zu *sein* – und eine ganz andere, eine *Liebestat zu vollbringen. Die Seele verlangt danach, etwas mit dem, was sie ist, zu tun, um sich selbst im Kontext ihrer eigenen Erfahrung kennenlernen zu können. Also ist sie bestrebt, ihre höchste gedankliche Vorstellung durch die Handlung zu verwirklichen.*

Dieser Drang zum Tun wird Leidenschaft genannt. Töte die Leidenschaft, und du tötest Gott. Leidenschaft ist Gott, der »hallo« sagen möchte.

Aber schaut, wenn Gott (oder Gott-in-euch) erst einmal diese Liebestat vollbracht hat, hat Gott sich selbst verwirklicht und braucht nichts weiter.

Der Mensch hingegen hat oft das Gefühl, daß sich seine Investition *auszahlen* sollte. Wenn wir jemanden lieben, schön – aber wir sollten doch etwas Liebe zurückbekommen. So oder ähnlich sähe das aus.

Das ist *nicht* Leidenschaft. Das ist *Erwartung.*

Und das ist eine der größten Ursachen für das Unglücklichsein des Menschen. Es ist das, was den Menschen von Gott trennt.

Der Entsagende strebt danach, dieser Trennung durch eine

Erfahrung ein Ende zu setzen, die manche östlichen Mystiker Samadhi nannten. Das heißt Einssein und Vereinigung mit Gott, ein Verschmelzen mit und ein Aufgehen in der Göttlichkeit.

Der Entsagende *entsagt* daher *den Resultaten*, aber *niemals* der Leidenschaft. Tatsächlich weiß ein Meister intuitiv, daß die Leidenschaft der Weg ist – der Weg der Selbst-Verwirklichung.

Sogar in irdischer Hinsicht kann gesagt werden, daß ihr, wenn ihr für nichts Leidenschaft empfindet, gar kein Leben habt.

Du hast gesagt: »Etwas, dem ihr euch widersetzt, das bleibt bestehen. Das, was ihr anschaut, das verschwindet.«
Kannst du das erläutern?

Du kannst dich nicht einer Sache widersetzen, der du keine Realität beimißt. Wenn du dich einer Sache widersetzt, ist dies ein Akt, mit dem du ihr Leben verleihst. Wenn du dich einer Energie widersetzt, dann weist du ihr einen Platz zu. Und je stärker du dich widersetzt, desto mehr Realität verleihst du ihr – *ganz gleich, was es ist*, dem du dich widersetzt.

Das, wofür du deine Augen öffnest, das, was du wirklich anschaust, das verschwindet. Das heißt, *es hört auf, seine illusorische Form aufrechtzuerhalten*.

Wenn du etwas ansiehst – es wirklich *anschaust* –, wirst du *durch es* und durch alle Illusion, die es in dir bewirkt, *hindurchsehen*; und es wird nichts übrigbleiben als die letztliche Wirklichkeit in deinen Augen. Angesichts der letztlichen Wirklichkeit hat deine unbedeutende Illusion keine Macht. Sie kann dich nicht lange in ihrem immer schwächer werdenden Griff halten. Du wirst die *Wahrheit* sehen, und die Wahrheit setzt dich frei.

Aber was ist, wenn du gar nicht willst, daß das, was du anschaust, *verschwindet*?

DAS SOLLTEST DU immer wollen! Es gibt nichts in eurer Realität, an dem festzuhalten sich lohnt. Doch wenn du dich dazu *entscheidest*, die Illusion deines Lebens über die letztliche Wirklichkeit aufrechtzuerhalten, kannst du sie ganz einfach *wiedererschaffen*, so wie du sie ja schon von Anfang an erschaffen hast. Auf diese Weise kannst du in deinem Leben haben, was du *deiner Wahl nach haben möchtest*, und das aus deinem Leben verbannen, was du nicht mehr zu erfahren wünschst.

Doch widersetze dich nie *irgend etwas*, um es auszuschalten. Wenn du denkst, daß du es durch deinen Widerstand ausschalten kannst, *dann denk noch einmal.* Du festigst es nur noch mehr. Habe ich euch nicht gesagt, daß *alles Denken* schöpferisch ist?

Auch ein Gedanke, der besagt, daß ich etwas nicht will?

WARUM SOLLTEST DU über etwas nachdenken, das du nicht willst? Verschwende keine weiteren Gedanken darüber. Doch wenn du daran denken *mußt*, das heißt, wenn du nicht *nicht* daran denken kannst – dann widersetze dich nicht. Schau es, was immer es ist, lieber *direkt* an, akzeptiere diese Realität als deine Schöpfung, und triff dann die Wahl, ob du es behalten willst oder nicht.

Wodurch wird diese Wahl diktiert?

Durch das, was du denkst, wer-und-was-du-bist. Und wer-und-was-zu-sein du wählst.

Dies diktiert *alle* Entscheidungen – *jede* Wahl, die du in deinem Leben getroffen hast und jemals treffen *wirst.*

Und somit ist das Leben der Entsagung ein unrichtiger Weg?

Das ist keine Wahrheit. Das *Wort* »entsagen« beinhaltet sehr mißverständliche Mitbedeutungen. In Wahrheit gibt es *nichts,* dem du *entsagen* kannst – weil *das, dem du dich widersetzt, bestehen bleibt.* Wahre Entsagung entsagt nicht, sondern trifft einfach eine *andere Wahl.* Dies ist ein Akt des Sichzubewegens auf etwas, nicht des Sichwegbewegens von etwas.

Du kannst dich nicht von etwas wegbewegen, weil es dich bis zur Hölle und wieder zurück jagen wird. Deshalb widersetze dich nicht der Versuchung – sondern wende dich einfach von ihr ab. Wende dich mir zu und von allem, das mir nicht gleicht, ab.

Doch ihr solltest dies wissen: Einen unrichtigen Weg gibt es nicht – denn ihr könnt nicht auf dieser Reise »nicht dorthin gelangen«, wohin ihr euch aufgemacht habt.

Es ist einfach eine Sache der Geschwindigkeit, nur eine Frage, *wann* ihr dort ankommt. Doch auch das ist eine Illusion, denn es gibt kein »Wann« und auch kein »Davor« oder »Danach«. Es gibt nur ein Jetzt; einen ewigen Moment des Jederzeit, in dem ihr euch selbst erfahrt.

Was ist dann der Punkt? Worum geht es dann im Leben, wenn es keine Möglichkeit gibt, *nicht* »dort anzukommen«? Warum sollten wir uns dann überhaupt um irgend etwas, was wir tun, Sorgen machen?

Nun, das solltet ihr natürlich auch *nicht*. Aber es würde euch *guttun*, achtsam zu sein. Achtet einfach darauf, wer und was ihr seid, was ihr tut und habt, und schaut, ob es euch dienlich ist.

Es geht im Leben nicht darum, irgendwohin zu gelangen – es geht darum, daß ihr bemerkt, daß ihr schon dort seid und bereits immer dort war. Ihr existiert immer und ewig im Augenblick reiner Schöpfung. Im Leben geht es daher darum zu erschaffen – zu erschaffen, wer und was ihr seid, und dies dann zu erfahren.

6

Und wie steht es mit dem Leiden? Ist Leiden der Weg zu Gott? Manche sagen, es sei der *einzige* Weg.

MICH ERFREUT DAS Leiden nicht, und wer immer solches behauptet, kennt mich nicht.
Leiden ist ein unnötiger Aspekt menschlicher Erfahrung. Es ist nicht nur überflüssig, sondern auch unklug, unangenehm und gefährlich für eure Gesundheit.

Warum gibt es dann soviel Leiden? Warum machst du, wenn du Gott *bist*, ihm nicht ein Ende, wenn du eine solche Abneigung dagegen hast?

ICH HABE IHM ein Ende gemacht. Ihr weigert euch einfach nur, die Mittel zur Verwirklichung, die ich euch gegeben habe, zu benutzen.
Siehst du, das Leiden hat nichts mit den Ereignissen zu tun, sondern lediglich mit eurer Reaktion darauf. Was geschieht, ist nur das, was geschieht. Wie ihr darüber fühlt, ist eine andere Sache. Ich habe euch mit den Mitteln ausgestattet, mit denen ihr auf Ereignisse in einer Weise reagieren könnt, die den Schmerz mindern – ja tatsächlich *ausschalten* –, aber ihr dachtet nicht daran, sie zu benutzen.

Entschuldige bitte, aber warum nicht die *Ereignisse* ausschalten?

Eɪɴ sᴇʜʀ ɢᴜᴛᴇʀ Vorschlag. Leider habe ich über sie keine Kontrolle.

Du hast *keine Kontrolle* über die Ereignisse?

Nᴀᴛᴜ̈ʀʟɪᴄʜ ɴɪᴄʜᴛ. Eʀᴇɪɢɴɪssᴇ sind Begebenheiten in Zeit und Raum, die ihr gemäß eurer Wahl produziert, und ich werde mich niemals in eure Wahl einmischen. Wenn ich das täte, würde sich genau der Grund erübrigen, aus dem ihr von mir erschaffen wurdet. Aber das habe ich doch alles bereits erklärt.
Manche Ereignisse bewirkt ihr vorsätzlich, andere zieht ihr – mehr oder weniger unbewußt – an. Manche Ereignisse – größere Naturkatastrophen rechnet ihr dieser Kategorie zu – werden dem »Schicksal« angelastet.
Doch selbst das »Schicksal« kann als Kürzel für »aus allen Gedanken allerorten hervorgehend« stehen. Mit anderen Worten, für das Bewußtsein des Planeten.

Das »kollektive Bewußtsein«.

Gᴇɴᴀᴜ.

Manche sagen, unsere Welt geht zugrunde. Unsere Ökologie ist am Sterben. Unserem Planeten stehen große geophysische Katastrophen bevor: Erdbeben, Vulkanausbrüche – vielleicht sogar eine Verschiebung der Erdachse. Und andere sagen wiederum, daß das kollektive Bewußtsein dies alles noch zu ändern in der Lage wäre; wir könnten die Erde mit unseren Gedanken retten.

IN *HANDLUNG* UMGESETZTE Gedanken. Wenn überall eine ausreichende Anzahl Menschen glauben, daß etwas getan werden muß, um der Umwelt zu helfen, dann *werdet* ihr die Erde retten. Aber ihr müßt schnell handeln. Es ist bereits über einen langen Zeitraum hinweg soviel Schaden angerichtet worden. Es bedarf einer größeren Einstellungsveränderung.

Du meinst, wenn wir nichts tun, *werden* wir es erleben, daß die Erde und ihre Bewohner zerstört werden?

ICH HABE DIE Gesetze des physikalischen Universums so klar erklärt, daß jedermann sie verstehen kann. Es gibt Gesetze von Ursache und Wirkung, die euren Wissenschaftlern, Physikern und, durch diese, euren Führern in der Welt ausreichend dargelegt wurden. Diese Gesetze müssen hier nicht noch einmal erläutert werden.

Um auf das Leiden zurückzukommen: woher stammt der Gedanke, daß Leiden *gut* ist? Daß die Heiligen »still leiden«?

DIE HEILIGEN *LEIDEN* »still«, aber das heißt nicht, daß Leiden gut ist. Die Schüler in den Schulen der Meisterschaft leiden still, weil sie verstehen, daß das Leiden nicht der Weg Gottes ist, sondern ein sicheres Zeichen, daß es noch etwas über den Weg Gottes zu *lernen* gibt, noch etwas zu erinnern.
Der *wahre* Meister leidet überhaupt nicht still, sondern anscheinend nur klaglos. Der Grund, warum der wahre Mei-

ster sich nicht beklagt, ist der, daß er *nicht leidet*, sondern lediglich gewisse Umstände erfährt, die *ihr* als unerträglich bezeichnen würdet.

Ein praktizierender Meister spricht deshalb nicht vom Leiden, weil er ganz *klar die Macht des Wortes versteht* und sich dazu entscheidet, einfach *kein Wort darüber zu sagen*.

Worauf wir unsere Aufmerksamkeit richten, das bringen wir zur Realität. Die Meister wissen das. Ein Meister läßt sich *die Wahl* in bezug auf das, was er zur Realität bringen möchte.

Ihr habt das alle selbst von Zeit zu Zeit getan. Es gibt keinen unter euch, der nicht *durch eine diesbezügliche Entscheidung* einmal Kopfschmerzen verschwinden oder eine zahnärztliche Behandlung erträglicher werden ließ.

Die Meister treffen einfach in bezug auf größere Dinge die gleiche Entscheidung.

Aber warum überhaupt leiden? Warum überhaupt die *Möglichkeit* des Leidens?

WIE ICH BEREITS erklärte, könnt ihr in der Abwesenheit dessen, was ihr nicht seid, nicht erkennen und werden, was ihr seid.

Ich begreife immer noch nicht, wie wir je auf die Idee kamen, daß Leiden *gut* ist.

ES ZEUGT VON Klugheit, wenn du darauf bestehst, in dieser Sache nachzuhaken. Die ursprüngliche Weisheit, die im stillen Leiden liegt, wurde so pervertiert, daß nun viele glauben (und manche Religionen tatsächlich *lehren*), daß Leiden *gut* und Freude *schlecht* ist. Deshalb habt ihr entschieden, daß ein Mensch, der Krebs hat und dies für sich behält, ein Heiliger ist, wohingegen eine Frau (um ein heißes Eisen aufzugreifen), die ihre vitale Sexualität in aller Öffentlichkeit feiert, eine Sünderin ist.

Das ist fürwahr ein heißes Eisen. Und du wechseltest intelligenterweise vom männlichen zum weiblichen Geschlecht über. Wolltest du damit auf etwas hinweisen?

DAMIT WOLLTE ICH euch eure Vorurteile vor Augen führen. Der Gedanke, daß Frauen eine vitale Sexualität *haben*, gefällt euch nicht, und noch weniger der, daß sie sie ganz offen zeigen.

Gefällt er dir etwa?

ICH FÄLLE WEDER über das eine noch über das andere ein Urteil. Aber ihr versteigt euch zu allen möglichen Urteilen – und ich weise darauf hin, daß euch eure Aburteilungen von der Freude abhalten, und eure Erwartungen davon, glücklich zu sein.
Alles zusammengenommen verursacht euch Unbehagen, einen ungesunden Zustand, und damit beginnt euer Leiden.

Wie weiß ich, daß das wahr ist, was du sagst? Wie weiß ich, daß es Gott ist, der hier spricht, und nicht meine überbordende Phantasie?

Das hast du schon mal gefragt. Meine Antwort bleibt die gleiche. Was für einen Unterschied macht das? Kannst du dir, selbst wenn alles »falsch« wäre, was ich gesagt habe, eine bessere Art zu leben vorstellen?

Nein.

Dann ist »falsch« *richtig* und »richtig« *falsch!*
Doch ich sage euch dies, um euch aus eurem Dilemma herauszuhelfen: Glaubt *nichts*, was ich sage. *Lebt* es einfach. *Erfahrt* es. Und lebt dann jedwelches andere Paradigma, das ihr aufbauen wollt. Und seht euch danach eure *Erfahrungen* an, um eure Wahrheit zu finden.
Eines Tages werdet ihr, wenn ihr sehr viel Mut habt, eine Welt erfahren, in der die Liebe mehr zählt als Krieg.

7

Das Leben ist so furchterregend – und so verwirrend. Ich wollte, die Verhältnisse könnten etwas klarer sein.

Das Leben hat nichts Furchterregendes an sich, wenn ihr den Resultaten nicht verhaftet bleibt.

Du meinst, wenn wir nichts haben wollen?

Das ist richtig. *Wählt,* aber verzichtet auf das Habenwollen.

Das ist für Menschen leicht, die nicht für von ihnen abhängige Personen sorgen müssen. Was ist, wenn du Frau und Kinder hast?

Der weg des/der Familienfürsorgenden war schon immer ein Weg großer Herausforderungen – vielleicht *der* mit den größten. Wie du sagst, ist es einfach, »nichts zu wollen«, wenn du es nur mit dir zu tun hast. Und es ist nur natürlich, daß du, wenn du andere hast, die du liebst und für die du sorgen mußt, das Beste willst.

Es tut weh, wenn du ihnen nicht all das geben kannst, das ihnen deinem Wunsch nach zusteht: ein schönes Zuhause, ein paar anständige Kleider, genügend zu essen. Ich habe das Gefühl, zwanzig Jahre lang gekämpft zu haben, um gerade mal so über die Runden zu kommen, und kann immer noch nichts vorweisen.

Ich verstehe. Du betrachtest es als deine Aufgabe im Leben, für all diese Dinge zu sorgen. Ist es das, worum es deiner Vorstellung nach in deinem Leben geht?

Ich bin mir nicht sicher, ob ich es so ausdrücken würde. *Darum* geht es in meinem Leben an sich nicht, aber es wäre gewiß schön, wenn es zumindest als *Nebenprodukt* abfallen könnte.

Gut, dann kommen wir auf diese Frage zurück. Worum *geht* es deines Erachtens in deinem Leben?

Das ist eine gute Frage. Im Lauf der Jahre hatte ich eine Menge verschiedener Antworten darauf.

Und wie lautet die Antwort jetzt?

Meinem Gefühl nach gibt es zwei Antworten: die Antwort, die ich *gerne* sehen würde, und die Antwort, die ich sehe.

Welche Antwort würdest du *gerne* sehen?

Ich würde gerne sehen, daß es in meinem Leben um die Evolution meiner Seele geht. Ich würde gerne sehen, daß es in meinem Leben darum geht, daß ich den Teil von mir, den ich am meisten liebe, zum Ausdruck bringe und erfahre. Den Teil von mir, der Mitgefühl und Geduld und Geben und Helfen ist. Den Teil von mir, der wissend und weise ist, vergebend und – Liebe.

DAS KLINGT SO, als hättest du dieses Buch gelesen!

Ja. Nun, es ist ein schönes Buch auf esoterischer Ebene, aber ich versuche herauszufinden, wie ich das »praktisch umsetzen« kann. Die Antwort auf die Frage, worum es aus meiner Sicht real in meinem Leben geht, lautet: ums tagtägliche Überleben.

OH, UND DU denkst, das eine schließt das andere aus?

Nun …

DU DENKST, DIE esoterischen Dinge verhindern das Überleben?

Die Wahrheit ist, daß ich mehr als nur überleben möchte. Ich habe all diese Jahre *überlebt*. Ich stelle fest, daß ich immer noch da bin. Aber mir wäre sehr daran gelegen, wenn dieser *Kampf* ums Überleben ein Ende hätte. Ich stelle fest, daß es immer noch ein Kampf ist, Tag für Tag über die Runden zu kommen. Ich möchte mehr als nur überleben. Ich möchte gerne *florieren*.

UND WAS VERSTEHST du unter florieren?

Genug zu haben, um mir nicht Sorgen machen zu müssen, wo die nächste Mark herkommt; nicht ständig unter Streß und Anspannung zu stehen, nur um die nächste Miete oder Telefonrechnung bezahlen zu können. Ich meine, ich hasse es, so profan zu werden, aber wir sprechen hier vom *realen Leben*, nicht von einem abgehobenen, spirituell romantisierten Bild des Daseins, das du in diesem ganzen Buch zeichnest.

HÖRE ICH DA eine gewisse Verärgerung heraus?

Nicht so sehr Verärgerung als vielmehr Frustration. Ich bin nun seit über zwanzig Jahren in diesem spirituellen Spiel – und schau, wohin es mich gebracht hat. Ein Gehaltsscheck, einen Schritt vom Armenhaus entfernt! Und jetzt habe ich gerade meine Arbeit verloren, und es sieht so aus, als ob *wieder* kein Geld mehr hereinkäme. Ich habe diesen Kampf wirklich satt. Ich bin neunundvierzig Jahre alt, und ich hätte gerne eine gewisse *Sicherheit* im Leben, so daß ich mehr Zeit habe, mich dem »Gotteszeug«, der »Seelenentwicklung« und dergleichen widmen zu *können*. Das liegt mir am Herzen, aber mein Leben gestattet es mir nicht, dorthin zu gelangen ...

NUN, DA HAST du den Mund ganz schön voll genommen, und ich vermute, du sprichst für eine Menge anderer Leute, wenn du hier deine Erfahrungen mitteilst.
Ich werde auf deine Wahrheit Satz für Satz eingehen, so daß wir die Antwort leicht nachverfolgen und auseinandernehmen können.
Du bist nicht seit zwanzig Jahren »in diesem spirituellen Spiel«, du hast es noch kaum am Rande berührt. (Das ist

übrigens keine »Schelte«, sondern nur eine Aussage über die Wahrheit.) Ich räume ein, daß du es dir zwei Jahrzehnte lang *angeschaut,* damit *kokettiert,* ab und zu *experimentiert* hast ... Doch bis vor kurzem konnte ich bei dir kein wahres – kein wahrhaftigstes – Engagement für das Spiel erkennen.

Stellen wir klar, daß *»im spirituellen Spiel sein«* bedeutet, *daß ihr euch mit ganzem Geist, ganzem Körper, ganzer Seele dem Prozeß der Erschaffung des Selbst nach dem Ebenbild Gottes widmet.*

Dies ist der Prozeß der Selbst-Verwirklichung, über den Mystiker des Ostens geschrieben haben. Dies ist der Prozeß der Erlösung, dem sich ein Großteil der Theologie des Westens gewidmet hat.

Dies ist ein Tag um Tag, Stunde um Stunde, Augenblick um Augenblick stattfindender Akt des höchsten Bewußtseins. Er bedeutet Wählen und neuerliches Wählen in jedem Moment. Dies ist fortwährende, *bewußte* Schöpfung. Schöpfung mit einem *Zweck. Es bedeutet den Einsatz der Instrumente der Schöpfung, über die wir gesprochen haben, deren Anwendung mit Bewußtsein und sublimer Absicht.*

Das heißt: »dieses spirituelle Spiel spielen«. Nun, wie lange hast du dies schon betrieben?

Ich habe noch nicht einmal angefangen.

FALL NICHT GLEICH von einem Extrem ins andere, und geh nicht so hart mit dir ins Gericht. Du *hast* dich diesem Prozeß gewidmet und dich tatsächlich länger darauf eingelassen, als du dir selbst zugestehst. Aber du bist nicht einmal annähernd zwanzig Jahre dabei. Doch in Wahrheit ist es unwichtig, wie lange du schon ernsthaft damit befaßt bist. Bist du es *jetzt?* Das ist alles, was zählt.

Gehen wir nun weiter auf deine Aussage ein. Du bittest uns, uns »anzuschauen, wohin dich das gebracht hat«, und beschreibst dich selbst als »einen Schritt vom Armenhaus entfernt«. Ich schaue dich an und sehe etwas ganz anderes: nämlich jemanden, der sich bis auf einen Schritt dem Haus des Reichtums genähert hat! Du hast das Gefühl, daß dich lediglich ein einziger Gehaltsscheck vom Nichts trennt, und ich sehe dich nur einen Gehaltsscheck vom Nirwana entfernt. Nun hängt natürlich viel davon ab, was du als deinen »Lohn« betrachtest – und worin das Ziel deiner Arbeit besteht.

Wenn das Ziel deines Lebens darin besteht, das zu erlangen, was du Sicherheit nennst, dann sehe und begreife ich, warum du dich nur als »einen Schritt vom Armenhaus entfernt« betrachtest. Doch selbst dies könnte korrigiert werden. Denn mit meinem Lohn werden dir *alle* guten Dinge zuteil, einschließlich der Erfahrung, dich in der physischen Welt sicher zu fühlen.

Meine Entlohnung – der Lohn, den du erhältst, wenn du »für mich arbeitest« – beinhaltet sehr viel mehr als spirituellen Trost. Du kannst auch *physischen* Komfort haben. Doch ironischerweise wird, wenn du die Art von spirituellem Trost erfährst, den meine Entlohnung bietet, der physische Komfort das letzte sein, worum du dich sorgst.

Selbst um das physische Wohl deiner Familienangehörigen wirst du dir keine Sorgen mehr machen, denn wenn du dich erst einmal auf eine Ebene des Gottesbewußtseins erhoben hast, wirst du verstehen, daß du für keine menschliche Seele verantwortlich bist. Und obwohl es empfehlenswert ist, sich zu wünschen, daß alle Seelen unter komfortablen Umständen leben mögen, muß doch eine jede von ihnen ihr eigenes Schicksal – in diesem Moment – wählen, und *tut* es auch.

Ganz klar ist es keine ideale Handlungsweise, wenn du absichtlich eine andere Person mißbrauchst oder sie zerstörst. Und ebenso unangemessen ist es, die Bedürfnisse derer, die du dazu gebracht hast, von dir abhängig zu sein, zu vernachlässigen.

Deine Aufgabe besteht darin, sie *unabhängig* zu machen; ihnen so schnell und umfassend wie möglich beizubringen, *wie sie ohne dich zurechtkommen*. Denn du bist für sie kein Segen, solange sie dich brauchen, um zu überleben, sondern wirst sie erst wahrhaft in dem Moment segnen, da sie begreifen, daß sie dich nicht nötig haben.

Im gleichen Sinn ist Gottes größter Moment der Augenblick, in dem ihr erkennt, daß ihr *keinen Gott braucht.*

Ich weiß, ich weiß – das ist die Antithese all dessen, was euch jemals gelehrt wurde. Doch eure Lehrer haben euch von einem zornigen, einem eifersüchtigen Gott, von einem Gott, der es braucht, gebraucht zu werden, erzählt. Und das ist überhaupt kein Gott, sondern ein neurotischer Ersatz für etwas, was eine Gottheit wäre.

Der wahre Meister ist nicht der mit den meisten Schülern, sondern jener, der die meisten Meister hervorbringt.

Der wahre Führer ist nicht der mit den meisten Anhängern, sondern jener, der die meisten Führer hervorbringt.

Der wahre König ist nicht der mit den meisten Untertanen, sondern jener, der die meisten zum Königtum führt.

Der wahre Lehrer ist nicht der mit dem meisten Wissen, sondern jener, der die meisten anderen dazu bringt, über Wissen zu verfügen.

Und ein wahrer Gott ist nicht der mit den meisten Dienern, sondern einer, der am meisten dient und so aus allen anderen Götter macht.

Denn beides ist das Ziel und die Herrlichkeit Gottes: daß er keine Diener mehr hat und daß alle Gott nicht als das Unerreichbare, sondern als das Unausweichliche erkennen.

Ich wollte, du könntest das verstehen: Dein letztendliches Glück ist *unausweichlich*. Du kannst nicht *nicht* »erlöst« werden. Es gibt keine Hölle außer der, daß du dies nicht weißt.

Was nun die Eltern, die Lebensgefährten, die Geliebten angeht, so trachte nicht danach, aus deiner Liebe einen Klebstoff zu machen, der sie an dich bindet, sondern danach, ein Magnet zu sein, der erst anzieht, dann umgekehrt abstößt, damit die, die angezogen sind, nicht anfangen zu glauben, daß sie an dir kleben müssen, um zu überleben. Nichts könnte der Wahrheit ferner sein. Nichts könnte einem anderen mehr schaden.

Laß deine Geliebten durch deine Liebe in die Welt *gedrängt* werden – und in die Fülle der Erfahrung dessen, wer sie sind. Auf diese Weise wirst du wahrhaft geliebt haben.

Der Weg des oder der Familienfürsorgenden bedeutet eine große Herausforderung. Da gibt es viele Ablenkungen, viele weltliche Sorgen. Der Asket bleibt von all dem unbehelligt. Man bringt ihm sein Brot und Wasser, er bekommt seine einfache Matte, auf die er sich legt, und er kann seine ganze Zeit dem Gebet, der Meditation und der Kontemplation des Göttlichen widmen. Wie leicht, unter solchen Umständen das Göttliche zu schauen! Was für eine einfache Aufgabe! Aber gebt einem eine Gefährtin und Kinder! Seht das Göttliche in einem Baby, dem um drei Uhr morgens die Windeln gewechselt werden müssen. Seht das Göttliche in der Rechnung, die am Ersten jedes Monats bezahlt werden muß. Erkennt die Hand Gottes in der Krankheit, welche die Ehefrau oder den Ehemann dahinrafft, in der Arbeit, die verlorengeht, im Fieber des Kindes, im Schmerz der Eltern. Jetzt sprechen wir von Heiligkeit.

Ich verstehe deinen Überdruß. Ich weiß, daß du des Kämpfens müde bist. Doch ich sage dir dies: Wenn du mir folgst, endet der Kampf. Lebe in deinem Gottes-Raum, und die Ereignisse werden allesamt zu einem Segen.

Wie kann ich zu meinem Gottes-Raum gelangen, wenn ich meine Arbeit verloren habe, die Miete bezahlt werden muß, die Kinder zum Zahnarzt müssen? Und dadurch, daß ich mich in meinen abgehobenen philosophischen Elfenbeinturm zurückziehe, scheinen sich diese Probleme am wenigsten wahrscheinlich lösen zu lassen.

GIB MICH NICHT auf, wenn du mich am meisten brauchst. Dies ist die Stunde deiner größten Prüfung. Dies ist die Zeit deiner größten Chance. Es bietet sich dir die Möglichkeit, alles zu beweisen, was hier geschrieben steht.

Wenn ich sage: »Gib mich nicht auf«, höre ich mich an wie der bedürftige, neurotische Gott, über den wir sprachen.

Aber das bin ich nicht. Du kannst »mich aufgeben«, soviel du willst. Das ist mir gleich, es wird zwischen uns keinen Deut ändern. Ich sage das nur in Antwort auf all deine Fragen. Wenn es hart wird, vergeßt ihr so oft, *wer-ihr-seid*, und die *Mittel*, die ich euch an die Hand gegeben habe, damit ihr das Leben eurer Wahl erschaffen könnt.

Jetzt ist es an der Zeit, daß du dich *mehr als je zuvor* in deinen Gottes-Raum *begibst*. Erstens wird dir das großen inneren Frieden bringen, und einem friedlichen Geist entströmen großartige Ideen – Ideen, welche die Lösungen für die größten Probleme sein könnten, mit denen zu kämpfen du dir einbildest.

Zweitens ist es dein Gottes-Raum, wo du dein Selbst verwirklichst; und das ist das Ziel – das *einzige* Ziel – deiner Seele.

Wenn du dich in deinem Gottes-Raum befindest, weißt und verstehst du, daß alles, was du jetzt erlebst, vorübergehender Natur ist. Ich sage dir, daß Himmel und Erde vergehen werden, aber *ihr* werdet nicht vergehen. Diese Perspektive des Ewigen hilft dir, die Dinge im richtigen Licht zu sehen.

Du kannst diese gegenwärtigen Bedingungen und Umstände als das definieren, was sie in Wirklichkeit sind: vorläufig und vorübergehend. Du kannst sie als Instrumente – denn es sind zeitweilige Instrumente – für das Erschaffen deiner gegenwärtigen Erfahrung nutzen.

Wer glaubst du denn zu sein? Wer glaubst du in bezug auf die Erfahrung, die man Arbeitsverlust nennt, zu sein? Und vielleicht noch mehr auf den Punkt gebracht: Wer, glaubst du, *bin ich?* Meinst du, dies wäre ein zu großes Problem für mich, um es lösen zu können? Ist die Befreiung aus diesem Dilemma ein zu großes Wunder, als daß ich es bewerkstelligen könnte? Ich verstehe, daß du vielleicht denkst, daß es selbst bei allen Mitteln, mit denen ich dich versah, für *dich* zu groß ist, um damit fertig zu werden – aber glaubst du wirklich, es sei zu groß für mich?

Vom intellektuellen Standpunkt aus weiß ich, daß für Gott keine Aufgabe zu groß ist. Aber aus emotionaler Sichtweise bin ich mir wohl nicht sicher. Nicht, ob du es tun *kannst*, sondern ob du es tun *willst*.

ICH VERSTEHE. ALSO ist es eine Sache des Glaubens.

Ja.

DU STELLST NICHT meine Fähigkeit in Frage, du zweifelst nur an meinem Wunsch.

Schau, ich lebe immer noch in der theologischen Vorstellung, die besagt, daß es hier für mich vielleicht irgendwo eine Lektion zu lernen gilt. Ich bin mir immer noch nicht sicher, ob ich denn eine Lösung erhalten *soll*. Vielleicht verdiene ich das *Problem*. Möglicherweise handelt es sich dabei um »Prüfungen«, von denen in meiner Theologie immer wieder die Rede ist. Und deshalb mache ich mir Sorgen, daß dieses Problem vielleicht *nicht* gelöst wird. Daß es eine dieser Schwierigkeiten ist, bei denen *du* mich hängen lassen wirst ...

VIELLEICHT IST DIES eine gute Gelegenheit, noch einmal darüber zu sprechen, wie ich mit dir interagiere. Denn du glaubst, es sei eine Frage meines Wunsches; und ich sage dir immer wieder, es ist eine Frage *deines* Wunsches.

Ich will für dich das, was du für dich willst – nicht mehr und nicht weniger. Ich sitze nicht hier herum und beurteile Bitte um Bitte dahingehend, daß sie dir gewährt werden soll oder nicht.

Mein Gesetz beruht auf Ursache und Wirkung und nicht auf »Wir werden mal sehen«. Es gibt *nichts*, was du nicht haben kannst, wenn du dich dazu entscheidest. Selbst bevor du darum gebeten hast, habe ich es dir schon gegeben. Glaubst du das?

Nein, tut mir leid. Ich habe schon zu oft erlebt, daß ein Gebet unbeantwortet blieb.

ES BRAUCHT DIR nicht leid zu tun. Bleib nur immer bei der Wahrheit – der Wahrheit deiner Erfahrung. Ich verstehe und achte das. Es ist schon in Ordnung so.

Gut, denn ich glaube *nicht*, daß ich bekomme, worum immer ich bitte. Mein Leben ist kein Beweis dafür. Tatsache ist, daß ich *selten* das kriege, was ich mir erbitte. Wenn es doch einmal passiert, erachte ich mich als verdammt glücklich.

DAS IST EINE interessante Wortwahl. Anscheinend hast du hier eine Option. Du kannst in deinem Leben entweder verdammt glücklich oder gesegnet glücklich sein. Ich möchte lieber, daß du gesegnet glücklich bist, aber natürlich werde ich mich auf keinen Fall in deine Entscheidungen einmischen.

Ich sage dir dies: Du bekommst *immer*, was du erschaffst, und du bist *immer am Erschaffen.*

Ich fälle kein Urteil über die Schöpfungen, die du herbeibeschwörst; ich befähige dich einfach nur, mehr herbeizubeschwören – und mehr und mehr und mehr. Wenn es dir nicht gefällt, was du gerade erschaffen hast, *triff eine neue Wahl.* Meine Aufgabe als Gott ist es, *dir immer diese Gelegenheit zu geben.*

Nun sagst du mir, daß du nicht immer bekommen hast, was du wolltest. Ich bin hier, um dir zu sagen, daß du *immer* bekamst, was du herbeigerufen hast.

Dein Leben ist immer ein Resultat deiner Gedanken darüber – einschließlich deines offensichtlich schöpferischen Gedankens, daß du selten das bekommst, was du wählst.

Nun, im gegenwärtigen Moment siehst du dich als Opfer des Umstands, daß du deine Arbeit verloren hast. Doch die Wahrheit ist, daß du diese Arbeit nicht länger gewählt hast. Du hast aufgehört, morgens voller Erwartung aufzustehen, und damit begonnen, dich mit bangem Gefühl zu erheben. Du hast dich mit deiner Arbeit nicht mehr glücklich gefühlt und angefangen, Unmut zu empfinden. Du hast dir sogar schon im Geiste ausgemalt, *etwas anderes zu tun.*

Glaubst du, daß diese Dinge nichts bedeuten? Du mißverstehst deine Macht. Ich sage dir dies: *Dein Leben geht aus deinen Absichten bezüglich deines Lebens hervor.*

Was hast du also jetzt vor? Möchtest du die Theorie beweisen, daß das Leben dir selten das bringt, was du wählst?

Oder beabsichtigst du zu demonstrieren, wer-du-wirklich-bist und wer-ich-bin?

Ich bin zutiefst zerknirscht. Ich fühle mich gezüchtigt. Ich schäme mich.

Ist dir das dienlich? Warum erkennst du die Wahrheit nicht einfach an, wenn du sie hörst, und gehst auf sie zu? Es ist nicht nötig, daß du dir Vorwürfe machst. Stell nur einfach fest, was du gewählt hast, und wähle erneut.

Aber warum wähle ich immer so bereitwillig das Negative? Und erteile mir dann dafür Ohrfeigen?

Was kannst du erwarten? Euch wird von frühesten Tagen an gesagt, daß ihr »schlecht« seid. Ihr akzeptiert, daß ihr in »Sünde« geboren seid. Schuldgefühle sind eine *erlernte Reaktion*. Euch sind Schuldgefühle wegen begangener Taten eingeredet worden, noch bevor ihr überhaupt in der Lage wart, irgend etwas zu tun. Euch ist beigebracht worden, daß ihr euch dafür schämen sollt, nicht ganz vollkommen auf die Welt gekommen zu sein.

Dieser angebliche Zustand der Unvollkommenheit, in dem ihr, wie es heißt, das Licht der Welt erblickt, ist der, den eure religiösen Eiferer in ihrer Unverschämtheit als die »Erbsünde« bezeichnen. Und es ist eine Sünde – aber nicht die eure. Es ist die erste Sünde, die von einer Welt an euch begangen wird, die nichts von Gott weiß, wenn sie denkt, daß Gott *irgend etwas* Unvollkommenes erschaffen würde oder *könnte*.

Manche eurer Religionen haben ganze theologische Gebäude um diese gedankliche Mißgeburt errichtet. Eine *Mißgeburt* ganz buchstäblich: *Denn alles, was ich erdenke, gedanklich empfange – alles, dem ich Leben gebe –, ist vollkommen; eine vollkommene Widerspiegelung der Vollkommenheit selbst, geschaffen nach meinem Ebenbild.*

Doch zur Rechtfertigung der Vorstellung von einem strafenden Gott mußten die Religionen etwas erschaffen, worüber ich wütend werden könnte. Weil selbst für jene Menschen, die ein vorbildliches Leben führen, irgendwie die Notwendigkeit besteht, errettet zu werden. Wenn sie nicht vor sich selbst gerettet werden müssen, dann müssen sie von ihrer *implantierten Unvollkommenheit* errettet werden. Also (so behaupten diese Religionen) solltet ihr besser etwas unternehmen – und zwar schnell –, oder ihr werdet geradewegs zur Hölle fahren.

Doch dies wird möglicherweise nichts helfen, um einen verschrobenen, rachelüsternen, zornigen Gott zu besänftigen, aber es verhilft verschrobenen, rachelüsternen und zornigen *Religionen* zum Leben. So pflanzen Religionen sich selbst fort. So bleibt die Macht in den Händen weniger konzentriert, statt durch die Hände vieler erfahren zu werden.

Natürlich wählt ihr ständig den geringeren Gedanken, die kleinere Idee, die winzigste Vorstellung von euch selbst und eurer Macht, von mir und meiner Macht gar nicht zu reden. Es wurde euch *beigebracht.*

Mein Gott, wie kann ich diese Lehren in mir wieder rückgängig machen?

EINE GUTE FRAGE, und genau an die richtige Person gerichtet!

Du kannst sie wieder in dir rückgängig machen, indem du dieses Buch immer und immer wieder liest. Lies es, bis du jede Passage verstehst. Bis du mit jedem Wort vertraut bist. Wenn du seine Passagen anderen vortragen, wenn du dir seine Sätze inmitten deiner dunkelsten Stunden ins Gedächtnis rufen kannst, dann wirst du »diese Lehren wieder in dir rückgängig« gemacht haben.

Es gibt immer noch soviel, was ich dich fragen möchte; immer noch soviel, was ich wissen will.

IN DER TAT. Du hast mit einer sehr langen Liste von Fragen begonnen. Sollen wir darauf zurückkommen?

8

Wann werde ich genug über Beziehungen lernen, um imstande zu sein, sie reibungslos verlaufen zu lassen? Gibt es irgendeine Möglichkeit, in Beziehungen glücklich zu *sein*? Müssen sie denn ständig eine solche Herausforderung darstellen?

IHR MÜSST ÜBER Beziehungen nichts lernen. Ihr braucht nur das zu demonstrieren, was ihr bereits wißt.

Es *gibt* eine Möglichkeit, in Beziehungen glücklich zu sein: nämlich die, daß ihr sie für ihren eigentlichen Zweck nutzt und nicht für jenen, den ihr geplant habt.

Beziehungen bedeuten eine ständige Herausforderung; sie rufen euch fortwährend dazu auf, immer höhere Aspekte, immer großartigere Visionen, immer herrlichere *Versionen* von euch selbst zu erschaffen, zum Ausdruck zu bringen und zu erfahren. Nirgendwo ist euch das unmittelbarer, wirkungsvoller und makelloser möglich als in den Beziehungen. Tatsächlich könnt ihr dies ohne Beziehungen *überhaupt nicht tun*. Nur durch eure Beziehung zu anderen Menschen, Orten und Ereignissen seid ihr (als erkennbare Quantität, als ein auszumachendes *Etwas*) imstande, im Universum zu existieren. Denkt daran, ihr seid *nicht*, wenn alles *andere* abwesend ist. Was ihr seid, seid ihr nur in Relation zu anderem, das nicht ist. So verhalten sich die Dinge in der Welt des Relativen im Gegensatz zur Welt des Absoluten – wo ich meinen Wohnsitz habe.

187

Wenn ihr das erst einmal klar versteht, zutiefst begreift, werdet ihr intuitiv jede Erfahrung, jede menschliche Begegnung und ganz besonders persönliche menschliche Beziehungen segnen, denn ihr erkennt sie als im höchsten Sinn konstruktiv an. Euch wird klar, daß sie genutzt werden können, genutzt werden müssen und genutzt *werden* (ob euch nun an ihnen gelegen ist oder nicht), um zu *gestalten*, wer-ihr-wirklich-seid.

Diese Gestaltung kann eine herrliche Schöpfung nach eurem eigenen, ganz bewußten Plan sein oder ein sich rein aufs Geratewohl ergebendes Gebilde. Ihr habt die Wahl, eine Person zu sein, wie sie sich einfach aus den Ereignissen heraus ergibt, oder eine, die das ist, was sie angesichts der Ereignisse zu *sein* und zu *tun* entschieden hat. In letzterem Fall wird die Erschaffung des Selbst zur bewußten Angelegenheit, wird in dieser Erfahrung das Selbst verwirklicht.

Segnet daher *jede* Beziehung, betrachtet jede als eine besondere Beziehung und als formend für das, wer-ihr-seid, und jetzt entscheidet euch, zu sein.

Nun bezieht sich deine Frage auf die persönlichen menschlichen Beziehungen der romantischen Art, und ich verstehe das. Laß mich also ganz speziell und ausführlich auf die menschlichen Liebesbeziehungen zu sprechen kommen – die euch weiterhin soviel Schwierigkeiten bereiten!

Wenn menschliche Liebesbeziehungen scheitern (Beziehungen scheitern nie wirklich außer im rein menschlichen Sinn, nämlich daß sie nicht das erbrachten, was ihr wolltet), dann aus dem Grund, weil sie unter falschen Voraussetzungen eingegangen worden sind.

(»Falsch« ist natürlich ein relativer Begriff, der gemessen

wird an dem, was »richtig« ist – was immer *das ist!* In eurer Sprache ließe sich präziser formulieren: Beziehungen scheitern – verändern sich – meist dann, wenn sie aus Gründen eingegangen wurden, die für ihr Überleben nicht gänzlich nützlich oder zuträglich waren.)

Die meisten Menschen gehen Beziehungen ein, indem sie mit einem Auge auf das schielen, was sich aus ihnen herausholen läßt, statt daran zu denken, was in sie investiert werden kann.

Der Zweck einer Beziehung ist der, daß ihr entscheidet, welchen Teil von euch selbst ihr gerne »sich zeigen« lassen würdet, und nicht, welchen Teil des anderen ihr einfangen und festhalten könnt.

Beziehungen – wie alles im Leben – können nur einen einzigen Sinn und Zweck haben: nämlich den, daß ihr seid und entscheidet, wer-ihr-wirklich-seid.

Es ist sehr romantisch zu sagen, daß ihr »nichts« wart, bevor dieser andere besondere Mensch daherkam, doch das stimmt nicht. Schlimmer noch – ihr setzt damit die andere Person unter unglaublichen Druck, alles mögliche sein zu müssen, was sie gar nicht ist.

Weil sie euch nicht »enttäuschen« möchte, strengt sie sich an im Versuch, all diese Dinge zu sein und zu tun, bis sie nicht mehr kann. Sie vermag euer Bild von ihr nicht länger auszumalen. Sie kann die Rolle nicht länger erfüllen, die ihr zugewiesen wurde. Ihr Unmut steigert sich – bis hin zur Wut.

Schließlich beginnt diese andere besondere Person, um sich selbst (und die Beziehung) zu retten, wieder ihr wahres Selbst einzufordern, und handelt stärker in Übereinstimmung mit dem, wer-sie-wirklich-ist. Etwa zu dieser Zeit sagt ihr dann, daß sie sich »wirklich verändert« hat.

Es ist sehr romantisch zu sagen, daß ihr euch nun, wo diese andere besondere Person in euer Leben getreten ist, vollständig fühlt. *Doch der Sinn und Zweck einer Beziehung besteht nicht darin, daß ihr eine andere Person habt, die euch vervollständigt, sondern darin, daß ihr mit dieser anderen Person eure Vollständigkeit teilen könnt.*

Dies ist ein Paradoxon aller menschlichen Beziehungen: Um vollständig erfahren zu können, wer-ihr-seid, braucht ihr nicht unbedingt einen bestimmten anderen Menschen, *und doch* ... seid ihr ohne einen anderen nichts.

Dies sind das Rätsel und das Wunder, die Frustration und die Freude der menschlichen Erfahrung. Es bedarf eines tiefen Verstehens und der absoluten Bereitschaft, in diesem Paradoxon so zu leben, daß es Sinn macht. Ich beobachte, daß sich nur sehr wenige Menschen daran halten.

Die meisten von euch beginnen jene Jahre, in denen ihr anfangt, feste Beziehungen einzugehen, voller Erwartung, mit großer sexueller Energie, mit einem weit offenen Herzen und einer freudigen, wenn nicht sogar begierigen Seele. Irgendwann zwischen vierzig und sechzig (und in den meisten Fällen früher als später) habt ihr euren großartigsten Traum aufgegeben, eure höchste Hoffnung fallenlassen und euch mit eurer niedrigsten Erwartung eingerichtet – oder mit gar nichts.

Das Problem ist so grundlegend, so einfach, und wird doch auf so tragische Weise mißverstanden: Euer großartigster Traum, eure höchste Vorstellung, eure liebste Hoffnung hatte mit der geliebten *anderen* Person zu tun, statt mit eurem geliebten *Selbst*. Der Test eurer Beziehungen war darauf ausgerichtet, wie gut die andere Person *euren* Ideen und Vorstellungen entsprach, und wie gut ihr selbst *ihren* Ideen und Vorstellungen entsprochen habt. Doch der einzige wahre Test besteht darin, wie gut ihr *euren* Ideen und Vorstellungen entsprecht.

Beziehungen sind *heilig*, weil sie die größte – ja die einzige – Gelegenheit des Lebens bieten, die *Erfahrung* des höchsten Begriffs von eurem Selbst zu entwickeln und herzustellen. Beziehungen scheitern, wenn ihr sie als die großartigste Gelegenheit im Leben betrachtet, den durch euch erfahrenen höchsten Begriff von einem *anderen* zu entwickeln und herzustellen.

Laßt jede in einer Beziehung befindliche Person sich um das *Selbst* sorgen: darum, was das *Selbst* ist, tut und hat; was das *Selbst* will, erbittet, gibt; was das *Selbst* anstrebt, was es erschafft, erfährt – und alle Beziehungen werden auf herrliche Weise ihrem Sinn und Zweck dienen (*und* den daran Beteiligten)!

Laßt jede in einer Beziehung befindliche Person sich nicht um den anderen sorgen, sondern sich ausschließlich um das Selbst.

Das scheint eine merkwürdige Lehre zu sein, denn euch wurde gesagt, daß sich in der höchsten Form von Beziehung der eine *nur* um den anderen sorgt. Doch ich sage euch dies: Die Ursachen für das Scheitern eurer Beziehungen liegen im Augenmerk, das ihr auf den anderen richtet, in eurer *Besessenheit* vom anderen.

Was ist das andere Wesen? Was macht es? Was hat es? Was sagt, will, fordert, denkt, erwartet, plant es?

Die Meister haben begriffen, daß es *keine* Rolle spielt, was das andere Wesen ist, tut, hat, sagt, will, fordert. Es spielt *keine* Rolle, was das andere Wesen denkt, erwartet, plant. Eine Rolle spielt nur, was *du* in *Beziehung* dazu bist.

Die Person, die am meisten liebt, ist die, die selbst-zentriert ist.

Das *ist* eine radikale Lehre ...

NICHT, WENN DU sie dir sorgsam anschaust. Wenn du dein Selbst nicht lieben kannst, bist du unfähig, jemand anderen zu lieben. Viele Menschen begehen den Fehler, die Liebe zum Selbst *durch* die Liebe zu einem anderen zu suchen. Natürlich ist ihnen nicht klar, daß sie das tun. Es ist kein ihnen bewußtes Bemühen. Es spielt sich tief innen, in eurem sogenannten Unterbewußtsein, ab. Diese Menschen denken: »Wenn ich nur andere lieben kann, dann werden sie mich lieben. Dann werde ich liebenswert sein, und *ich* kann mich lieben.«

Umgekehrt hassen sich so viele selbst, weil sie das Gefühl haben, daß es niemanden gibt, der sie liebt. Das ist eine Krankheit. Diese Menschen sind wahrhaft »liebeskrank«, denn in Wahrheit *werden* sie von anderen geliebt, aber das spielt für sie keine Rolle. Ganz gleich, wie viele Menschen ihnen sagen, daß sie sie lieben, es ist nie genug.

Erstens glauben sie euch nicht. Sie denken, daß ihr sie zu manipulieren versucht – etwas zu bekommen versucht. (Wie könnt ihr sie denn lieben für das, was sie wirklich sind? Nein, da muß irgendwo ein Haken sein. Ihr müßt irgend etwas wollen! Nun, und was ist es, das ihr wollt?)

Sie sitzen da und bemühen sich herauszufinden, wie irgend jemand dazu kommen könnte, sie tatsächlich zu lieben. Sie glauben euch also nicht und machen sich daran, es euch *beweisen* zu lassen. Ihr müßt beweisen, daß ihr sie liebt. Und dazu verlangen sie vielleicht von euch, daß ihr euer Verhalten ändert.

Zweitens, wenn sie es schließlich über sich bringen, euch glauben zu *können*, daß ihr sie liebt, fangen sie sofort an, sich darum zu sorgen, wie lange sie sich eure Liebe *erhalten* können. Um sie sich zu erhalten, beginnen sie damit, *ihr* Verhalten zu ändern.

So können sich zwei Menschen buchstäblich in einer Beziehung verlieren. Sie gehen eine Beziehung ein in der Hoffnung, sich selbst zu finden, und verlieren sich statt dessen. *Dieser Verlust des Selbst verursacht die meiste Bitterkeit in solchen Paarbeziehungen.*

Zwei Menschen tun sich zu einer Partnerschaft zusammen in der Hoffnung, daß das Ganze größer sein wird als die Summe seiner Teile, nur um schließlich festzustellen, daß es sich vermindert. Sie haben das Gefühl, *weniger* zu sein, als sie es als Singles waren. Sie meinen, weniger befähigt, weniger aufregend, weniger attraktiv zu sein, weniger Freude, weniger Zufriedenheit zu empfinden.

Sie empfinden es deshalb, weil sie weniger *sind*. Sie haben das meiste von dem, was sie sind, aufgegeben, um in ihrer Beziehung sein und bleiben zu können.

So waren Beziehungen nie gedacht. Und doch werden sie in dieser Weise von mehr Menschen erlebt, als ihr je kennenlernen könntet.

Warum? *Warum?*

Weil die Menschen den Kontakt zum *Sinn und Zweck* der Beziehungen verloren haben (falls ihnen ein solcher Kontakt überhaupt je vergönnt war).

Wenn ihr euch nicht mehr als heilige Seelen seht, die sich auf einer heiligen Reise befinden, könnt ihr auch nicht den Zweck, den letztlichen Grund für alle Beziehungen erkennen.

Die Seele trat in den Körper ein, und der Körper erwachte zum Leben zum Zweck der Evolution. Ihr *entwickelt* euch weiter, *entfaltet* euch, seid am *Werden*. Und ihr benutzt eure Beziehung zu *allem*, um zu entscheiden, *was* ihr werdet.

Das ist die Aufgabe, um derentwillen ihr hierhergekommen seid. Das ist die Freude am Erschaffen, am Kennenlernen des Selbst, am bewußten Werden zu dem, was ihr nach eurem Wunsch sein wollt. Das ist mit Selbst-Bewußtsein gemeint.

Ihr habt euer Selbst in die Welt der Relativität gebracht, damit euch die Instrumente zur Verfügung stehen, mit deren Hilfe ihr das, was-ihr-wirklich-seid, kennenlernen und erfahren könnt. Wer-du-bist ist das, als was du dich erschaffst, um mit dem ganzen Rest in Beziehung zu stehen. Eure persönlichen Beziehungen sind die wichtigsten Elemente in diesem Prozeß. Deshalb sind sie heiliger Boden. Sie haben im Grunde nichts mit dem anderen zu tun, haben aber doch, da sie einen anderen beinhalten, *alles* mit dem anderen zu tun.

Das ist die göttliche Dichotomie. Das ist der geschlossene

Kreis. Daher ist die Aussage »Gesegnet seien die Selbst-Zentrierten, denn sie werden Gott erfahren«, gar nicht so radikal. Es ist vielleicht kein schlechtes Ziel im Leben, den höchsten Teil deines Selbst zu kennen, zu erfahren und dort *zentriert zu bleiben.*

An erster Stelle muß also die Beziehung zu eurem Selbst stehen. Ihr müßt als erstes lernen, euer Selbst zu achten, zu schätzen und zu lieben.

Ihr müßt zuerst euer Selbst als würdig ansehen, bevor ihr einen anderen als würdig ansehen könnt. Ihr müßt zuerst euer Selbst als gesegnet ansehen, bevor ihr einen anderen als gesegnet ansehen könnt. Ihr müßt zuerst euer Selbst als heilig erkennen, bevor ihr die Heiligkeit im anderen an-erkennen könnt.

Wenn ihr den Karren vor den Ochsen spannt – wie es die meisten Religionen von euch fordern – und einen anderen als heilig anerkennt, bevor ihr euch selbst als heilig akzeptiert, werdet ihr das eines Tages übelnehmen. Wenn es et-was gibt, das keiner von euch tolerieren kann, dann ist es das, daß jemand *heiliger ist als ihr.* Doch eure Religionen zwingen euch dazu, daß ihr andere heiliger nennt als euch. Und ihr befolgt das auch – für eine Weile. Dann kreuzigt ihr sie.

Ihr habt (auf die eine oder andere Weise) alle meine Lehrer gekreuzigt, nicht nur einen. Und das tatet ihr nicht, weil sie heiliger waren als ihr, sondern weil ihr *sie dazu gemacht habt.*

Meine Lehrer verkündeten sämtlich die gleiche Botschaft. Und diese lautete nicht »Ich bin heiliger als ihr«, sondern »Ihr seid so heilig, wie ich es bin«.

Das ist die Botschaft, die zu hören ihr nicht fähig wart; das ist die Wahrheit, die ihr nicht akzeptieren konntet. Und deshalb könnt ihr euch auch nie ganz wahrhaftig und rein in einen anderen verlieben. Denn ihr habt euch nie ganz wahrhaftig und rein in euer Selbst verliebt.

Und so sage ich euch dies: Konzentriert und begründet euch jetzt und für immer auf euer Selbst. Schaut euch in jedem Moment an, was *ihr* seid, tut und habt, und nicht, was beim anderen stattfindet.

Ihr findet euer Heil nicht in der Aktion des anderen, sondern in eurer Re-aktion.

Ich weiß zwar, daß es nicht so gemeint ist, aber manchmal hört sich das so an, als sollten wir uns nicht darum bekümmern, wie andere in einer Beziehung mit uns umgehen. So, als sei ihnen alles erlaubt und als blieben wir davon unberührt, solange wir unser Gleichgewicht halten, in unserem Selbst zentriert verharren und all diese guten Dinge tun. Aber andere *berühren* uns. Ihre Handlungen *verletzen* uns manchmal. Und wenn diese Verletzungen in einer Beziehung ins Spiel kommen, dann weiß ich nie, wie ich mich verhalten soll. Es ist ja gut und schön, sich einzureden: »Laß es nicht an dich ran; bring dich dazu, daß es nichts bedeutet«, aber das ist leichter gesagt als getan. Ich *werde* nun mal mitunter durch die Worte und Handlungen anderer, mit denen ich eine Beziehung habe, verletzt.

DER TAG WIRD kommen, an dem dies nicht mehr der Fall ist. Das wird der Tag sein, an dem du die wahre Bedeutung von Beziehungen erkennst – und verwirklichst. Weil du diese wahre Bedeutung vergessen hast, reagierst du so, wie du es zuvor beschrieben hast. Aber das ist in Ordnung. Das gehört zum Wachstumsprozeß. Das ist Teil der Evolution. In einer Beziehung habt ihr es mit der Arbeit auf seelischer Ebene zu tun, aber das ist eine sehr tiefe Einsicht, ein sehr großer Akt der Erinnerung. Solange ihr euch nicht daran erinnert – und auch nicht daran, daß ihr die Beziehung als Instrument der Erschaffung des Selbst *nutzt* –, müßt ihr auf jener Ebene arbeiten, auf der ihr euch befindet: auf der Ebene des Verständnisses, der Bereitschaft, des Gedächtnisses.

Und so gibt es Dinge, die ihr tun könnt, wenn ihr mit Schmerz und Kränkung auf das reagiert, was ein anderer ist, sagt oder tut. Als erstes sollt ihr euch selbst und dem anderen gegenüber ganz ehrlich zugeben, wie ihr euch fühlt. Davor haben viele von euch Angst, weil sie meinen, daß es sie »schlecht ausschauen« läßt. Irgendwo tief im Innern habt ihr wahrscheinlich begriffen, daß es tatsächlich lächerlich ist, sich »so zu fühlen«. Wahrscheinlich *ist* es kleinkariert von euch. Ihr *seid* an sich »darüber erhaben«, vermögt es aber nicht zu *ändern*. Ihr *fühlt* eben so.

Da gibt es nur eines, was ihr tun könnt: Ihr müßt eure Gefühle achten, weil ihr auf diese Weise euer Selbst achtet. Und ihr müßt euren Nächsten lieben wie euch selbst. Wie könnt ihr je erwarten, daß ihr die Gefühle eines anderen versteht und respektiert, wenn ihr die Gefühle eures Selbst nicht achten könnt?

Die erste Frage bei jedwelcher Interaktion mit einem anderen lautet: Wer-bin-ich und wer-will-ich-sein in Beziehung dazu?

Oft erinnert ihr euch nicht daran, wer-ihr-seid, und wißt nicht, wer-ihr-sein-wollt, bis ihr ein paar Seinsweisen *ausprobiert* habt. Deshalb ist es so wichtig, daß ihr eure wahren Gefühle achtet.

Ist euer erstes Gefühl negativer Art, dann reicht häufig die bloße Tatsache, daß ihr *dieses Gefühl habt,* schon aus, um sich davon zu verabschieden. Wenn ihr die Wut *habt,* den Ärger *habt,* den Abscheu *habt,* den Zorn *habt,* das Gefühl, »den anderen auch verletzen zu wollen« als *euer eigen anerkennt,* dann könnt ihr auch diese ersten Gefühle als »nicht-das-was-ihr-sein-wollt« ablehnen.

Die Meisterin ist jene, die genügend solche Erfahrungen durchlebt hat, um im voraus zu wissen, wie ihre letztliche Entscheidung ausfällt. Sie muß nichts mehr »ausprobieren«. Sie hat diese Kleider schon getragen und weiß, daß sie *nicht passen;* sie sind nicht »sie«. Und da eine Meisterin ihr Leben der ständigen Selbst-Verwirklichung widmet im *Wissen darum, wer und was sie ist,* würde sie solche unpassenden Gefühle nie beibehalten.

Deshalb bleiben Meister angesichts dessen, was andere eine Katastrophe nennen würden, unbeeindruckt. Ein Meister segnet die Katastrophe, weil er weiß, daß aus ihrem Samenkorn (und aus allen Erfahrungen) das Wachstum des Selbst entsteht. Und das zweite Lebensziel eines Meisters ist immer das *Wachstum.* Denn hat man einmal das Selbst voll und ganz verwirklicht, *bleibt nichts mehr zu tun übrig,* außer *noch mehr dieses Selbst zu sein.*

In diesem Stadium geht man von der Arbeit der Seele zur Arbeit Gottes über, denn das ist es, worauf *ich* aus bin!

Ich will einmal hier aus Gründen der Diskussion davon

ausgehen, daß ihr noch immer mit der Arbeit der Seele befaßt seid. Ihr strebt immer noch danach zu verwirklichen,
wer-ihr-wahrhaft-seid. Das Leben (ich) wird euch in Hülle
und Fülle Gelegenheiten bieten, dies zu erschaffen (denkt
daran, das Leben ist kein Entdeckungs-, sondern ein Erschaffungsprozeß).

Ihr könnt immer und immer wieder erschaffen, wer-ihr-
seid. Tatsache ist, daß ihr es tut – jeden Tag. So wie die
Dinge derzeit stehen, laßt ihr euch jedoch nicht immer die
gleiche Antwort einfallen. Hinsichtlich einer identischen
äußerlichen Erfahrung entscheidet ihr euch vielleicht den
einen Tag dazu, geduldig, liebevoll und gütig zu sein. Am
nächsten Tag entscheidet ihr euch vielleicht dazu, wütend,
gemein und traurig zu sein.

Ein Meister ist jemand, der *immer mit derselben Antwort
aufwartet* – und diese Antwort ist stets *eine Wahl im höchsten Sinn*.

In dieser Hinsicht ist die Entscheidung eines Meisters unmittelbar vorhersagbar. Umgekehrt ist die des Schülers völlig unvorhersagbar. Wie jemand auf dem Weg zur Meisterschaft vorankommt, läßt sich einfach daran ablesen, wie
vorhersagbar er oder sie in Antwort oder Reaktion auf eine
gegebene Situation eine Wahl im höchsten Sinn trifft.

Natürlich wirft das die Frage auf, *was denn die im höchsten
Sinn getroffene Wahl ist*.

Das ist eine Frage, um die seit Anbeginn der Zeit die Philo-
sophien und Theologien der Menschheit kreisen. Wenn du
dich wirklich und wahrhaftig damit beschäftigst, *bist du
bereits auf dem Weg zur Meisterschaft*. Denn nach wie vor
gilt, daß die meisten Menschen mit einer völlig anderen

Frage beschäftigt sind, nämlich: Was ist am profitabelsten? oder Wodurch kann ich am wenigsten verlieren?

Wenn das Leben unter dem Gesichtspunkt der Schadensbegrenzung oder des optimalen Vorteils abläuft, wird sein *wahrer* Nutzen vertan, geht die Gelegenheit verloren, wird die Chance vergeben. Denn ein solches Leben wird von der Angst bestimmt – und es spricht eine Lüge über euch aus.

Denn ihr seid nicht Angst, ihr seid Liebe – Liebe, die keinen Schutz braucht, die nicht verlorengehen kann. Aber das werdet ihr nie *erfahrungsgemäß* erleben, wenn ihr ständig die zweite und nicht die erste Frage beantwortet haben wollt. Denn nur eine Person, die denkt, daß es etwas zu *gewinnen oder zu verlieren* gibt, stellt die zweite Frage. Und nur eine Person, die das Leben auf andere Weise betrachtet, die das Selbst als höheres Wesen ansieht, die versteht, daß *nicht* das Gewinnen oder Verlieren die Prüfung darstellt, sondern allein das Lieben oder mangelnde Lieben – nur diese Person stellt die erste Frage.

Wer die zweite Frage stellt, sagt: »Ich bin mein Körper«. Wer die erste Frage stellt, sagt: »Ich bin meine Seele«.

Fürwahr, laßt alle hören, die Ohren haben zu hören, denn ich sage euch dies: In jeder menschlichen Beziehung stellt sich an der entscheidenden Kreuzung nur eine Frage:

Was würde die Liebe jetzt tun?

Keine andere Frage ist relevant, keine andere Frage hat Bedeutung, keine andere Frage ist wichtig für eure Seele. Damit sind wir an einem sehr heiklen Punkt der Interpretation angelangt, denn dieses Prinzip der von der Liebe eingegebenen Handlung wird weitgehend mißverstanden. Und ebendieses Mißverständnis hat schon reichlich Ärger und Wut im Leben verursacht, wodurch wiederum viele von ihrem Weg abgebracht werden.

Viele Jahrhunderte lang wurdet ihr gelehrt, daß die von der Liebe eingegebene Handlung aus der Entscheidung entsteht, das zu sein, zu tun und zu haben, was immer das höchste Wohl des anderen bewirkt.

Doch ich sage euch dies: Die im höchsten Sinn getroffene Wahl ist jene, die das höchste Wohl *für euch* bewirkt.

Wie jede tiefe spirituelle Wahrheit lädt auch diese Aussage sofort zur Fehlinterpretation ein. Das Geheimnis klärt sich in dem Moment ein wenig auf, in dem ihr darüber befindet, was das höchste »Wohl« *ist*, das ihr für euch selbst bewirken könntet. Und wenn hier eine Wahl im absolut höchsten Sinn getroffen wird, löst sich das Rätsel, vollendet sich der Kreis, und das höchste Wohl für euch selbst *wird* das höchste Wohl eines anderen.

Dies zu verstehen kann ein ganzes Leben in Anspruch nehmen – und noch weitere Leben, um es umzusetzen –, denn diese Wahrheit kreist um eine noch größere Wahrheit: Was ihr für euer Selbst tut, das tut ihr für einen anderen. Und was ihr für einen anderen tut, das tut ihr für das Selbst.

Dies deshalb, weil ihr und der andere eins seid.

Und *das* ist deshalb so, weil ...

... *da nichts ist außer euch.*

Alle Meister, die auf eurem Planeten weilten, haben dies gelehrt. (»Wahrlich, wahrlich, ich sage euch: Was ihr für den geringsten meiner Brüder getan habt, das habt ihr mir getan.«) Doch das ist für die meisten Menschen lediglich eine großartige esoterische Wahrheit geblieben mit einer äußerst *geringen praktischen Anwendungsmöglichkeit.* Tatsächlich ist es aber die in der Praxis am besten anwendbare »esoterische« Wahrheit aller Zeiten.

Es ist wichtig, daß ihr euch in euren Beziehungen an diese Wahrheit erinnert, denn ohne sie sind Beziehungen eine sehr schwierige Angelegenheit.

Kommen wir auf die praktischen Anwendungsmöglichkeiten dieser Weisheit zurück und lassen wir für den Moment den rein spirituellen, esoterischen Aspekt beiseite.

So oft haben Menschen – wohlmeinende, in bester Absicht handelnde und sehr religiöse Menschen – im Kontext des alten Verständnisses das getan, was sie in ihrer Beziehung für den anderen Menschen als das Beste ansahen. Leider hat das in vielen Fällen (in den *meisten* Fällen) zum permanenten Mißbrauch des anderen geführt, zur fortgesetzten falschen Behandlung und damit zur fortgesetzten Funktionsstörung in der Beziehung.

Letztlich wird die Person, die im Hinblick auf den anderen »das Richtige zu tun« versucht – rasch zu vergeben, Mitgefühl zu zeigen, ständig über gewisse Probleme und Verhaltensweisen hinwegzusehen –, ärgerlich, wütend und mißtrauisch, sogar auch gegenüber Gott. Denn wie kann ein gerechter Gott dieses unablässige Leiden, diese endlose Freudlosigkeit und Aufopferung verlangen, selbst im Namen der Liebe?

Die Antwort lautet: Das tut Gott nicht. Er bittet nur darum, daß ihr *euch selbst* unter jene *einreiht,* die ihr liebt.

Gott geht noch weiter. Er schlägt vor – *empfiehlt* –, euch selbst an erste Stelle zu setzen.

Mir ist hier vollkommen bewußt, daß manche von euch

dies als Blasphemie bezeichnen und es deshalb nicht als mein Wort akzeptieren werden; und daß andere von euch, noch schlimmer, es als mein Wort *akzeptieren* und es dermaßen fehlinterpretieren und verzerren werden, daß es euren eigenen Zwecken dient: der Rechtfertigung Gott-loser Handlungen.

Ich sage euch dies: Wenn ihr euch im höchsten Sinn an die erste Stelle setzt, führt das *nie* zu einer Gott-losen Handlung.

So besteht die Verwirrung, wenn ihr euch bei einer Gott-losen Tat als Folge dessen ertappt, daß ihr das Beste für euch getan habt, nicht darin, daß ihr euch an erste Stelle gesetzt, sondern darin, daß von euch falsch verstanden wurde, was das Beste für euch ist.

Natürlich setzt die Entscheidung darüber, was für euch das Beste ist, voraus, daß ihr für euch bestimmt, was ihr denn zu tun versucht. Das ist ein wichtiger Schritt, den viele Menschen ignorieren. Worauf seid ihr aus? Was ist euer Lebensziel? Ohne Antworten auf diese Fragen bleibt die Frage, was unter irgendwelchen gegebenen Umständen das »Beste« ist, ein Rätsel.

Ganz praktisch gesprochen – und lassen wir die ganze Esoterik mal wieder beiseite: Wenn ihr euch anschaut, was in einer Situation wie der, daß ihr mißbraucht werdet, das Beste für euch ist, dann werdet ihr zum allermindesten etwas unternehmen, um diesem Mißbrauch ein Ende zu setzen. Und das wird gut sein für euch und denjenigen, der mißbraucht. *Denn selbst der, der mißbraucht, wird ebenfalls mißbraucht, wenn ihm gestattet wird, diesen Mißbrauch fortzusetzen.*

Das heilt ihn nicht, sondern wirkt sich zerstörerisch aus. Denn was hat einer gelernt, der feststellt, daß sein Mißbrauch akzeptiert wird? Und was wird ihm zu entdecken erlaubt, wenn er begriffen hat, daß sein Mißbrauch nicht länger geduldet wird?

Anderen mit Liebe zu begegnen heißt also nicht notwendigerweise, daß ihr diesen Menschen gestattet zu tun, was sie wollen.

Eltern lernen das sehr früh durch ihre Kinder. Erwachsene brauchen da in ihren Beziehungen zu anderen Erwachsenen schon länger, ebenfalls Nationen in ihrem Verhältnis zu anderen Nationen.

Doch Despoten kann nicht erlaubt werden, sich auszutoben, sie müssen in ihrem Despotismus gestoppt werden. Das fordern die Liebe zum Selbst *und die Liebe zum Despoten.*

Das ist die Antwort auf deine Frage, wie der Mensch jemals den Krieg rechtfertigen kann, wenn überall Liebe herrscht. Manchmal muß der Mensch in den Krieg ziehen, um zur höchsten Aussage darüber zu gelangen, was der Mensch wahrhaft ist: einer, der den Krieg verabscheut.

Es gibt Zeiten, in denen ihr möglicherweise *aufgeben* müßt, wer-ihr-seid, um zu *sein*, wer-ihr-seid.

Es gibt Meister, die euch lehrten: Ihr könnt nicht alles *haben*, solange ihr nicht bereit seid, *alles aufzugeben.*

So müßt ihr, um euch selbst als einen Menschen des Friedens beweisen zu können, möglicherweise die Idee von euch selbst als einem Menschen, der niemals in den Krieg zieht, aufgeben. In der Geschichte wurden solche Entscheidungen von Menschen schon häufiger abverlangt.

Das gleiche gilt für die persönlichsten und intimsten Beziehungen. Das Leben mag euch mehr als einmal dazu aufrufen zu beweisen, wer-ihr-seid, indem ihr einen Aspekt dessen von euch zeigt, wer-ihr-nicht-seid.

Das ist nicht so schwer zu verstehen, wenn ihr schon etliche Jahre auf dem Buckel habt, aber den idealistischen jungen Menschen mag dies wie der höchste aller Widersprüche erscheinen. Aus der reiferen Rückschau heraus erscheint es eher als eine göttliche Dichotomie.

Das heißt im Kontext der menschlichen Beziehungen nicht, daß ihr, wenn ihr eine Kränkung erlitten habt, dies nun wieder »mit einer Kränkung« heimzahlen müßt. (Das betrifft auch die Beziehungen zwischen den Nationen.) Es bedeutet ganz einfach, daß es möglicherweise – für euer Selbst oder den anderen – nicht die liebevollste aller Taten ist, wenn ihr *zulaßt*, daß der andere euch ständig Schaden zufügt.

Damit wären ein paar pazifistische Theorien ausgeräumt, welche besagen, daß die höchste Liebe keine starke, nachdrückliche und wirkungsvolle Reaktion auf das erfordert, was ihr das Böse nennt.

An diesem Punkt gelangt die Diskussion erneut auf die esoterische Ebene, denn keine ernsthafte Auseinandersetzung mit dieser Aussage kann hier den Begriff »des Bösen« und die damit verbundenen Werturteile ignorieren. In Wahrheit gibt es nichts Böses, nur objektive Phänomene und Erfahrungen. Doch allein schon euer höchstes Lebensziel macht es erforderlich, daß ihr aus der wachsenden Ansammlung endloser Phänomene ein paar verstreute Einzelphänomene heraussucht, die ihr das Böse nennt. Denn wenn ihr das nicht tut, könnt ihr weder euch selbst noch irgend etwas anderes als gut bezeichnen und somit euer Selbst nicht kennenlernen oder erschaffen.

Ihr definiert euch selbst über das, was ihr das Böse nennt, und über das, was ihr als das Gute bezeichnet.

Von daher wäre es der größte Frevel, wenn ihr überhaupt nichts als böse bezeichnen würdet.

Ihr existiert in diesem Leben in der Welt des Relativen, in der eine Sache nur insofern existiert, als sie sich auf eine andere bezieht. Und dies ist zugleich sowohl die Funktion als auch der Sinn und Zweck einer Beziehung: Sie soll euch ein Erfahrungsfeld liefern, innerhalb dessen ihr euch selbst findet, euch selbst definiert und – wenn ihr es wählt – ständig neu erschafft, wer-ihr-seid.

Trefft ihr die Wahl, Gott-gleich zu sein, so bedeutet das nicht, daß ihr euch dazu entscheidet, ein Märtyrer zu sein. Und es bedeutet ganz gewiß nicht, daß ihr euch dazu entscheidet, ein Opfer zu sein.

Es wäre sehr gut, wenn ihr auf eurem Weg zur Meisterschaft – wenn alle Möglichkeiten des Verletztseins, des Geschädigtseins und des Verlusts in euch ausgemerzt sind – das Verletztsein, Geschädigtsein und den Verlust als Bestandteil eurer Erfahrung anerkennt und in dieser Hinsicht entscheidet, wer-ihr-seid.

Ja, die Dinge, die andere denken, sagen oder tun, *werden* euch manchmal verletzen – bis sie es nicht mehr tun. Das, was euch am schnellsten voranbringt, ist die totale Ehrlichkeit – die Bereitschaft zu bestätigen, anzuerkennen und genau zu erklären, wie ihr über eine Sache fühlt. Sagt eure Wahrheit – freundlich, aber voll und ganz. Lebt eure Wahrheit, sanft, aber ausschließlich und konsequent. Ändert eure Wahrheit problemlos und rasch, wenn euch eure Erfahrung zu einer neuen Klarheit verhilft.

Niemand, der recht bei Sinnen ist, am wenigsten Gott, würde euch sagen, daß ihr, wenn ihr in einer Beziehung verletzt werdet, »beiseite treten und euch dahin bringen sollt, daß es keine Bedeutung für euch hat«. Wenn ihr *jetzt verletzt* seid, ist es zu spät, die Sache so umzubiegen, daß sie nichts bedeutet. Eure Aufgabe besteht darin, nun zu entscheiden, was sie *bedeutet* – und dies zu demonstrieren. Denn so wählt und werdet ihr, was-zu-sein-ihr-anstrebt.

Also muß ich *nicht* die ewig duldsame Ehefrau oder der herabgesetzte Ehemann oder das Opfer in meinen Beziehungen sein, um zu etwas Heiligem zu werden oder mich in den Augen Gottes wohlgefällig erscheinen zu lassen?

ABER NATÜRLICH NICHT.

Und ich muß mir nicht die Attacken auf meine Würde, die Angriffe auf meinen Stolz, die Beschädigung meiner Psyche und die Verwundung meines Herzens bieten lassen, um sagen zu können, daß ich in einer Beziehung »mein Bestes gegeben«, in den Augen Gottes und der Menschen »meine Pflicht getan« oder »meine Verpflichtungen erfüllt« habe?

NICHT EINE MINUTE lang.

Dann sag mir bitte, welche Versprechungen ich in einer Beziehung geben sollte; welche Vereinbarungen muß ich einhalten? Welche Verpflichtungen bringt eine Beziehung mit sich? An welche Richtlinien sollte ich mich halten?

DIE ANTWORT IST eine unhörbare – denn sie läßt dich ohne Richtlinien, macht jede Vereinbarung in dem Moment, in dem du sie triffst, null und nichtig. Die Antwort lautet: Du hast *keine* Verpflichtung – weder in einer Beziehung noch in deinem ganzen Leben.

Keine Verpflichtung?

KEINE VERPFLICHTUNG. EBENSO keinerlei Beschränkungen oder Begrenzungen, keine Richtlinien oder Regeln. Du bist auch nicht durch irgendwelche Umstände oder Situationen gebunden, nicht eingeschränkt durch irgendeinen Kodex oder ein Gesetz. Außerdem bist du nicht für irgendeine Ungehörigkeit zu bestrafen, noch irgendeiner Ungehörigkeit *fähig* – denn in den Augen Gottes gibt es nichts »Ungehöriges«.

Ich habe schon davon gehört – von dieser Religion, wonach »es keine Regeln gibt«. Das ist spirituelle Anarchie. Ich habe keine Ahnung, wie das funktionieren soll.

ES KANN KEINESFALLS *nicht* funktionieren – wenn es dir um das Erschaffen deines Selbst geht. Wenn du dir hingegen einbildest, es wäre deine Aufgabe, etwas zu sein, das du nach dem Willen von jemand *anderem* sein sollst, dann könnte das Fehlen von Regeln oder Richtlinien die Dinge in der Tat schwierig machen.

Doch der Intellekt ist bestrebt zu fragen: Warum hat mich Gott, wenn er mich auf eine bestimmte Weise haben möchte, *nicht schon ganz einfach von Anfang an so erschaffen*? Warum muß ich all diese Kämpfe durchstehen, um zu »überwinden«, wer ich bin, und so zu werden, wie Gott mich haben will? Das verlangt der forschende Geist zu wissen – und das zu Recht, denn es ist eine angemessene Frage.

Die religiösen Eiferer wollen euch glauben machen, daß ich euch als weniger als Was-Ich-Bin erschaffen habe, damit ihr die Möglichkeit habt zu *werden*, Was-Ich-Bin, wobei eure Chancen in dieser Sache äußerst schlecht stehen und ihr, so könnte ich hinzufügen, *jeder natürlichen Neigung, die ich euch angeblich mitgegeben habe*, entgegenarbeiten müßtet.

Zu diesen sogenannten natürlichen Neigungen gehört die Tendenz zum Sündigen. Ihr wurdet gelehrt, daß ihr sündig *geboren* wurdet, sündig *sterben* werdet und daß das Sündigen in eurer *Natur* liegt.

Eine eurer Religionen lehrt euch sogar, daß ihr *daran nichts ändern könnt*. Eure persönlichen Handlungen sind irrelevant und bedeutungslos. Es ist pure Arroganz, wenn ihr denkt, daß ihr durch irgendwelches Handeln *eurerseits* »in den Himmel kommen« könnt. Es gibt nur *einen* Weg in den Himmel (zur Rettung), und der hat nichts mit irgendwelchen Unternehmungen eurerseits zu tun, sondern geschieht ausschließlich durch die Gnade, die euch Gott durch das Annehmen seines Sohns als Mittler zuteil werden läßt.

Danach seid ihr »gerettet«. Bevor das nicht geschehen ist,

hat nichts, was ihr tut – weder euer Leben noch die von euch getroffenen Entscheidungen, noch irgend etwas, das ihr aus eigener Willensanstrengung unternehmt, um euch zu bessern oder würdig werden zu lassen –, irgendeine Auswirkung, irgendeinen Einfluß. Ihr seid grundsätzlich *nicht imstande,* euch würdig werden zu lassen, weil ihr von Natur aus unwürdig seid. So wurdet ihr *geschaffen.*

Warum? Das weiß nur Gott. Vielleicht hat er einen Fehler gemacht. Vielleicht hat er sich geirrt. Vielleicht wünscht er sich, er könnte noch mal von vorn anfangen. Aber so ist es nun mal. Was ist also zu tun ...?

Du machst dich über mich lustig.

Nein. Ihr macht euch über *mich* lustig. Ihr sagt, ich, Gott, hätte von Natur aus unvollkommene Geschöpfe erschaffen und dann von ihnen verlangt, daß sie entweder vollkommen sein oder aber mit der Verdammnis rechnen müßten. Ihr sagt weiterhin, daß ich dann nach einigen tausend Jahren Erfahrungen mit der Welt ein wenig nachgegeben und erklärt hätte, daß ihr von nun an nicht mehr unbedingt gut sein *müßtet,* sondern euch nur einfach schlecht fühlen solltet, wenn ihr nicht gut wärt; und daß ihr das eine Wesen als euren Retter akzeptieren solltet, das *immer* vollkommen zu sein vermochte, wodurch mein Hunger nach Vollkommenheit gestillt würde. Ihr sagt, daß mein Sohn – der einzige Vollkommene – euch von eurer Unvollkommenheit erlöst habe, der Unvollkommenheit, die *ich euch gab.*

Mit anderen Worten: Gottes Sohn erlöste euch von dem, *was sein Vater anrichtete.*

So wurde es von mir eingerichtet, wie viele von euch sagen. *Wer macht sich also hier über wen lustig?*

Das ist das zweite Mal in diesem Buch, daß du das fundamentalistische Christentum frontal anzugreifen scheinst.

Du hast das Wort »angreifen« gewählt. Ich nehme lediglich das Thema auf. Und es hat im übrigen nichts mit dem »fundamentalistischen Christentum«, wie du es ausdrückst, zu tun, sondern es behandelt die gesamte Natur Gottes und seine Beziehung zum Menschen.

Die Frage kommt hier auf, weil wir über Verpflichtungen sprachen, Verpflichtungen in Beziehungen und im Leben allgemein.

Ihr könnt nicht an eine Beziehung ohne Verpflichtungen glauben, weil ihr das, wer und was ihr wirklich seid, nicht zu akzeptieren bereit seid. Du nennst ein Leben der vollständigen Freiheit »spirituelle Anarchie«. Ich bezeichne es als Gottes großartiges Versprechen.

Und nur in dessen Kontext kann Gottes großer Plan vollendet werden.

Ihr habt *keine* Verpflichtung in einer Beziehung. Ihr habt nur Gelegenheiten.

Die Gelegenheit, nicht die Verpflichtung, ist der Eckstein der Religion, die Grundlage aller Spiritualität. Solange ihr das umgekehrt seht, werdet ihr den Kern der Sache nicht begreifen.

Die Beziehung – eure Beziehung zu sämtlichen Dingen – wurde als euer vollkommenes Instrument erschaffen, damit ihr die Arbeit der Seele tun könnt. Deshalb sind alle menschlichen Beziehungen heiliger Boden, ist jede persönliche Beziehung heilig.

In dieser Sache liegen viele Kirchen richtig. Die Ehe *ist* ein Sakrament. Aber nicht aufgrund ihrer geheiligten Verpflichtungen, sondern wegen der unvergleichlichen Gelegenheit, die sie bietet.

Tut in einer Beziehung nie etwas aus dem Gefühl der Verpflichtung heraus. Tut, was immer ihr tut, aus einem Gefühl der wunderbaren Gelegenheit heraus, die euch eure Beziehung bietet – die Gelegenheit zu entscheiden und zu sein, wer-ihr-wirklich-seid.

Ich kann das verstehen, doch ich habe immer und immer wieder in meinen Beziehungen aufgegeben, wenn diese sich in dramatischer Weise zuspitzten. Die Folge davon ist, daß ich eine ganze Reihe von Beziehungen einging, wo ich doch, als Kind, dachte, daß mir nur eine zustünde. Ich scheine nicht zu wissen, wie es ist, lediglich an einer Beziehung festzuhalten. Glaubst du, ich werde das je lernen? Was muß ich tun, damit das geschieht?

DAS HÖRT SICH bei dir so an, als glaubtest du, das Festhalten an einer Beziehung bedeute, daß sie erfolgreich sei. Versuche, Langfristigkeit nicht mit einer gut bewältigten Aufgabe zu verwechseln. Denk daran, daß deine Aufgabe auf diesem Planeten nicht darin besteht, daß du zusiehst, wie lange du es in einer Beziehung aushalten kannst, sondern darin, daß du entscheidest und erfährst, wer-du-wirklich-bist.

Damit will ich nicht für *kurzfristige* Beziehungen eintreten, doch besteht auch keine Forderung langfristiger Beziehungen.

Und obgleich es diese Forderung nicht gibt, sollte doch soviel gesagt werden: Langfristige Beziehungen bieten bemerkenswerte Gelegenheiten für *gemeinsames* Wachstum, *gemeinsame* Ausdrucksform und *gemeinsame* Erfüllung – und das beinhaltet seinen eigenen Lohn.

Ich weiß, ich weiß! Ich meine, das habe ich immer vermutet. Und wie gelange ich dahin?

VERGEWISSERE DICH ZUNÄCHST, daß du aus den richtigen Gründen eine Beziehung eingehst. (Ich benutze hier das Wort »richtig« als relativen Begriff. Ich meine »richtig« in bezug auf den größeren Sinn und Zweck deines Lebens.)

Wie ich bereits andeutete, fangen die meisten Menschen nach wie vor aus den »falschen« Gründen eine Beziehung an: um nicht mehr einsam zu sein, eine Lücke zu füllen, geliebt zu werden oder jemanden *zu lieben* – und das sind noch einige der *besseren* Gründe. Andere gehen eine Beziehung ein, um ihr Ego zu besänftigen, ihrer Depression ein Ende zu setzen, ihr Sexualleben zu verbessern, sich von einer anderen Beziehung zu erholen oder, ob du es glaubst oder nicht, um sich von ihrer Langeweile zu befreien.

Keiner dieser Gründe wird funktionieren, und auch die Beziehung nicht – es sei denn, es treten dramatische Veränderungen ein.

Keiner dieser Gründe kommt für meine Beziehungen in Frage.

Das möchte ich bezweifeln. Denn ich glaube nicht, daß du weißt, warum du deine Beziehungen eingegangen bist; daß du in dieser Weise darüber nachgedacht hast; daß du deine Beziehungen in bewußter Absicht eingegangen bist. Ich glaube, du hast dich auf deine Beziehungen eingelassen, weil du »verliebt« warst.

Das stimmt genau.

Und ich glaube nicht, daß du innehieltest, um dich zu fragen, warum du dich »verliebt« hast. Was es war, worauf du reagiert hast. Welches Bedürfnis oder welche Reihe von Bedürfnissen erfüllt wurde.

Bei den meisten Menschen ist die Liebe eine Reaktion auf ein Bedürfnis, das erfüllt werden möchte.

Jeder Mensch hat Bedürfnisse. Du brauchst dies, ein anderer braucht das. Ihr beide seht im anderen eine Chance für die gegenseitige *Erfüllung von Bedürfnissen.* Also laßt ihr euch – stillschweigend – auf einen Handel ein. Ich gebe dir, was ich habe, wenn du mir gibst, was du hast.

Das ist eine Transaktion. Aber ihr verschweigt die Wahrheit darüber. Ihr sagt nicht: »Bei diesem Handel gebe ich dir sehr viel.« Ihr sagt: »Ich liebe dich sehr«, und damit beginnt die Enttäuschung.

Diesen Punkt hast du schon klargestellt.

Ja, und du hast dies schon *getan* – nicht einmal, sondern mehrere Male.

Manchmal scheint sich dieses Buch im Kreis zu bewegen, stellt dieselben Punkte immer und immer wieder klar.

So ähnlich wie im Leben.

Touché.

Der Vorgang ist der, daß du Fragen stellst und ich sie nur beantworte. Wenn du dieselbe Frage in drei Varianten stellst, muß ich sie eben weiterhin beantworten.

Vielleicht erhoffe ich mir eine andere Antwort von dir. Du nimmst eine Menge Romantik weg, wenn ich dich zum Thema Beziehungen befrage. Was ist denn *falsch* daran, wenn ich mich Hals über Kopf verliebe, ohne vorher darüber nachzudenken?

Nichts. Verliebe dich in dieser Weise in so viele Menschen, wie du möchtest. *Aber wenn du mit einer Person eine lebenslange Beziehung eingehen willst, dann möchtest du dir vielleicht zusätzlich auch ein paar Gedanken darüber machen.*
Wenn du es andererseits genießt, Beziehungen wie einen Fluß zu durchqueren – oder noch schlimmer, in einer Beziehung bleibst, weil du glaubst, sie »aufrechterhalten zu müssen«, und dann ein Leben in stiller Verzweiflung führst –, wenn du es genießt, diese Muster der Vergangenheit zu wiederholen, dann mach weiter so.

Ja, schon gut. Ich hab's kapiert. Du bist ziemlich unnachgiebig, nicht wahr?

DAS IST DAS Problem mit der Wahrheit. Die *Wahrheit* ist unnachgiebig. Sie läßt dich nicht in Ruhe. Sie schleicht sich von allen Seiten an dich heran und zeigt dir, was wirklich ist. Das kann ärgerlich sein.

Okay. Ich will also die Instrumente für das Eingehen einer langfristigen Beziehung finden – und du sagst, eines davon ist, daß wir die Beziehung in bewußter Absicht eingehen.

JA. VERGEWISSERT EUCH, du und deine Gefährtin, daß ihr euch in der Absicht einig seid.
Wenn ihr euch auf bewußter Ebene beide darin einig seid, daß der Zweck eurer Beziehung darin besteht, daß ihr eine Gelegenheit, keine Verpflichtung, erschaffen wollt für Wachstum, für den vollen Ausdruck des Selbst, für ein Leben, das sich zu seinem höchsten Potential aufschwingt, für die Heilung jedes falschen Gedankens oder jeder minderen Vorstellung, die ihr je von euch hattet, und für die letztliche Wiedervereinigung mit Gott durch die Kommunion eurer beiden Seelen – wenn ihr diesen Schwur leistet anstelle der Versprechen, die ihr euch bisher gegeben habt –, dann hat die Beziehung auf einer sehr guten Grundlage begonnen. Dann ist sie richtig eingeleitet worden, hat sie einen sehr guten Anfang gemacht.

Aber das ist noch keine Garantie für den Erfolg.

WENN DU GARANTIEN im Leben haben willst, dann willst du das *Leben* nicht. Du willst das wiederholte Proben eines Drehbuchs, das bereits geschrieben wurde.

Das Leben kann seiner Natur nach *keine* Garantien bieten, oder es würde in seinem ganzen Sinn und Zweck vereitelt werden.

Ich hab's schon begriffen. Also, jetzt habe ich meiner Beziehung zu »einem sehr guten Anfang« verholfen. Wie erhalte ich diesen Zustand nun aufrecht?

DU SOLLST WISSEN und verstehen, daß es Herausforderungen und schwierige Zeiten geben wird.

Versuche nicht, ihnen aus dem Weg zu gehen. Heiße sie willkommen, dankbar. Nimm sie als großartige Geschenke von Gott, als herrliche Gelegenheiten, um das zu tun, um dessentwillen du in die Beziehung eingetreten bist – und ins *Leben*.

Bemühe dich wirklich darum, daß du in diesen Zeiten deine Partnerin nicht als Feindin oder Widersacherin betrachtest. Strebe danach, daß du in der Tat niemanden und nichts als den Feind ansiehst – oder auch nur als das Problem. Kultiviere die Technik, alle Probleme als Gelegenheiten zu begreifen. Gelegenheiten, um zu …

… Ich weiß, ich weiß – »sein und zu entscheiden, wer-du-wirklich-bist«.

RICHTIG! DU KAPIERST es! Du kapierst es!

Das klingt mir nach einem ziemlich langweiligen Leben.

DANN SETZT DU deine Visionen zu niedrig an. Erweitere deine Horizonte. Verleihe deiner Vision mehr Tiefe. Sieh mehr in dir, als du glaubst, daß da zu sehen ist. Sieh auch mehr in deiner Partnerin.

Du wirst deiner Beziehung – oder irgend jemandem – nie einen schlechten Dienst erweisen, wenn du mehr in den anderen siehst, als sie dir offenbaren. Denn da ist mehr – erheblich mehr. Nur ihre Angst hält sie davon ab, es dir zu zeigen. Wenn andere merken, daß du mehr in ihnen siehst, werden sie sich sicher fühlen und dir auch zeigen, was du offensichtlich schon siehst.

Die Menschen neigen im allgemeinen dazu, unseren Erwartungen von ihnen zu entsprechen.

DA IST WAS Wahres dran. Nur gefällt mir hier das Wort »Erwartungen« nicht. Erwartungen *ruinieren* Beziehungen. Sagen wir, die Menschen neigen dazu, in sich selbst zu sehen, was wir in ihnen sehen. Je größer unsere Vision, desto größer ihre Bereitschaft, jenen Teil in sich zu bekräftigen und herauszustellen, den *wir ihnen offenbart haben*.

Funktionieren nicht alle wahrhaft gesegneten Beziehungen so? Ist das nicht Teil des Heilungsprozesses – dieses Vorgangs, mittels dessen sich Menschen erlauben, jeden falschen Gedanken »loszulassen«, den sie je über sich selbst gehegt haben?

Ist es nicht das, was ich *hier*, in diesem Buch, für *dich* tue?

218

Ja.

UND DAS KENNZEICHNET die Arbeit Gottes. Die Arbeit der Seele besteht darin, daß sie dich aufweckt. Die Arbeit Gottes besteht darin, auch alle *anderen* aufzuwecken.

Und das tun wir, indem wir andere als das sehen, was-sie-sind, indem wir sie daran erinnern, wer-sie-sind.

DAS IST EUCH auf zweierlei Art möglich: indem ihr sie daran erinnert, wer-sie-sind (sehr schwierig, weil sie euch nicht glauben werden), und indem ihr euch erinnert, wer-ihr-seid (sehr viel leichter, weil ihr dazu nicht *ihren* Glauben braucht, sondern nur euren eigenen). Wenn ihr dies ständig demonstriert, erinnert ihr damit andere daran, wer-sie-sind, denn sie werden in euch sich selbst sehen.

Es wurden viele Meister zur Erde entsandt, um die Ewige Wahrheit zu demonstrieren. Andere, wie zum Beispiel Johannes der Täufer, traten als Boten auf, welche die Wahrheit in leuchtendem Glanz schilderten und von Gott mit unmißverständlicher Klarheit sprachen.

Diese auserwählten Boten waren mit außerordentlicher Einsicht und der ganz besonderen Kraft begabt, die Ewige Wahrheit zu schauen und zu empfangen, und sie verfügten über die Fähigkeit, komplexe Gedanken so zu vermitteln, daß sie von den Massen verstanden wurden und auch werden.

Du bist ein solcher Bote.

Bin ich das?

Ja. Glaubst du es?

Das ist sehr schwer zu akzeptieren. Ich meine, wir alle wollen etwas Besonderes sein ...

... Ihr alle *seid* etwas Besonderes ...

... und dann kommt das Ego ins Spiel, zumindest bei *mir*, und versucht uns das Gefühl zu geben, daß wir für eine ganz ungewöhnliche Aufgabe »ausersehen« sind. Ich habe die ganze Zeit mit diesem Ego zu kämpfen, muß mich mühen, alle meine Gedanken, Worte und Taten immer und immer wieder zu reinigen und zu läutern, um sie von meinem ganz persönlichen Größenwahnsinn freizuhalten. Also fällt es mir sehr schwer, dich so etwas sagen zu hören, denn mir ist bewußt, daß es meinem Ego in die Hände spielt, und gegen das habe ich mein ganzes Leben lang angekämpft.

Ich weiss, dass du das getan hast.
Und manchmal nicht allzu erfolgreich.

Bedauerlicherweise muß ich dir da zustimmen.

Doch wenn es um Gott ging, hast du das Ego stets fallenlassen. Viele Nächte hast du um Klarheit gebetet und gebettelt, hast du den Himmel um Einsicht angefleht, nicht, um dich selbst bereichern zu können oder um zu Ehren zu gelangen, sondern aus der tiefen Reinheit der einfachen Sehnsucht danach, zu *wissen*.

So ist es.

Und du hast mir immer und immer wieder versprochen, daß du, sollte dir dieses Wissen zuteil werden, den Rest deines Lebens – jeden wachen Moment – damit verbringen würdest, diese Ewige Wahrheit mit anderen zu teilen … nicht aus einem Bedürfnis nach Ruhm, sondern aus dem tiefsten Wunsch deines Herzens heraus, dem Schmerz und dem Leiden anderer ein Ende zu setzen; um Freude und Glück, Hilfe und Heilung zu bringen; um anderen wieder das Gefühl der Partnerschaft mit Gott, das du stets erfahren hast, zu vermitteln.

Ja doch.

Und so wurdest du von mir auserwählt, mein Bote zu sein. Du und viele andere. Denn jetzt und in der unmittelbar künftigen Zeit werden viele Trompeten nötig sein, um die Welt aufhorchen zu lassen. Wird die Welt viele Stimmen brauchen, welche die Worte der Wahrheit und Heilung verkünden, nach denen sich die Abermillionen sehnen. Und die Welt vieler Herzen bedürfen, die sich vereinen, um die Arbeit der Seele zu leisten und die darauf vorbereitet sind, die Arbeit Gottes zu tun.
Kannst du ehrlich behaupten, daß du dir dessen nicht bewußt bist?

Nein.

KANNST DU EHRLICH bestreiten, daß dies der Grund ist, warum du hierhergekommen bist?

Nein.

BIST DU ALSO bereit, mit diesem Buch über deine persönliche Ewige Wahrheit zu entscheiden und sie zu verkünden und meine Herrlichkeit anzukündigen und in Worte zu kleiden?

Muß ich diesen letzten Teil unseres Gesprächs in das Buch aufnehmen?

DU *MUSST* GAR nichts. Denk daran: In *unserer* Beziehung hast du keine Verpflichtung, nur eine Gelegenheit. Und hast du auf diese nicht dein ganzes Leben lang gewartet? Hast du nicht dein Selbst von *frühester Jugend an* dieser Aufgabe gewidmet und dich gebührend darauf vorbereitet?

Doch.

DANN TU NICHT das, wozu du dich verpflichtet fühlst, sondern das, wozu du Gelegenheit hast.
Und warum solltest du nicht all das in unser Buch aufnehmen? Glaubst du, ich möchte, daß du ein geheimer Bote bist?

Nein, ich denke nicht.

Es braucht grossen Mut, um sich selbst öffentlich als einen Mann Gottes zu bezeichnen. Dir ist doch klar, daß die Welt dich mit sehr viel größerer Bereitschaft als nahezu alles andere akzeptieren wird – nur nicht als einen Mann Gottes? Als tatsächlichen *Boten*? Meine Boten wurden sämtlich verunglimpft. Statt Ruhm und Ehre zu erlangen, mußten sie schmachvolle Erniedrigungen und Herzenspein erdulden.

Bist du dazu bereit? *Schmerzt* dein Herz danach, die Wahrheit über mich zu erzählen? Bist du willens, dich dem Spott deiner Mitmenschen auszusetzen und ihn auszuhalten? Bist du darauf vorbereitet, den Ruhm und Glanz der Erde *auf*zugeben um des größeren Glanzes der so voll und ganz verwirklichten Seele willen?

Was du da von mir verlangst, Gott, hört sich ganz schön hart an.

Willst du, dass ich dich hinters Licht führe?

Na ja, du könntest es wenigstens ein bißchen lichter und heiterer formulieren.

He, ich bin ja durchaus für *Erleuchtung*! Warum beenden wir das Kapitel nicht mit einem Witz?

Gute Idee. Weißt du einen?

Nein, aber du. Erzähl den von dem kleinen Mädchen, das ein Bild malt …

Oh, dieser. Nun, da kam eines Tages eine Mami in die Küche und sah ihre kleine Tochter von Buntstiften umgeben am Tisch sitzen, zutiefst mit dem Malen eines Bildes beschäftigt.

»Was malst du denn da Schönes?« fragte die Mami.

»Das ist ein Bild von Gott«, antwortete das hübsche kleine Mädchen mit leuchtenden Augen.

»Ach, Schätzchen, das ist ja so lieb«, sagte Mami und versuchte hilfreich zu sein. »Aber du mußt wissen, daß kein Mensch eine wirkliche Vorstellung davon hat, wie Gott aussieht.«

»Na«, erwiderte ihre Tochter, »dann warte mal, bis ich es beendet habe …«

DAS IST EIN netter kleiner Witz. Weißt du, was das Schönste daran ist? Das kleine Mädchen *hatte nicht den geringsten Zweifel, wußte genau*, wie es mich zu malen hatte!

Ja.

NUN ERZÄHLE ICH dir eine Geschichte, und damit können wir dann das Kapitel beenden.

Gut.

DA WAR EINMAL ein Mann, der plötzlich feststellte, daß er jede Woche Stunden damit verbrachte, ein Buch zu schreiben. Tag um Tag sauste er zu Notizblock und Stift – manchmal mitten in der Nacht –, um jede neue Inspiration sofort zu notieren.

Schließlich fragte ihn ein Freund, was er da eigentlich mache.

»Oh«, antwortete er, »ich schreibe ein sehr langes Gespräch nieder, das ich mit Gott führe.«

»Schön und gut«, entgegnete sein Freund nachsichtig, »aber schau, niemand weiß wirklich mit Sicherheit, was Gott sagen würde.«

»Na«, sagte der Mann grinsend, »dann warte mal, bis *ich damit fertig bin.*«

9

Du DENKST VIELLEICHT, daß dieses »Sei-wer-du-wirklich-bist« eine einfache Sache ist, doch handelt es sich dabei um die größte Herausforderung, der du dich je in deinem Leben stellst. Tatsächlich kann es sein, daß du nie dahin gelangst. Nur wenige Menschen kommen dahin – weder innerhalb eines Lebens noch in vielen Leben.

Warum es also überhaupt versuchen? Warum sich überhaupt auf diesen Kampf einlassen? Wer braucht das schon? Warum nicht das Leben als das spielen, was es augenscheinlich ohnehin ist – eine einfache Übung in Bedeutungslosigkeit, die nirgendwo im besonderen hinführt; ein Spiel, das du gar nicht verlieren kannst, egal, wie du es spielst; ein Prozeß, der letztlich für jeden zum gleichen Ergebnis führt? Du sagst, es gibt keine Hölle, keine Bestrafung, keine Möglichkeit zu verlieren, warum sich also mit dem Versuch abgeben, zu gewinnen? Worin besteht der Ansporn angesichts der Tatsache, daß es deinen Worten zufolge so schwierig ist, dahin zu gelangen, wohin zu kommen wir bestrebt sind? Warum uns nicht eine nette Zeit machen und dieses ganze Gotteszeugs und »Sei-was-du-wirklich-bist« locker nehmen?

HEUTE SIND WIR aber frustriert, was …

Na ja, ich bin es leid, es immer und immer wieder zu versuchen, nur um mir von dir anzuhören, wie schwer das alles ist und daß es überhaupt nur einer unter Millionen schafft.

JA, ICH VERSTEHE, daß du es leid bist. Laß mich sehen, ob ich helfen kann. Zunächst möchte ich dich darauf hinweisen, daß du dir bereits deine »nette Zeit« gemacht hast. Glaubst du, daß das hier der erste Versuch ist, den du unternimmst?

Ich habe keine Ahnung.

KOMMT ES DIR nicht so vor, als wärest du schon früher hier gewesen?

Manchmal.

NUN, DU WARST es. Viele Male.

Wie viele Male?

VIELE MALE.

Soll mich das etwa ermutigen?

ES SOLL DICH inspirieren.

Wie das?

ERSTENS NIMMT ES dir die Sorge. Es beinhaltet das von dir angesprochene Element des »letztlichen Nichtscheiterns«. Es gibt dir die Versicherung einer in bezug auf dich existierenden Absicht, daß du *nicht* scheiterst. Daß du *so viele Chancen erhältst, wie du brauchst und möchtest*. Du kannst immer und immer wieder zurückkommen. Wenn du zum nächsten Schritt gelangst, wenn du dich zur nächsten Ebene weiterentwickelst, dann, weil du es *willst*, nicht, weil du *mußt*.

Du *mußt* nicht irgend etwas tun? Wenn du das Leben auf dieser Ebene genießt, wenn du das Gefühl hast, daß dies das Allerhöchste für dich ist, kannst du diese Erfahrung stets von neuem machen! Tatsache ist, daß du sie immer und immer wieder gemacht *hast* – aus ebendiesem Grund! Du *liebst* das Drama, den Schmerz. Du liebst das »Nichtwissen«, das Geheimnis, die Spannung – all dies! Deshalb bist du *hier!*

Machst du Witze?

Würde ich über so etwas Witze machen?

Ich bin mir nicht sicher. Ich weiß nicht, worüber Gott Witze macht.

Nicht darüber. Das ist zu nahe an der Wahrheit; zu nahe an der letztlichen und höchsten Erkenntnis. Ich mache nie Witze über das »wie es ist«. Zu viele Menschen haben in dieser Sache mit deinem Verstand gespielt. Ich bin nicht hier, um dich noch mehr zu verwirren, sondern um dir zu helfen, die Dinge zu klären.

Also kläre sie. Du sagst, ich bin hier, weil ich es so *will?*

Natürlich. Ja.

Und ich habe das *gewählt*?

Ja.

Und ich habe diese Wahl viele Male getroffen?

Richtig.

Wie viele Male?

Nicht schon wieder. Willst du eine genaue Zahl?

Nur eine ungefähre Angabe. Ich meine, sprechen wir hier von einer Handvoll oder von Dutzenden von Leben?

Hunderten.

Hunderten? Ich habe *Hunderte* von Leben gelebt?

Ja.

Und dies ist so weit, wie ich gekommen bin?

Das ist eigentlich eine ganz schöne Strecke.

Ach, tatsächlich?

Absolut. In vergangenen Leben hast du ja sogar Menschen getötet.

Was ist falsch daran? Du hast selbst gesagt, daß der Krieg manchmal notwendig ist, um dem Bösen ein Ende zu setzen.

Darauf müssen wir ausführlicher eingehen, denn ich stelle fest, daß diese Aussage – so wie auch du sie jetzt machst – dazu benutzt und mißbraucht wird, allen möglichen Argumenten Vorschub zu leisten oder jeglichem Wahnsinn ein rationales Mäntelchen umzuhängen.

Nach den höchsten Prinzipien, die meiner Beobachtung zufolge von Menschen erdacht wurden, kann das Töten als Ausdrucksmittel der Wut, der Feindseligkeit, als »Wiedergutmachung eines Unrechts« oder Bestrafung eines Verbrechers niemals gerechtfertigt werden. Die Aussage, daß der Krieg manchmal notwendig ist, um dem Bösen oder dem Unheil ein Ende zu setzen, ist richtig – denn ihr habt sie Realität werden lassen. Ihr habt bei der Erschaffung des Selbst bestimmt, daß die Achtung allen menschlichen Lebens ein hoher und vorrangiger Wert ist und sein muß. Ich freue mich über eure Entscheidung, denn das Leben wurde von mir nicht erschaffen, damit es vernichtet wird.

Ihr habt nach einem höchsten moralischen Gesetz das Recht – demnach geradezu die Verpflichtung –, der Aggression gegenüber einer anderen oder eurer eigenen Person Einhalt zu gebieten.

Das heißt nicht, daß das Töten als Mittel der Bestrafung oder Vergeltung oder zur Beilegung kleinlicher Differenzen angemessen ist.

Du hast in früheren Leben wegen der Zuneigung zu einer Frau Duelle ausgefochten und getötet, dies *zum Schutz dei-*

ner Ehre, wie du es nanntest, wo du doch genau dadurch die Ehre *verloren* hast. Es ist absurd, tödliche Gewalt als Mittel zur *Beilegung eines Streits* anzuwenden. Viele Menschen bedienen sich noch immer jeden Tag der – tödlichen – Gewalt, um irgendwelche lächerlichen Streitigkeiten auszutragen.

Und als Gipfel der Heuchelei bringen Menschen mitunter andere Menschen sogar *im Namen Gottes* um – und das ist die schlimmste Blasphemie, denn solches Morden zeugt nicht von dem, wer-ihr-seid.

Demnach *ist* also doch etwas falsch am Töten?

WIEDERHOLEN WIR NOCH einmal: Es gibt nichts »Falsches« an *irgend etwas.* »Falsch« ist ein relativer Begriff, der das Gegenteil von dem bezeichnet, was ihr »richtig« nennt.

Doch was ist »richtig«? Könnt ihr diesbezüglich wahrhaft objektiv sein? Oder sind »richtig« und »falsch« lediglich Beschreibungen, die ihr Ereignissen und Umständen überstülpt, je nachdem, wie es euch gerade paßt?

Und was, erkläre mir doch bitte, bildet die *Grundlage* für eure Entscheidung? Eure eigene *Erfahrung?* Nein. In den meisten Fällen trefft ihr die Wahl, die Entscheidung eines *anderen* zu akzeptieren. Die Entscheidung dessen, der schon vor euch da war und es anzunehmenderweise besser weiß. Sehr wenige eurer täglichen Entscheidungen über das, was »richtig« und was »falsch« ist, werden von *euch selbst* auf der Grundlage *eures* Verständnisses getroffen.

Das gilt vor allem für wichtige Angelegenheiten. Tatsächlich läßt sich sagen, daß ihr, je wichtiger die Angelegen-

heit, desto weniger wahrscheinlich auf eure eigene Erfahrung hört und folglich desto bereiter seid, euch fremdes Gedankengut anzueignen.

Das erklärt, warum ihr praktisch die gesamte Kontrolle über bestimmte Lebensbereiche und bestimmte Fragen, die sich im Kontext der menschlichen Erfahrung ergeben, abgegeben habt.

Diese Bereiche und Fragen schließen oft Themen ein, die für eure Seele überaus *wesentlich* sind: die Natur Gottes; das Wesen der wahren Moral; die Frage nach der letztlichen Wirklichkeit; die Themen von Leben und Tod im Zusammenhang mit Krieg, Medizin, Abtreibung, Euthanasie, der Gesamtsumme und Substanz der persönlichen Werte, Strukturen und Urteile. Das meiste davon habt ihr von euch weg- und anderen zugeschoben. Ihr wollt in diesen Dingen keine eigenen Entscheidungen treffen.

»Jemand anderer soll entscheiden! Ich richte mich danach!« ruft ihr. »Jemand anderer soll mir sagen, was richtig und was falsch ist!«

Deshalb sind übrigens eure Religionen so populär. Es spielt fast keine Rolle, um welches Glaubenssystem es sich handelt, solange es stark, konsequent, klar in den an seine Anhänger gestellten Erwartungen und rigide ist. Sind diese Merkmale vorhanden, so werdet ihr auch Menschen finden, die an fast alles glauben. Die seltsamsten Verhaltensweisen und merkwürdigsten Glaubensvorstellungen können auf Gott bezogen werden – und sie wurden es auch. Das sind die Wege Gottes, sagen sie. Das ist nun mal Gottes Wort.

Und es gibt die, welche das akzeptieren – *mit Freuden*. Weil es sie der Notwendigkeit des *Nachdenkens* enthebt.

Und nun laß uns über das Töten nachdenken. Kann es je einen gerechtfertigten Grund für das Töten von irgend etwas geben? Denk darüber nach. Du wirst feststellen, daß du keine äußere Autorität brauchst, die dir hier die Richtung weist, keine höhere Quelle, die dir die Antworten liefert. Wenn du dir darüber Gedanken machst, wenn du schaust, wie du in dieser Hinsicht fühlst, werden die Antworten für dich offensichtlich sein und wirst du dementsprechend handeln. Das nennt man Handeln aufgrund der eigenen Autorität, Handeln auf eigenen Befehl.

Richtest du dich nach der Autorität anderer und befolgst deren Befehle, so gerätst du in Schwierigkeiten. Sollten Staaten und Nationen sich des Mittels des Tötens bedienen, um ihre politischen Ziele zu erreichen? Sollten Religionen sich des Mittels des Tötens bedienen, um ihre theologischen Gebote durchzusetzen? Sollten Gesellschaften sich des Mittels des Tötens bedienen in Reaktion auf jene, die ihre Verhaltensregeln durchbrochen haben?

Stellt das Töten eine angemessene politische Lösung dar; ist es spirituell überzeugend, löst es gesellschaftliche Probleme?

Nun, könntest du töten, wenn jemand dich zu töten versucht? Würdest du töten, um das Leben eines geliebten Menschen zu verteidigen? Oder das einer Person, die du nicht einmal kennst?

Ist das Töten eine angemessene Verteidigungsmaßnahme gegen jene, die töten würden, wenn man sie nicht auf irgendeine andere Weise daran hinderte?

Besteht ein Unterschied zwischen Töten und Morden?

Der Staat möchte euch glauben machen, daß das Töten für

das Erreichen einer rein politischen Zielsetzung absolut vertretbar ist. Tatsächlich *muß* der Staat euch dies glauben machen, um als Machtinstitution existieren zu können.

Religionen möchten euch glauben machen, daß das Töten zum Zweck der Verbreitung, Bewahrung und des Festhaltens an ihren ureigensten Wahrheiten absolut gerechtfertigt ist. Tatsächlich *müssen* die Religionen euch dies glauben machen, um als Machtinstitutionen existieren zu können.

Die Gesellschaft möchte euch glauben machen, daß das Töten zum Zweck der Bestrafung jener, die gewisse Verbrechen begehen (um welche Verbrechen es sich handelt, ändert sich immer wieder im Lauf der Zeit), absolut gerechtfertigt ist. Tatsächlich *muß* die Gesellschaft euch dies glauben machen, um als Machtinstitution existieren zu können.

Glaubst du, daß diese Standpunkte korrekt sind? Hast du hier die Aussagen anderer übernommen? Was hat dein Selbst dazu zu sagen?

In diesen Dingen gibt es kein »richtig« oder »falsch«.

Doch mit deinen Entscheidungen malst du ein Porträt von dem, der-du-bist.

Und mittels ihrer Entscheidungen haben eure Staaten und Nationen bereits solche Bilder gemalt.

Durch ihre Entscheidungen haben eure Religionen dauerhafte, unauslöschliche Eindrücke geschaffen, wie auch eure Gesellschaften Porträts ihres Selbst geschaffen haben.

Gefallen euch diese Bilder? Sind das die Eindrücke, die ihr hinterlassen wollt? Stellen diese Porträts dar, wer-ihr-seid? Vorsicht mit diesen Fragen. Sie könnten es erforderlich machen, daß ihr nachdenkt.

Denken ist eine harte Sache. Werturteile fällen ist schwierig. Es bringt euch an den Ort der reinen Schöpfung, weil ihr so viele Male sagen werden müßt: »Ich *weiß* nicht. Ich *weiß* einfach nicht.« Und trotzdem müßt ihr entscheiden, müßt ihr eine *Wahl treffen* – eigenmächtig.

Eine solche Wahl – eine Entscheidung, die aus *keinem vorherigen persönlichen Wissen* entsteht – wird *reine Schöpfung* genannt. Und das Individuum ist sich bewußt, zutiefst bewußt, daß durch das Fällen derartiger Entscheidungen das *Selbst* erschaffen wird.

Die meisten von euch sind nicht an einer solch wichtigen Arbeit interessiert und würden das lieber anderen überlassen. Und folglich sind sie auch nicht sich selbst erschaffende Geschöpfe, sondern Geschöpfe der Gewohnheit – fremderschaffene Geschöpfe.

Wenn dann andere euch gesagt haben, was ihr fühlen sollt, und dies dem direkt zuwiderläuft, was ihr *wirklich* fühlt, geratet ihr in einen tiefen inneren Konflikt. Irgend etwas tief in eurem Innern sagt euch, daß das, was euch andere erzählt haben, *nicht* ist, wer-ihr-seid. Wohin sollt ihr euch also wenden? Was ist zu tun?

Als erstes geht ihr zu euren religiösen Eiferern – jenen Leuten, die euch überhaupt dahin gebracht haben. Ihr wendet euch an eure Priester, Rabbis, Pfarrer und Lehrer, und die sagen euch, daß ihr *aufhören sollt*, auf euer Selbst zu hören. Die schlimmsten von ihnen werden den Versuch unternehmen, euch mit Hilfe der *Angst* zur Umkehr zu zwingen; euch *Angst einzujagen und von dem wegzuscheuchen*, was ihr intuitiv wißt.

Sie werden euch vom Teufel erzählen, vom Satan, von Dämonen und bösen Geistern, von der Hölle und Verdammnis und von allen Schrecknissen und Torturen, die *ihnen* einfallen, um *euch* zur Einsicht zu veranlassen, daß das, was ihr intuitiv fühlt und wißt, »*falsch*« ist; und daß der einzige Ort, an dem ihr irgendwelchen Trost finden könnt, der *ihres* Gedankengebäudes ist, *ihrer* Ideen, *ihrer* Theologie, *ihrer* Definitionen von richtig und falsch sowie *ihrer* Konzeption von dem, was-du-bist.

Das Verführerische dabei ist, daß ihr, um sofortige Billigung zu erlangen, lediglich *zuzustimmen* braucht. Stimmt zu und euch wird sofortige Zustimmung zuteil. Manche werden sogar singen, schreien und tanzen, mit ihren Armen fuchteln und Halleluja-Gesänge anstimmen!

Dem ist schwer zu widerstehen. Einer solchen Zustimmung, einem solchen Jubel darüber, daß ihr das Licht gesehen habt; daß ihr *errettet* wurdet!

Zustimmung und Beifallsbekundungen dieser Art sind selten die Begleiter innerer Entscheidungen. Feiern umrahmen in den wenigsten Fällen den Entschluß, der persönlichen Wahrheit zu folgen. In Wirklichkeit ist meist das Gegenteil der Fall. Eure Wahl wird nicht nur nicht von anderen gefeiert, sie werden euch zudem der Lächerlichkeit preisgeben. Was? Du denkst *selbst* nach? Du entscheidest *selbst*? Du wendest deine eigenen Maßstäbe an, deine eigene Urteilskraft, deine eigenen Werte? *Wer glaubst du eigentlich zu sein?*

Und *das ist* in der Tat *genau die Frage, die ihr beantwortet.*

Aber die Arbeit muß in großer Einsamkeit getan werden. Weitgehend ohne Belohnung, ohne Billigung und Zustimmung, vielleicht sogar, ohne überhaupt bemerkt zu werden.

Folglich hast du eine absolut berechtigte Frage gestellt. Warum weitermachen? Warum sich überhaupt auf einen solchen Weg begeben? Was kann bei einer solchen Reise herausspringen? Wo *ist* der Anreiz? Was *ist* der Grund? Der Grund ist lächerlich einfach.

ES GIBT NICHTS ANDERES ZU TUN.

Was meinst du damit?

ICH MEINE DAMIT, daß es das einzige Spiel ist, das es gibt. Etwas anderes verbleibt nicht zu tun. Tatsächlich gibt es nichts anderes, was ihr tun *könnt*. Ihr tut, was ihr tut, für den Rest eures Lebens – so wie ihr es von Geburt an getan habt. Die einzige Frage ist die, ob ihr es bewußt oder unbewußt tut.

Schau, ihr könnt bei dieser Reise nicht *aussteigen*. Ihr habt euch darauf eingelassen, bevor ihr geboren wurdet. Eure Geburt war lediglich ein Zeichen dafür, daß die Reise begonnen hat.

Also stellt sich nicht die Frage: Warum sich überhaupt auf diesen Weg begeben? Ihr *seid schon* auf diesem Weg – vom ersten Herzschlag an. Die Frage ist: Will ich diesen Weg bewußt oder unbewußt gehen? In Gewahrsein oder Nicht-Gewahrsein? Als Ursache meiner Erfahrung oder als ihre Auswirkung?

Den größten Teil deines Lebens hast du als eine und in der Auswirkung deines Lebens gelebt. Nun bist du eingeladen, deren Ursache zu sein. Das ist es, was man bewußtes Leben nennt. Das *Seiende im Gewahrsein, das Sich-Bewegen in Achtsamkeit.*

Nun haben viele von euch, wie ich schon sagte, eine ganz schöne Wegstrecke zurückgelegt und beachtliche Fortschritte dabei gemacht. Ihr sollt also nicht das Gefühl haben, daß ihr nach all diesen Leben noch nicht besonders weit gekommen seid. Manche von euch sind höchst entwickelte Geschöpfe mit einem sehr sicheren Gefühl für das Selbst. Ihr wißt, wer-ihr-seid, und ebenfalls, was ihr werden wollt. Und ihr kennt auch den Weg, den ihr einschlagen müßt, um von hier nach dort zu gelangen.

Das ist ein großartiges Zeichen – ein sicherer Hinweis.

Worauf?

Auf die Tatsache, daß euch ab jetzt nur noch sehr wenige Leben verbleiben.

Ist das gut?

Jetzt ist es das – für euch. Und zwar deshalb, weil ihr *sagt*, daß es so ist. Noch bis vor kurzem wolltet ihr nichts weiter als hierbleiben. Nun wollt ihr nichts weiter als weg von hier. Das ist ein sehr gutes Zeichen.

Noch bis vor kurzem habt ihr getötet – Käfer, Pflanzen, Bäume, Tiere, *Menschen* –, nun könnt ihr nichts töten, ohne genau zu wissen, was ihr tut und warum. Das ist ein sehr gutes Zeichen.

Noch bis vor kurzem habt ihr das Leben so gelebt, als hätte es weder Sinn noch Zweck. Nun *wißt* ihr, daß es keinen

Sinn und Zweck hat außer dem, *den ihr ihm gebt*. Das *ist* ein sehr gutes Zeichen.

Noch bis vor kurzem habt ihr das Universum angefleht, euch die Wahrheit zu übermitteln. Nun *sagt ihr* dem Universum *eure* Wahrheit. Und das ist ein *sehr* gutes Zeichen.

Noch bis vor kurzem habt ihr danach gestrebt, reich und berühmt zu sein. Nun trachtet ihr danach, ganz einfach und – wie wunderbar – euer *Selbst* zu sein.

Und es ist noch gar nicht so lange her, daß ihr mich *gefürchtet* habt. Jetzt *liebt* ihr mich in dem Maße, um mich als euch gleichgestellt anzusehen.

Das alles sind äußerst gute Zeichen.

Bei Gott! ... Du gibst mir ein gutes Gefühl.

Du SOLLTEST DICH gut fühlen. Jeder Mensch, der in einem Satz »bei Gott« verwendet, kann nicht ganz schlecht sein.

Du *hast* Sinn für Humor, oder ...?

ICH HABE DEN Humor *erfunden!*

Ja, das hast du schon mal betont. Nun gut, der Grund fürs Weitermachen ist der, daß es nichts anderes zu tun gibt. Und das ist das, was hier passiert.

GENAU.

Darf ich dich fragen, ob die Sache dann wenigstens etwas leichter wird?

Oʜ, ᴍᴇɪɴ ʟɪᴇʙᴇʀ Freund – ich kann dir gar nicht sagen, wie
sehr viel leichter es *jetzt* für dich ist, als es noch vor drei
Leben war.

Ja – es wird leichter. Je mehr du dich erinnerst, desto mehr
bist du imstande zu erfahren, desto mehr weißt du – sozusagen. Und je mehr du weißt, an desto mehr erinnerst du
dich. Das ist ein Kreislauf. Ja, es wird leichter, es wird besser, es wird sogar von mehr Freude begleitet.

Aber denk daran: *Nichts* davon war langweilig. Ich meine,
du hast *alles* geliebt! Jede Minute davon! Oh, es ist ent-
zückend – dieses Ding, das Leben genannt wird! Es ist eine
fabelhafte Erfahrung, oder etwa nicht?

Na ja, ich nehme an, daß es so ist.

Dᴜ ɴɪᴍᴍsᴛ ᴀɴ? Um wieviel fabelhafter könnte ich es denn
noch gemacht haben? Ist euch nicht gestattet, *alles* zu erfahren? Die Tränen, die Freude, den Schmerz, das Glück,
den Überschwang, die massive Depression, den Gewinn,
den Verlust, das Schicksal? Was *gibt* es noch mehr?

Vielleicht ein bißchen weniger Schmerz.

Wᴇɴɪɢᴇʀ Sᴄʜᴍᴇʀᴢ ᴏʜɴᴇ mehr Weisheit vereitelt euer Ziel;
erlaubt euch nicht, unendliche Freude zu erfahren – die das
ist, Was-Ich-Bin.

Habt Geduld. Ihr gewinnt an Weisheit. Und eure Freuden
sind euch nun zunehmend mehr ohne Schmerz zugänglich.
Auch das ist ein sehr gutes Zeichen.

Ihr lernt (erinnert euch), ohne Schmerz zu lieben; loszulassen ohne Schmerz; sogar ohne Schmerz zu weinen. Ja, ihr seid sogar schon fähig, *euren Schmerz* schmerzfrei zu erdulden, wenn du verstehst, was ich meine.

Ich glaube, ich hab's begriffen. Ich genieße selbst die Dramen meines eigenen Lebens mehr. Ich kann nun einen Schritt zurücktreten und sie als das erkennen, was sie sind. Kann sogar lachen.

Genau. Und nennst du das nicht Wachstum?

Ich denke, doch.

Also wachse weiter, mein Sohn. Arbeite weiter an deinem Werden. Und entscheide weiter, was du in der nächsthöheren Version deines Selbst werden willst. Arbeite beständig darauf hin. Laß dich durch nichts davon abbringen! Wir sind darauf aus, Gottes Arbeit zu tun, du und ich! Also, mach weiter!

10

Ich liebe dich, weißt du das?

ICH WEISS. UND ich liebe dich.

11

Ich würde gerne auf meine Fragenliste zurückkommen. Und ich möchte auf alle diese Fragen noch sehr viel detaillierter eingehen. Wir könnten allein schon dem Thema Beziehung ein ganzes Buch widmen. Doch dann müßte ich auf meine anderen Fragen ein für allemal verzichten.

ES WIRD ANDERE Zeiten, andere Orte geben – sogar andere Bücher. Ich bin bei dir. Laß uns fortfahren. Wir kommen auch hier noch einmal darauf zurück, wenn wir Zeit haben.

Gut. Also, meine nächste Frage war: Warum scheine ich in meinem Leben nie über ausreichend Geld verfügen zu können? Ist es mein Schicksal, für den Rest meines Lebens knapsen und die Pfennige zusammenkratzen zu müssen? Was hindert mich daran, in dieser Hinsicht mein ganzes Potential zu verwirklichen?

DIESER ZUSTAND MANIFESTIERT sich nicht nur durch dich, sondern durch sehr viele Menschen.

Jedermann sagt mir, es sei ein Problem des Selbstwertgefühls, ein Mangel an Selbstwertgefühl. Ich hatte ein Dutzend New-Age-Lehrer, die mir erklärten, daß sich jegliche Form von Mangel immer auf ein mangelndes Selbstwertgefühl zurückführen läßt.

DAS IST EINE sehr bequeme Vereinfachung der Dinge. In diesem Fall irren sich deine Lehrer. Du leidest nicht an mangelndem Selbstwertgefühl. In Wirklichkeit bestand die größte Herausforderung deines Lebens stets darin, dein Ego unter Kontrolle zu halten. Manche haben auch gesagt, es sei ein Fall von *zuviel* Selbstwertgefühl.

Da stehe ich nun wieder, beschämt und zerknirscht. Aber du hast recht.

JEDESMAL, WENN ICH dir die Wahrheit über dich sage, antwortest du, daß du beschämt und zerknirscht bist. *Beschämung ist die Reaktion einer Person, die immer noch hinsichtlich ihres Status aus dem Blickwinkel anderer in ihr Ego investiert.* Lade dich dazu ein, darüber hinauszugelangen. Versuch es mit einer neuen Reaktion. Versuch es mit Lachen.

In Ordnung.

SELBSTWERTGEFÜHL IST NICHT dein Problem. Du bist mit einer Menge davon gesegnet. Das gilt für die meisten Menschen. Ihr habt alle eine sehr hohe Meinung von euch, was euch auch rechtens zustehen soll. Das Selbstwertgefühl ist also für die große Masse der Menschen nicht das Problem.

Was dann?

DAS PROBLEM IST ein mangelndes Verständnis von den Prinzipien der Fülle, meist in Verbindung mit einem krassen

Fehlurteil über das, was »gut« und »böse« oder »schlecht«
ist. Laß mich dir ein Beispiel geben.

Ich bitte dich darum.

DU SCHLEPPST DEN Gedanken mit dir herum, daß Geld etwas Schlechtes ist. Und du trägst auch den Gedanken in
dir, daß Gott gut ist. Sei gesegnet! Von daher sind innerhalb
deines gedanklichen Systems Gott und Geld nicht miteinander vereinbar.

Nun, ich nehme an, in gewisser Hinsicht stimmt das. *So*
denke ich jedenfalls.

DAS MACHT DIE Dinge interessant, weil du es dir auf diese
Weise erschwerst, für irgend etwas Gutes Geld zu nehmen.
Ich meine, wenn du etwas als sehr »gut« beurteilst, erach-
test du es hinsichtlich des Geldes als etwas *Geringeres*. Das
heißt, je »besser« (sich im Wert steigernd) etwas ist, desto
weniger *Geld* ist es wert.
Das geht nicht nur dir so. Eure ganze Gesellschaft glaubt
das. So verdienen eure Lehrer einen Hungerlohn und eure
Stripteasetänzerinnen sich goldene Nasen. Eure kommuna-
len Führer verdienen im Vergleich zu euren Sporthelden so
wenig, daß sie das Gefühl haben, sich noch anderweitig bedienen zu müssen. Eure Priester und Rabbis leben nicht
selten am Existenzminimum, während ihr euren TV-Enter-
tainern das Geld *hinterherwerft*.
Denk darüber nach. Ihr beharrt darauf, daß euch alles, dem
ihr einen *inhärenten* hohen Wert zumeßt, billig zukom-

men muß. Der einsame Wissenschaftler, der nach einer Heilungsmethode für Aids forscht, sucht verzweifelt nach Sponsoren, während die Frau, die ein Buch über hundert neue Sexualpraktiken schreibt und dazu Tonbandkassetten produziert und Wochenendseminare abhält, ein Vermögen scheffelt.

Ihr habt diese Neigung, alles verkehrt herum zu betrachten, und diese wiederum entspringt einem falschen Gedanken. Der falsche Gedanke betrifft eure Vorstellung vom Geld. Ihr liebt es, und doch behauptet ihr, es sei die Wurzel allen Übels. Ihr betet es an, und doch sprecht ihr vom »schmutzigen Profit«. Ihr sagt, daß eine Person »stinkreich« ist. Und wenn besagte Person tatsächlich dadurch vermögend geworden ist, daß sie »gute« Dinge tut, werdet ihr sofort mißtrauisch. Ihr vermutet sogleich etwas »Unrechtes« dahinter.

Ein Arzt sollte also lieber nicht *zuviel* Geld verdienen oder aber lernen, die Sache für sich zu behalten. Und erst eine *Geistliche*! Die sollte nun *wirklich* besser nicht ein Spitzeneinkommen haben (vorausgesetzt, ihr laßt überhaupt eine »Sie« Geistliche werden), sonst gerät sie mit Sicherheit in Schwierigkeiten.

Siehst du, in *eurer* geistigen Vorstellung *sollte eine Person, welche die höchste Berufung erwählt, den niedrigsten Lohn erhalten* …

Hmm.

JA, »HMM« IST richtig. Ihr *solltet* darüber nachdenken. Denn es ist wirklich ein sehr falscher Gedanke.

Ich dachte, so etwas wie »falsch« oder »richtig« gibt es nicht.

Gibt es auch nicht. Es gibt nur das, was euch dient und was euch nicht dient. »Richtig« und »falsch« sind relative Begriffe, und in diesem Sinn benutze ich sie, falls überhaupt. In diesem Fall sind deine Gedanken über das Geld in Relation zu dem, was dir dient – in Relation zu dem, was *du deiner Aussage nach haben willst* –, falsche Gedanken.

Denk daran: Gedanken sind schöpferisch. Wenn du also glaubst, daß Geld etwas Schlechtes ist, du dich selbst aber für gut hältst ... na, du wirst schon sehen, welch ein Konflikt sich daraus ergibt.

Besonders du, mein Sohn, agierst das diesbezügliche kollektive Bewußtsein in großem Stil aus. Für die meisten Menschen stellt dies keinen auch nur annähernd so enormen Konflikt dar wie für dich. Sie üben ungeliebte Tätigkeiten aus, um ihren Lebensunterhalt zu verdienen, und so macht es ihnen auch nichts aus, Geld dafür zu nehmen. »Schlechtes« für »Schlechtes« sozusagen. Aber du liebst das, was du mit den Tagen und Zeiten deines Lebens anfängst. Du liebst die Aktivitäten, mit denen du sie vollstopfst.

Wenn du große Geldsummen für das erhieltest, was du tust, so hieße das nach deinem Selbstverständnis, »Schlechtes« für »Gutes« nehmen, und das ist für dich inakzeptabel. Du würdest lieber Hunger leiden, als »schmutzigen Profit« aus »sauberer Dienstleistung« zu schlagen ... so als würde die Dienstleistung irgendwie ihre Lauterkeit verlieren, wenn du Geld dafür nimmst.

Wir haben es hier also konkret mit einer Ambivalenz hinsichtlich des Geldes zu tun. Ein Teil von dir lehnt es ab, und ein Teil grollt, weil du es nicht hast. Das Universum weiß nun nicht, was es mit dem Widerspruch anfangen soll, weil es zwei verschiedene Gedanken von dir empfängt. Also geht es in deinem Leben in finanziellen Dingen immer ruckweise zu, weil du diesbezüglich ruckweise agierst.

Dir mangelt es an einer klaren Strategie; du bist dir nicht wirklich sicher, was für dich richtig ist. Und das Universum ist lediglich eine große Kopiermaschine. Es vervielfältigt deine Gedanken.

Da gibt es nur einen Weg, um aus dem Dilemma herauszukommen: Du mußt deine diesbezüglichen *Gedanken* ändern.

Wie kann ich denn ändern, wie ich *denke*? So wie ich über etwas denke, so denke ich eben darüber. Meine Gedanken, meine Ansichten, meine Ideen sind doch nicht das Resultat eines einminütigen Prozesses. Ich darf doch annehmen, daß sie das Resultat von Jahren der Erfahrung, eines ganzen Lebens der Begegnungen sind. Du hast recht, was meine Denkweise über das Geld angeht, doch wie kann ich sie ändern?

Das könnte die interessanteste Frage des ganzen Buches sein. Die meisten Menschen bedienen sich beim Erschaffungsprozeß gewöhnlich einer Methode, die drei Schritte beinhaltet: nämlich Gedanke, Wort und Tat oder Handlung.

Zuerst entwickelt sich der Gedanke, die formgebende Idee, das anfängliche Konzept. Ihm folgt das Wort. Die meisten Gedanken formen sich letztlich zu Worten, die dann oft ausgesprochen oder aufgeschrieben werden. Das verleiht dem Gedanken zusätzliche Energie, stößt ihn hinaus in die Welt, wo er von anderen wahrgenommen werden kann.

Schließlich werden in manchen Fällen die Worte in Taten umgesetzt, und ihr gelangt zu dem, was ihr ein Resultat nennt; eine Manifestation in der physischen Welt von all dem, was mit einem Gedanken begann.

Alles in der von euch Menschen geschaffenen Welt gelangte auf diese Weise zum Sein – oder zu einer Variation davon. Alle drei Schöpfungszentren wurden genutzt.

Aber nun stellt sich die Frage: wie den »urheberischen Gedanken« ändern?

Ja, das ist eine sehr gute Frage, und eine sehr wichtige noch dazu. Denn wenn die Menschen nicht einige ihrer urheberischen Gedanken umwandeln, könnte sich die Menschheit zum Untergang verdammen.

Der schnellste Weg, einen Grundgedanken oder eine urheberische Idee zu verändern, ist der, *daß der Prozeß Gedanke-Wort-Tat umgekehrt wird.*

Erkläre das bitte.

VOLLFÜHRE ZUERST DIE Tat, die der neue Gedanke deinem Willen nach beinhalten soll. Sprich dann die Worte, die der neue Gedanke deinem Willen nach beinhalten soll. Wiederhole dies so oft wie möglich, und du trainierst deinen Geist, *auf eine neue Weise zu denken.*

Den Geist trainieren? Entspricht das nicht der Mind-Control-Methode? Ist das nicht lediglich mentale Manipulation?

Hast du irgendeine Ahnung, wie dein Geist zu den Gedanken kam, die er *jetzt* hat? Weißt du nicht, daß eure Welt deinen Geist so manipuliert hat, daß er so denkt, wie er denkt? *Wäre es nicht besser, wenn du deinen Geist manipuliertest, statt dies der Welt zu überlassen?*
Stündest du nicht besser da, wenn du die Gedanken denkst, die du denken willst, statt die der anderen? Bist du nicht besser ausgerüstet, wenn du kreative statt reaktive Gedanken hast?
Doch euer Geist ist voll mit reaktivem Denken – Gedanken, die der Erfahrung anderer entspringen. Sehr wenige eurer Gedanken sind das Ergebnis selbstproduzierter Daten und Informationen, von selbstproduzierten Vorlieben ganz zu schweigen.
Dein persönlicher Grundgedanke über das Geld ist ein vorrangiges Beispiel dafür. Deine Vorstellung von Geld (Geld ist schlecht) läuft deiner Erfahrung direkt zuwider (es ist großartig, Geld zu haben!). Also läßt du dich treiben und mußt dich hinsichtlich deiner eigenen Erfahrung belügen, um deinen Grundgedanken rechtfertigen zu können.
Du bist dieser fixen Idee so *ausgeliefert*, daß du nie auf den Gedanken kommst, daß deine *Vorstellung* vom Geld *unkorrekt sein könnte*.
Deshalb ist es nun unser Bestreben, mit ein paar selbstproduzierten Informationen aufzuwarten. Und *so* verändern wir einen Grundgedanken und bringen ihn dazu, *dein*

Grundgedanke zu sein und nicht der eines anderen. Du wirst übrigens von einem weiteren Gedanken hinsichtlich des Geldes beherrscht, den ich noch erwähnen muß.

Und der ist?

DASS NICHT GENUG vorhanden ist. In Wirklichkeit bezieht sich dieser Grundgedanke nahezu auf alles in deinem Leben: Es gibt nicht genug Geld, nicht genug Zeit, nicht genug Liebe, nicht genug Essen, Wasser, Mitgefühl in der Welt ... Was immer an Gutem vorhanden ist, es gibt einfach *nicht genug* davon.
Dieses kollektive Bewußtsein vom »Nicht-genug-vorhanden-Sein« erschafft und wiedererschafft die Welt, wie ihr sie seht.

Gut, ich habe also zwei Grundgedanken – urheberische Gedanken – in bezug aufs Geld, die ich verändern muß.

OH, MINDESTENS ZWEI – wahrscheinlich sehr viel mehr. Laß uns mal sehen: Geld ist schlecht ... Geld ist knapp ... Man sollte kein Geld dafür erhalten, daß man Gottes Werke tut (bei dir ein sehr ausgeprägter Gedanke) ... Geld ist niemals umsonst erhältlich ... Geld wächst nicht auf Bäumen (wo es das doch tatsächlich tut) ... Geld korrumpiert ...

Ich sehe schon, ich habe eine Menge Arbeit zu leisten.

JA, DAS HAST du, wenn du mit deiner gegenwärtigen finanziellen Situation nicht glücklich bist. Andererseits ist es

wichtig für dich zu begreifen, daß du mit deiner gegenwärtigen finanziellen Situation nicht glücklich bist, *weil* du
mit deiner gegenwärtigen finanziellen Situation nicht
glücklich bist.

Manchmal fällt es mir schwer, dir zu folgen.

Mᴀɴᴄʜᴍᴀʟ ꜰᴀ̈ʟʟᴛ ᴇꜱ mir schwer, dich zu führen.

Hör mal, du bist hier der Gott. Warum machst du es nicht
leicht verständlich?

Iᴄʜ *ʜᴀʙᴇ* ᴇꜱ leicht verständlich gemacht.

Warum *bringst* du mich dann nicht dazu, daß ich es verstehe, falls du das wirklich willst?

Iᴄʜ ᴡɪʟʟ ᴡɪʀᴋʟɪᴄʜ, was du wirklich willst – nichts anderes
und nicht mehr. Siehst du denn nicht, daß das mein größtes
Geschenk für euch ist? Wenn ich für euch etwas anderes
wollte, als ihr für euch wollt, und dann so weit ginge, *euch
dazu zu bringen, daß ihr es habt* – wo bliebe dann euer
freier Wille? Wie könntet ihr schöpferische Wesen sein,
wenn ich euch diktierte, was ihr sein, tun und haben sollt?
*Meine Freude liegt in eurer Freiheit, nicht in eurer Willfäh-
rigkeit oder Unterwerfung.*

Schon gut. Was hast du also damit gemeint: Ich bin mit
meiner finanziellen Situation nicht glücklich, *weil* ich mit
meiner finanziellen Situation nicht glücklich bin?

Du bist, was du denkst, daß du bist. Das ist ein Teufelskreis, wenn es sich um einen negativen Gedanken handelt. Du mußt eine Möglichkeit finden, diesen Kreis zu durchbrechen.

Ein Großteil deiner gegenwärtigen Erfahrung gründet sich auf dein vorangegangenes Denken. Der Gedanke führt zur Erfahrung, die zum Gedanken führt, der zur Erfahrung führt. Das kann zu ständiger Freude führen, wenn der urheberische Gedanke ein freudiger ist. Das kann eine fortwährende Hölle zur Folge haben und tut es auch, wenn der urheberische Gedanke »höllisch« ist.

Der Trick besteht darin, den urheberischen Gedanken zu verändern. Ich war dabei zu erläutern, wie sich das bewerkstelligen läßt.

Fahr bitte fort.

Danke.
Als erstes müßt ihr dieses Paradigma von Gedanke–Wort–Tat umdrehen. Erinnerst du dich an den alten Spruch »Denk nach, bevor du etwas tust«?

Ja.

Den vergiss mal. Wenn du einen Grundgedanken verändern willst, mußt du handeln, *bevor du denkst.*
Beispiel: Du gehst die Straße entlang und triffst auf eine alte Dame, die dich um etwas Geld anbettelt. Du merkst, daß sie obdachlos ist und nur von einem Tag auf den anderen lebt. Du weißt sofort, daß du selbst zwar nur wenig

Geld hast, aber doch genug, um auf etwas davon zu verzichten. Dein erster Impuls ist, ihr ein paar Münzen zu schenken. Ein Teil von dir wäre auch bereit, ihr mehr zu geben – fünf oder sogar zehn Mark. Was soll's, mach's zum Glückstag für sie. Heitere sie auf.

Dann setzt das Denken ein. Was, bist du verrückt? Wir haben selbst nur zwanzig Mark, um *uns* über die Runden zu bringen! Und du willst ihr zehn Mark geben? Du suchst nach dem Zehner.

Dann denkst du wieder: Hör mal, du hast wirklich nicht soviel, daß du das *einfach weggeben kannst!* Gib ihr um Himmels willen ein paar Münzen und schau, daß du wegkommst.

Du grabschst im Portemonnaie nach den Münzen. Du bist verlegen. Da stehst du, ordentlich gekleidet, satt, und die arme Frau, die nichts hat, willst du nur mit ein paar Münzen abspeisen.

Du fummelst weiter, versuchst vergeblich, fünfzig Pfennig oder eine Mark zu finden. Ah, da ist was. Aber inzwischen bist du schon, verlegen lächelnd, an ihr vorbeigegangen, und es ist zu spät, um noch mal zurückzugehen. Sie bekommt nichts, du ebenfalls nichts. Und statt der Freude, die dir das Wissen um deine Fülle und das Teilen mit ihr gibt, fühlst du dich nun ebenso arm wie die Frau.

Warum hast du *ihr nicht einfach doch die fünf oder zehn Mark gegeben!* Es war dein erster Impuls, aber deine Gedanken kamen dir in die Quere.

Beschließe, daß du das nächste Mal handelst, bevor du denkst. Trenn dich von dem Geld. Mach's! Du hast es, und es existiert eine Quelle, wo es noch mehr davon gibt. Das ist der einzige Gedanke, der dich von der Obdachlosen unterscheidet. Dir ist klar, daß es da, wo es herkam, noch mehr gibt, und sie weiß es nicht.

Wenn du einen Grundgedanken ändern willst, dann handle in Übereinstimmung mit dem neuen Gedanken. Aber dabei mußt du schnell sein, oder dein Geist wird diesen Gedanken abtöten, noch bevor du es merkst. Das meine ich ganz buchstäblich. Der Gedanke, die neue Wahrheit, wird in dir tot sein, *noch bevor du auch nur die Chance hattest, ihn zu verinnerlichen.*

Handle also umgehend, wenn sich die Gelegenheit ergibt, und wenn das oft genug geschieht, wird dein Geist *bald die Idee erfassen.* Es wird dein neuer Gedanke sein.

Oh, ich habe gerade was kapiert! Ist das mit der Bewegung des Neuen Denkens gemeint?

WENN NICHT, DANN sollte es so sein. Neues Denken ist eure einzige Chance. Es ist eure einzige wirkliche Gelegenheit zur Weiterentwicklung, zum Wachstum, um jene zu werden, die-ihr-wirklich-seid.

Euer Geist ist gegenwärtig mit alten Gedanken erfüllt – und nicht nur damit, sondern auch meist noch mit den alten Fremdgedanken von anderen. Es ist wichtig, ist jetzt an der Zeit, *daß ihr eure Gesinnung, eure Meinung über einige Dinge ändert.* Darum geht es in der Evolution.

12

Warum kann ich nicht das tun, was ich wirklich mit meinem Leben anfangen will, und auf diese Weise trotzdem meinen Lebensunterhalt verdienen?

WIE BITTE? DU meinst, du willst *Spaß* in deinem Leben haben und damit auch noch deinen Unterhalt verdienen? Bruder, du *träumst!*

Was ...?

ICH MACH' NUR Witze – lies mal ein bißchen in deinen Gedanken, das ist alles. Siehst du, das war *dein* Gedanke darüber.

Das war meine Erfahrung.

JA. NUN, WIR sind das alles schon ein paarmal durchgegangen. Die Menschen, die sich ihren Lebensunterhalt mit der Tätigkeit verdienen, die sie lieben, sind die, die darauf bestehen. Sie geben niemals auf, machen keine Kompromisse. Sie gestatten dem Leben nicht, sie *nicht* das tun zu lassen, was sie lieben.
Aber da muß noch ein anderer Aspekt erwähnt werden, weil es der fehlende Aspekt im Verständnis der meisten Menschen ist, wenn es um die Lebensaufgabe geht.

Und der wäre?

Es besteht ein Unterschied zwischen Sein und Tun, und die meisten Menschen legen Nachdruck auf letzteres.

Sollten sie das nicht?

Dabei gibt es kein »sollte« oder »sollte nicht«. Es gibt nur das, was ihr wählt und wie ihr es erlangen könnt. Wenn du Friede und Freude und Liebe wählst, bekommst du über das, was du tust, nicht sonderlich viel davon. Wenn du Glücklichsein und Zufriedenheit wählst, findest du auf dem Weg der Tätigkeit nur wenig davon. Wenn du die Wiedervereinigung mit Gott, das höchste Wissen, das tiefste Verstehen, unendliches Mitgefühl, vollkommenes Gewahrsein, absolute Erfüllung wählst, wirst du hier durch das, was du tust, nicht viel erreichen.

Mit anderen Worten: Wenn du die *Evolution* wählst – die Evolution deiner Seele –, wirst du sie nicht durch die weltlichen Aktivitäten deines Körperaspekts in Gang setzen.

Das *Tun* ist eine Funktion des Körpers, das *Sein* eine Funktion der Seele. Der Körper tut stets *irgend etwas*. Jede Minute eines jeden Tages ist er immer mit *irgend etwas* beschäftigt. Er hört nie auf, rastet nie, ist ständig aktiv.

Das, was er tut, tut er entweder auf Geheiß der Seele – oder aber trotz der Seele. Die Qualität eures Lebens hängt von der Balance ab.

Die Seele ist für immer das *Seiende*. Sie ist, was sie ist, ganz gleich was der Körper tut, jedoch nicht *aufgrund dessen*, was der Körper tut.

Wenn du denkst, daß es in deinem Leben ums Tun geht, dann verstehst du nicht, was für dich Sache ist.

Deine Seele sorgt sich nicht darum, *was* du für deinen Lebensunterhalt tust – weder jetzt noch nach Beendigung deines Lebens. Deiner Seele liegt nur an deinem *Sein*, während du tust, *was immer* du tust.

Der Seele geht es um den Seinszustand, nicht um die Beschaffenheit der Tätigkeit.

Was strebt die Seele an?

MICH.

Dich?

JA, MICH. DEINE Seele, das *bin* ich, und sie weiß es. Und *das* versucht sie zu *erfahren*. Und sie erinnert sich daran, daß der beste Weg, diese Erfahrung zu machen, darin besteht, daß *sie nichts tut*. Es gibt nichts zu tun, außer zu sein.

Was sein?

WAS IMMER DU sein willst: glücklich, traurig, schwach, stark, freudig, rachsüchtig, einsichtig, blind, gut, schlecht, männlich, weiblich. Wie immer du es benennst.

Das meine ich buchstäblich: *Du benennst es.*

Das ist alles sehr tiefgründig, aber was hat das mit meinem beruflichen Werdegang zu tun? Ich versuche eine Möglichkeit zu finden, um am Leben zu bleiben, um zu überleben, um mich und meine Familie zu ernähren und das zu tun, was ich gerne tue.

VERSUCH ZU SEIN, was du gerne sein möchtest.

Was meinst du damit?

MANCHE LEUTE VERDIENEN eine Menge Geld mit ihrer Tätigkeit, andere kommen auf keinen grünen Zweig – und sie *gehen der gleichen Tätigkeit nach.* Woran liegt das?

Manche sind eben befähigter als andere.

DAS IST EIN erstes Kriterium. Aber nun kommen wir zum zweiten. Nun haben wir zwei Menschen, die über relativ gleichwertige Fähigkeiten verfügen. Beide können einen Universitätsabschluß vorweisen, beide waren Klassenbeste, beide verstehen ihr Handwerk, beide wissen ihr Potential sehr geschickt einzusetzen – und doch ergeht es dem einen besser als dem anderen; der eine erlebt einen Aufschwung, während der andere zu kämpfen hat. Woran liegt das?

An der Örtlichkeit.

AN DER ÖRTLICHKEIT?

Jemand hat mir einmal erzählt, daß man zu Beginn einer neuen Unternehmung nur drei Dinge zu berücksichtigen hat: die Ortswahl, die Ortswahl und noch mal die Ortswahl.

MIT ANDEREN WORTEN: Es geht nicht um die Frage: »Was wirst du tun?«, sondern um die Frage: »Wo wirst du sein« ?

Genau.

Das klingt ganz so, als würde es meine Frage gleichermaßen gut beantworten. Die Seele kümmert sich nur darum, wo du sein wirst.

Wirst du an einem Ort namens Angst sein oder an einem Ort namens Liebe? Wo *bist* du – und *woher* kommst du – in deiner Begegnung mit dem Leben?

Nun, im zuvor erwähnten Beispiel der gleichermaßen befähigten Angestellten wirkt sich der berufliche Erfolg der beiden nicht aufgrund dessen, was sie tun, unterschiedlich aus, sondern aufgrund dessen, was sie sind.

Die eine Person ist bei ihrer Arbeit offen, freundlich, sorgsam, hilfreich, rücksichtsvoll, fröhlich, zuversichtlich, ja sogar mit Freude bei der Sache, während die andere ihre Tätigkeit verschlossen, distanziert, gleichgültig, rücksichtslos, unfreundlich und sogar gereizt ausübt.

Jetzt nehmen wir mal an, du würdest sogar noch höhere Seinszustände wählen. Nehmen wir an, du wählst Güte, Erbarmen, Mitgefühl, Verstehen, Vergebung, Liebe. Und was, wenn du Göttlichkeit wählen würdest? Was wäre *dann* deine Erfahrung?

Ich sage euch dies:

Der *Seinszustand* zieht den Seinszustand an und stellt die Erfahrung her.

Ihr seid nicht auf diesem Planeten, um irgend etwas mit eurem Körper, sondern um etwas mit eurer Seele herzustellen. Euer Körper ist lediglich das Werkzeug eurer Seele. Euer Geist ist die Kraft, die den Körper in Bewegung setzt. Ihr verfügt hier also über ein Machtinstrument, das bei der Er-

schaffung dessen eingesetzt wird, wonach die Seele verlangt.

Was *ist* das Verlangen der Seele?

JA – WAS IST es?

Ich weiß es nicht. Ich frage dich.

ICH WEISS ES nicht. Ich frage dich.

Das könnte ja ewig so weitergehen.

TUT ES SCHON.

Warte mal! Vorhin hast du gesagt: Die Seele strebt danach,
du zu sein.

SO IST ES.

Dann ist *das* das Verlangen der Seele.

IM WEITESTEN SINNE ja. Aber dieses Gott-Ich, das zu sein sie
sich bemüht, ist sehr komplex, sehr multidimensional,
multisinnlich, multiaspektiert. Ich habe eine Million
Aspekte, eine Milliarde, eine Billion. Verstehst du? Da gibt
es das Profane und das Tiefgründige, das Geringere und das
Größere, das Hohle und das Heilige, das Schreckliche und
das Göttliche. Verstehst du?

Ja, ja, ich verstehe: das Oben und das Unten, das Linke und das Rechte, das Hier und das Dort, das Davor und das Danach, das Gute und das Schlechte ...

GENAU. ICH *BIN* das Alpha und das Omega. Das war nicht nur eine populäre Phrase von mir oder ein flottes Konzept. Damit habe ich der Wahrheit Ausdruck gegeben.
Indem die Seele also danach strebt, ich zu sein, hat sie eine großartige Aufgabe vor sich; ein enormes Angebot an *Sein*, aus dem sie schöpfen kann. Und das ist es, was sie in diesem Moment tut.

Sie wählt Seinszustände.

JA – UND SIE stellt dann die richtigen und perfekten *Bedingungen* her, innerhalb denen sie die entsprechende Erfahrung erschaffen kann. Deshalb ist es wahr, daß dir oder durch dich nichts geschieht, was nicht deinem eigenen höchsten Wohl dient.

Du meinst, meine Seele erschafft alle meine Erfahrungen, und zwar nicht nur jene Dinge, die ich tue, sondern auch jene, die mir geschehen?

LASS ES UNS so ausdrücken: Die Seele führt dich zu den für dich richtigen und perfekten *Gelegenheiten*, um genau das zu erfahren, was zu erfahren du geplant hattest. Was du dann tatsächlich erfährst, das liegt bei dir. Es kann das sein, was du geplant hast, es könnte aber auch etwas anderes sein – je nachdem, was du wählst.

Warum sollte ich etwas wählen, was ich gar nicht zu erfahren wünsche?

Ich weiss nicht. Warum?

Meinst du, daß sich manchmal die Seele das eine wünscht und der Körper oder Geist etwas anderes?

Was denkst du?

Wie können sich Körper oder Geist über die Seele hinwegsetzen? Bekommt denn die Seele nicht immer das, was sie will?

Dein reiner Geist strebt im weitesten Sinn nach diesem großartigen Moment, in dem du dir seiner Wünsche auf ganz bewußte Weise gewahr wirst und dich in freudigem Einssein mit ihnen verbindest. Aber der reine Geist wird nie und nimmer sein Verlangen deinem gegenwärtigen, bewußten, physischen Teil aufzwingen.

Der Vater zwingt dem Sohn nicht seinen Willen auf. Damit würde er gegen sein innerstes Wesen verstoßen, und das ist im buchstäblichen Sinn unmöglich.

Der Sohn zwingt dem Heiligen Geist nicht seinen Willen auf. Damit würde er gegen sein innerstes Wesen verstoßen, und das ist im buchstäblichen Sinn unmöglich.

Der Heilige Geist zwingt seinen Willen nicht deiner Seele auf. Das liegt außerhalb des Wesens des reinen Geistes und ist somit im buchstäblichen Sinn unmöglich.

Und damit haben die Unmöglichkeiten ein Ende. Der Geist

strebt sehr oft danach, dem Körper seinen Willen aufzuzwingen – und tut es auch. Gleichermaßen trachtet der Körper oft danach, Kontrolle über den Geist auszuüben – und häufig hat er damit Erfolg.

Doch Körper und Geist zusammen müssen nichts tun, um über die Seele Kontrolle auszuüben – denn die Seele ist völlig ohne Bedürfnisse (ganz im Gegensatz zum Körper und Geist, die daran gefesselt sind) und läßt daher Körper und Geist stets ihren Willen.

Tatsächlich will es die Seele gar nicht anders haben, denn wenn die Wesenheit, die du bist, das erschaffen und somit kennenlernen soll, was sie wirklich ist, kann dies nur durch den Akt einer bewußten Willensausübung geschehen und nicht durch einen unbewußten Gehorsamsakt.

Gehorsam ist nicht Schöpfung und kann daher niemals Erlösung bewirken.

Gehorsam ist eine Reaktion, wohingegen Schöpfung eine reine, undiktierte, unverlangte Wahl ist.

Reine Wahl bewirkt Erlösung durch die reine Schöpfung der höchsten Idee jetzt in diesem Moment.

Die Funktion der Seele besteht darin, daß sie auf ihr Verlangen *hinweist*, und nicht darin, daß sie es *aufzwingt*.

Die Funktion des Geistes besteht darin, daß er hinsichtlich seiner Alternativen eine *Wahl trifft*.

Die Funktion des Körpers besteht darin, daß er diese Wahl *ausagiert*.

Wenn Körper, Geist und Seele gemeinsam in Harmonie und in Einheit erschaffen, wird Gott Fleisch.

Dann erkennt sich die Seele in ihrer eigenen Erfahrung.

Dann jubeln die himmlischen Mächte.

Jetzt, in diesem Moment, hat deine Seele wieder eine Gelegenheit für dich erschaffen, all das zu sein, zu tun und zu haben, was für das Wissen darum, wer-du-wirklich-bist, nötig ist.

Die Seele hat dich zu den Worten *gebracht*, die du jetzt gerade liest – wie sie dich schon zuvor zu Worten der Weisheit und Wahrheit gebracht hat.

Was wirst du jetzt tun? Was wirst du wählen zu sein?

Deine Seele wartet und sieht mit Interesse zu, so wie sie es schon viele Male zuvor getan hat.

Verstehe ich das richtig? Meinst du, daß der von mir gewählte Seinszustand über meinen weltlichen Erfolg (ich versuche immer noch, über meinen beruflichen Werdegang zu reden) bestimmt?

ICH BEKÜMMERE MICH nicht um deinen weltlichen Erfolg, das tust nur du.

Es ist wahr, daß, wenn ihr über einen langen Zeitraum hinweg bestimmte Seinszustände erreicht, sich der weltliche Erfolg bei dem, was ihr tut, nur äußerst schwer vermeiden läßt. Doch sollt ihr euch nicht um »das Verdienen eures Lebensunterhalts« sorgen. *Wahre Meister haben die Wahl getroffen, ein Leben zu schaffen, nicht einen Lebensunterhalt.*

Gewissen Seinszuständen entspringt ein so reiches, ein so erfülltes, ein so großartiges und so lohnendes Leben, daß ihr euch um weltliche Güter und weltlichen Erfolg gar nicht mehr zu sorgen braucht.

Die Ironie des Lebens besteht darin, daß euch weltliche Güter und weltlicher Erfolg ungehindert zufließen, sobald ihr euch nicht mehr darum sorgt.

Denk daran, ihr könnt nicht haben, was ihr wollt, aber ihr könnt alles erfahren, was ihr habt.

Ich kann nicht haben, was ich will?

Nᴇɪɴ.

Das hast du mir schon ziemlich zu Beginn unseres Gesprächs begreiflich machen wollen. Doch ich verstehe es immer noch nicht. Ich dachte, du hättest gesagt, ich könnte haben, *was immer* ich will. »Wie du denkst, wie du glaubst, so soll dir getan werden«, und all das.

Dɪᴇsᴇ ʙᴇɪᴅᴇɴ Aᴜssᴀɢᴇɴ lassen sich durchaus miteinander vereinbaren.

Tatsächlich? Für mich klingen sie unvereinbar.

Wᴇɪʟ ᴇs ᴅɪʀ an Verständnis fehlt.

Zugegeben. Deshalb spreche ich mit dir.

Icʜ ᴡɪʟʟ ᴇs also erklären. Du kannst nicht *alles* haben, was du willst. Der Akt des Wollens drängt das, was du willst, von dir weg, wie ich bereits im ersten Kapitel sagte.

Nun, du magst es auch schon früher gesagt haben, aber ich kann dir trotzdem nicht mehr folgen.

Bᴇᴍüʜ ᴅɪᴄʜ. Iᴄʜ werde noch einmal detaillierter darauf eingehen. Versuch mitzukommen. Kommen wir auf den Punkt zurück, den du verstehst: *Der Gedanke ist schöpferisch.* Klar?

Klar.

Dᴀs Wᴏʀᴛ ɪsᴛ schöpferisch. Kapiert?

Kapiert.

Hᴀɴᴅʟᴜɴɢ ɪsᴛ sᴄʜöᴘꜰᴇʀɪsᴄʜ. Gedanke, Wort und Tat sind die drei Ebenen des Erschaffens. Kannst du mir immer noch folgen?

Bis jetzt.

Gᴜᴛ. Nᴇʜᴍᴇɴ ᴡɪʀ nun für den Moment den »weltlichen Erfolg« als Thema, da du davon gesprochen und danach gefragt hast.

Großartig.

Nᴜɴ, ʜᴀsᴛ ᴅᴜ manchmal einen Gedanken, der besagt: »Ich will weltlichen Erfolg«?

Manchmal ja.

Uɴᴅ ʜᴀsᴛ ᴅᴜ auch manchmal den Gedanken »Ich will mehr Geld«?

Ja.

Deshalb kannst du weder weltlichen Erfolg als *noch* mehr Geld haben.

Warum *nicht?*

Weil dem Universum keine andere Wahl bleibt, als dir die *direkte Manifestation jenes Gedankens zu übermitteln, den du hast.*
Du hast den Gedanken »Ich will weltlichen Erfolg«. Du verstehst, daß die schöpferische Macht dem Geist in der Flasche gleicht. Deine Worte sind ihm Befehl. Klar?

Warum habe ich dann nicht mehr Erfolg?

Ich sagte, deine Worte sind ihm Befehl. Nun, deine *Worte* waren: »Ich will Erfolg.« Und das Universum sagt: »In Ordnung, du willst ihn.«

Jetzt bin ich mir wieder nicht ganz sicher, ob ich folgen kann.

Betrachte es mal auf diese Weise: Das Wort »Ich« ist der Schlüssel, der die Maschine des Erschaffens in Gang setzt. Die Worte »Ich bin« sind außerordentlich machtvoll. Sie sind Aussagen gegenüber dem Universum. Befehle.
Nun, was immer dem Wort »Ich« folgt (welches das große Ich Bin herbeibeschwört), das hat die Tendenz, sich in der physischen Realität zu manifestieren.

Deshalb ergibt »Ich« + »will Erfolg«: deinen *Erfolg wollen.*
»Ich« + »will Geld« ergibt: Du *willst Geld.* Es kann sich
daraus nichts anderes ergeben, weil Gedanken und Worte
schöpferisch sind. Und Handlungen ebenfalls. Und wenn
du auf eine Weise *handelst*, die besagt, daß du Erfolg und
Geld willst, dann stimmen Gedanken, Worte *und* Handlungen überein und du kannst *sicher* sein, daß du die Erfahrung dieses Wollens machst.
Verstehst du?

Ja! Mein Gott – funktioniert es wirklich in dieser Weise?

NATÜRLICH! IHR SEID *sehr mächtige Schöpfer.* Nun angenommen, ihr habt nur einmal einen Gedanken oder eine
Aussage formuliert – zum Beispiel im Zorn oder aus Frustration –, dann ist es nicht sehr wahrscheinlich, daß ihr
diese Gedanken oder Worte in Realität umwandelt. Also
müßt ihr euch um eine Äußerung wie »Der Schlag soll dich
treffen« oder »Fahr zur Hölle« oder all die weniger netten
Dinge, die ihr manchmal denkt oder sagt, keine Sorgen machen.

Gott sei Dank.

GERN GESCHEHEN. ABER hast du eine Ahnung vom Ausmaß
der schöpferischen Macht, wenn ihr einen Gedanken oder
ein Wort immer und immer wieder wiederholt – nicht einmal, nicht zweimal, sondern Dutzende, Hunderte, Tausende von Malen?
Mit einem ständig zum Ausdruck gebrachten Gedanken,

einem immer wieder geäußerten Wort geschieht genau das
– es wird geäußert. Es wird nach außen hin verwirklicht.
Es wird zu eurer physischen Realität ...

... und kann so großes Leid verursachen.

Ja, und sehr oft produziert ihr auf diese Weise eure geliebten Katastrophen. Ihr liebt den Kummer und den Schmerz, ihr liebt das Drama. Das heißt so lange, bis ihr seiner überdrüssig seid. Ihr gelangt in eurer Evolution an einen bestimmten Punkt, an dem ihr aufhört, das Drama zu lieben, aufhört, die »Geschichte« zu lieben, wie ihr sie gelebt habt. Das ist dann der Punkt, an dem ihr entscheidet – aktiv die Wahl trefft –, eine Änderung des Zustands herbeizuführen. Nur wissen die meisten nicht, wie. Jetzt wißt ihr es. Wollt ihr eure Realität ändern, *so hört einfach auf, auf entsprechende Weise zu denken.*
In deinem Fall denke nicht: »Ich will Erfolg«, sondern: »Ich habe Erfolg.«

Das kommt mir wie eine Lüge vor. Ich würde mir was vormachen, wenn ich das sagte. Mein Verstand würde protestieren.

Dann formuliere einen Gedanken, den du *akzeptieren kannst*: »Ich bin ab sofort erfolgreich« oder »Alle Dinge tragen zu meinem Erfolg bei«.

Das ist also der Trick hinter der New-Age-Praxis der Affirmationen.

*A*FFIRMATIONEN *FUNKTIONIEREN NICHT, wenn sie nur Aussa-gen darüber sind, was deinem Willen nach wahr sein soll. Affirmationen funktionieren nur, wenn sie Aussagen über etwas sind, was deinem Wissen nach bereits Wahrheit ist.*

Die beste sogenannte Affirmation ist eine Aussage der Dankbarkeit und Wertschätzung, zum Beispiel: »Ich danke dir, Gott, daß du mir Erfolg bringst.« *Dieser* Gedanke zeitigt, wenn er ausgesprochen und ihm entsprechend gehandelt wird, wunderbare Resultate – sofern er einem echten Wissen entspringt und nicht dem Versuch, die Resultate zu *produzieren*, sondern dem Bewußtsein darüber, daß die Resultate *bereits* existieren.

Jesus besaß diese Klarheit. Vor jedem Wunder dankte er mir im voraus für seine Vollbringung. Er kam nie auf den Gedanken, nicht dankbar zu sein, weil er nie auf den Gedanken kam, daß das, was er verkündete, nicht eintreten würde. Dieser Gedanke *kam ihm nie in den Sinn.*

Er war sich dessen, wer-er-war, und seiner Beziehung zu mir so *sicher,* daß jeder seiner Gedanken, jedes seiner Worte und jede seiner Taten sein Bewußtsein widerspiegelte – so wie *eure* Gedanken, Worte und Taten Reflexionen eures Bewußtseins sind ...

Wenn es also etwas gibt, das ihr eurer Wahl nach in eurem Leben erfahren wollt, dann »wollt es« nicht – wählt es.

Wählst du den Erfolg in weltlicher Hinsicht? Wählst du mehr Geld? *Gut.* Dann *wähle* es. Wirklich und wahrhaftig, ganz und gar – nicht halbherzig.

Doch sei nicht überrascht, wenn dich angesichts deines Entwicklungsstadiums der »weltliche Erfolg« nicht länger bekümmert.

Was soll denn das bedeuten?

Es kommt in der Entwicklung einer jeden Seele eine Zeit, in der ihr Hauptinteresse nicht länger dem Überleben des physischen Körpers gilt, sondern dem Wachstum des reinen Geistes; nicht länger dem Erreichen von weltlichem Erfolg, sondern der Verwirklichung des Selbst.

In gewisser Hinsicht ist das eine sehr gefährliche Zeit, vor allem zu Beginn, weil die dem Körper innewohnende Wesenheit nun weiß, daß sie eben nur das ist: ein Wesen in einem Körper – nicht ein Körperwesen.

In diesem Stadium, also bevor die in dieser Entwicklungsphase befindliche Wesenheit in ihrer Sichtweise gereift ist, kommt oft das Gefühl auf, sich um die Angelegenheiten des Körperaspekts gar nicht mehr kümmern zu wollen. Die Seele ist in Hochstimmung, weil sie endlich »entdeckt« worden ist!

Der Geist läßt den Körper und alle seine Belange fallen. Alles wird ignoriert. Beziehungen werden beiseite geschoben. Familien verschwinden aus dem Blickfeld. Der Beruf wird zur Nebensache. Rechnungen werden nicht mehr bezahlt. Der Körper wird über lange Zeit hinweg nicht genährt. Die Wesenheit richtet nun ihre ganze Konzentration und Aufmerksamkeit nur noch auf die Seele und deren Belange.

Das kann zu einer größeren persönlichen Krise im Alltagsleben führen, obwohl der Geist gar kein Trauma wahrnimmt, weil er sich im Zustand der Seligkeit befindet. Andere Menschen sagen, ihr hättet den Verstand verloren – und in gewisser Hinsicht mag das stimmen.

Die Entdeckung der Wahrheit, daß das Leben nichts mit dem Körper zu tun hat, kann auf der *anderen* Seite ein Ungleichgewicht verursachen. Hat die Wesenheit zuerst agiert, als sei der Körper alles, was existiert, so handelt sie nun, als sei der Körper völlig bedeutungslos. Das stimmt natürlich nicht – wie der Wesenheit bald (und manchmal schmerzlich) in Erinnerung gebracht wird.

Ihr seid ein dreiteiliges Wesen, geschaffen aus Körper, Verstand und reinem Geist. Ihr werdet *immer* ein dreiteiliges Wesen sein, nicht nur während eures irdischen Daseins.

Da gibt es jene, welche die Hypothese aufstellen, daß mit dem Tod Körper und Geist aufgegeben werden. Körper und Geist werden *nicht* aufgegeben. Der Körper verwandelt seine Form, läßt den dichtesten Teil zurück, behält aber immer seine äußere Hülle. Der Verstand (nicht zu verwechseln mit dem Gehirn) begleitet euch ebenfalls und verbindet sich mit dem reinen Geist und dem Körper zu einer Energiemasse der drei Dimensionen oder Aspekte.

Solltet ihr die Wahl treffen, zu dieser Erfahrungsmöglichkeit, die ihr Leben auf Erden nennt, zurückzukehren, wird euer göttliches Selbst seine wahren Dimensionen wieder in das aufteilen, was ihr als Körper, Verstand und reinen Geist bezeichnet. In Wahrheit seid ihr alle eine Energie, die jedoch drei spezifische Merkmale aufweist.

Wenn ihr euch aufmacht, einen neuen physischen Körper hier auf Erden zu bewohnen, reduziert euer Ätherleib (wie manche von euch ihn auch nennen) seine Schwingung, die ursprünglich so schnell ist, daß sie nicht wahrgenommen werden kann, zu einer Schwingung, die Masse und Materie produziert. Diese eigentliche Materie ist die Erschaffung des reinen Gedankens – das Werk eures Geistes, des höheren geistigen Aspekts eures dreiteiligen Wesens.

Die Materie nun stellt eine Koagulation unzähliger (im wahrsten Sinn des Wortes) verschiedener Energieeinheiten zu einer einzigen enormen Masse dar, welche vom Geist kontrolliert werden kann ... ihr habt dann wirklich »Köpfchen« !

Wenn diese winzigen Energieeinheiten ihre Energie verbraucht haben, werden sie vom Körper abgeworfen, während der Geist neue erschafft. Der Geist erschafft dies aus dem fortwährenden Gedanken dessen, was-ihr-seid! Der Ätherleib »fängt« sozusagen den Gedanken auf und vermindert die Schwingung der weiteren Energieeinheiten (»kristallisiert« sie in gewisser Hinsicht), und sie werden Materie – zu eurer neuen Materie. Auf diese Weise verändert und erneuert sich jede eurer Zellen alle paar Jahre. Ihr seid – ganz buchstäblich – *nicht dieselbe Person*, die ihr vor ein paar Jahren wart.

Wenn ihr Gedanken an Krankheit oder Störungen hegt (oder der fortgesetzten Wut, des Hasses oder der Negativität), übersetzt euer Körper diese Gedanken in die physische Form. Die Menschen nehmen dann diese negative, kranke Form wahr und fragen sich, was ihnen fehlt.

Die Seele schaut zu, wie sich dieses ganze Drama Jahr um Jahr, Monat um Monat, Tag um Tag, Augenblick um Augenblick abspielt, und bewahrt immer die Wahrheit über euch. Sie vergißt *nie* die Blaupause, den ursprünglichen Plan, die erste Idee, den schöpferischen Gedanken. Ihre Aufgabe ist es, euren Geist wieder darauf auszurichten, damit ihr euch stets von neuem in Erinnerung rufen könnt, wer-ihr-seid, und dann über die Wahlmöglichkeit verfügt, wer-ihr-jetzt-zu-sein wünscht.

Auf diese Weise setzt sich der Kreislauf von Schöpfung und Erfahrung, Vorstellung und Erfüllung, Wissen und Wachsen ins Unbekannte fort, jetzt und für immer.

Uff!

JA, GENAU. UND es gibt noch sehr viel mehr zu erklären – erheblich mehr. Aber dafür reicht nie ein einziges Buch – und wahrscheinlich auch nicht ein einziges Leben. Doch du hast damit begonnen, und das ist gut. Denk nur einfach daran, daß es so ist, wie es euer großer Lehrer William Shakespeare umschrieb: »Es gibt mehr Dinge im Himmel und auf der Erde, als eure Schulweisheit sich träumt.«

Kann ich ein paar Fragen dazu stellen? Wenn du sagst, daß der Geist nach dem Tod mit mir geht, heißt das, daß ich meine »Persönlichkeit« mitnehme? Weiß ich im Jenseits, wer ich war?

JA ... UND WER du jemals gewesen bist. *Alles* wird dir offenbart, denn dann wird dir dieses Wissen von Nutzen sein. Jetzt in diesem Moment ist es das nicht.

Und kommt es hinsichtlich dieses Lebens zu einer »Bestandsaufnahme« –einer Rückschau, einer Abrechnung?

ES GIBT KEIN Gericht im Jenseits, wie ihr es nennt. Dir wird nicht einmal erlaubt sein, über dich selbst zu richten (denn du würdest dich gewiß sehr schlecht beurteilen, so selbst-kritisch und unbarmherzig, wie du dir selbst gegenüber in *diesem* Leben bist).

Nein, es gibt keine Abrechnung, auch kein »Daumen nach oben« oder »Daumen nach unten«. *Nur Menschen sind so richterlich, und weil ihr es seid, nehmt ihr an, ich sei es auch. Doch ich bin es nicht – und das ist eine große Wahr-heit, die ihr euch weigert zu akzeptieren.*

Es wird also kein Urteil gefällt im Leben nach dem Tod, aber es wird die Gelegenheit geben, alles noch einmal einer Betrachtung zu unterziehen, was ihr gedacht, gesagt und getan habt, um dann zu entscheiden, ob ihr dies noch ein-mal wählen würdet angesichts dessen, wer-ihr-seid eurer Aussage nach, und wer-ihr-sein-wollt.

Es gibt eine aus dem Osten stammende mystische Lehre, wonach jede Person bei ihrem Tod die Möglichkeit erhält, jeden ihrer einstigen Gedanken, jedes gesprochene Wort, jede vollführte Handlung nochmals zu durchleben – aber nicht von ihrem Standpunkt aus, sondern von jenem jegli-cher Person, die davon betroffen war. Mit anderen Worten: Wir haben *bereits* gefühlsmäßig erfahren, was *wir* dachten, sagten und taten, während wir nun gefühlsmäßig erfahren können, was die *andere* Person in jedem dieser Momente fühlte. Und nach *diesem* Maßstab werden wir dann ent-scheiden, ob wir diese Dinge wieder denken, sagen oder tun wollen. Wie lautet deine Meinung dazu?

WAS IN EUREM Leben nach dem Tod stattfindet, ist bei wei-tem zu außergewöhnlich, als daß es hier in euch verständlichen Begriffen wiedergegeben werden könnte – denn diese Erfahrung gehört anderen Dimensionen an und entzieht sich buchstäblich einer Beschreibung mit solch begrenzten Mitteln, wie es Worte sind. Es muß die Aussage genügen, daß ihr die Gelegenheit habt, euer gegenwärtiges Leben nochmals zu betrachten, ohne Schmerz oder Furcht oder richtendes Urteil. Dies, damit ihr entscheiden könnt, wie ihr in bezug auf eure Erfahrung fühlt, und wohin ihr von da aus gehen wollt.

Viele von euch werden sich entscheiden, hierher zurückzukommen – in diese Welt der Dichte und Relativität –, um eine weitere Möglichkeit wahrzunehmen, die Wahl und die Entscheidungen, die ihr in bezug auf euer Selbst auf dieser Ebene getroffen habt, erfahrungsgemäß zu durchleben.

Andere – eine verschwindend geringe Zahl – werden mit einer anderen Mission zurückkehren. Sie treten erneut in die Welt der Dichte und Materie ein, weil es das Anliegen ihrer Seele ist, *andere* aus dieser Dichte und Materie *heraus*zuführen. Auf der Erde gibt es immer solche unter euch, die sich für jenen Weg entschieden haben. Ihr könnt sie sofort erkennen. Ihre Arbeit ist beendet. Sie kehrten nur deshalb auf die Erde zurück, um anderen zu helfen. Darin finden sie ihre Freude, ihre Begeisterung. Sie streben nach nichts anderem, als zu Diensten zu sein.

Ihr könnt diese Menschen nicht verfehlen. Wahrscheinlich ist dir einer von ihnen bekannt, oder du hast von einem gehört.

Gehöre ich dazu?

NEIN. DURCH DIESE Frage beweist du, daß du keiner von ihnen bist. Diese Personen stellen über niemanden Fragen, weil es nichts zu fragen gibt.

Du, mein Sohn, bist in diesem Leben ein Bote. Du bist ein Vorbote, ein Überbringer von Nachrichten, ein Suchender und häufig ein Verkünder der Wahrheit. Das ist genug für ein Leben. Sei glücklich.

Oh, das *bin* ich. Aber man darf ja immer noch auf mehr hoffen!

JA! UND DAS wirst du auch! Du wirst immer auf noch mehr hoffen! Das ist eure Natur. Die göttliche Natur strebt immer danach, mehr zu sein.

Also *strebe* unbedingt danach.

Nun möchte ich definitiv die Frage beantworten, mit der du diesen Abschnitt unseres fortlaufenden Gesprächs eingeleitet hast.

Geh und *tu*, was du wirklich zu tun liebst – und nichts anderes! Du hast so wenig Zeit.

Wie kannst du auch nur daran denken, überhaupt einen einzigen Moment zu vergeuden, indem du deinen *Lebensunterhalt* mit etwas bestreitest, was dir zuwider ist? Was für ein Leben ist *das*? Das ist kein Leben, das ist ein *Sterben!*

Wenn du sagst: »Aber …, ich habe andere, die von mir abhängig sind …, kleine Münder zu füttern …, eine Frau, die auf mich zählt …«, dann antworte ich dir: Wenn du darauf bestehst, daß es in deinem Leben um das geht, was dein Körper tut, dann begreifst du nicht, warum du dich auf dieses Gespräch eingelassen hast. Tu wenigstens etwas, das dich erfreut – das zeugt von dem, wer-du-bist.

Dann kannst du zumindest den Groll und die Wut auf jene vermeiden, die dich, wie du dir einbildest, am Ausleben deiner Freude hindern.

Was dein Körper tut, soll keineswegs außer acht gelassen werden. Es ist wichtig – aber nicht in der Weise, wie du denkst. Die Handlungen des Körpers sollen Widerspiegelungen eines Seinszustands sein, nicht der Versuch, einen Seinszustand zu erreichen.

Innerhalb der wahren Ordnung der Dinge *tut* man nichts, um glücklich zu *sein* – man *ist* glücklich und *tut* deshalb etwas. Man *tut* nicht etwas, um mitfühlend zu *sein*, man *ist* mitfühlend und handelt deshalb auf bestimmte Weise. Bei einer in hohem Maße bewußten Person geht die Entscheidung der Seele der Handlung des Körpers voraus. Nur eine unbewußte Person versucht durch körperliche Aktivität einen Seelenzustand herzustellen.

Das ist mit der Aussage gemeint: »In deinem Leben geht es nicht darum, was der Körper tut.« Doch es *ist* wahr, daß das, was dein Körper tut, eine Widerspiegelung dessen darstellt, worum es in deinem Leben geht.

Dies ist eine weitere göttliche Dichotomie.

Doch wißt dies, sofern ihr nichts anderes versteht:

Ihr habt ein *Recht* auf eure Freude, Kinder oder keine Kinder, Ehepartner oder kein Ehepartner. Strebt nach dieser Freude! Findet sie! Und ihr werdet eine freudvolle Familie haben, ganz gleich, wieviel Geld ihr verdient oder nicht verdient. Und wenn sie ohne Freude sind und euch verlassen, dann entlaßt sie mit Liebe, damit sie *ihre* Freude finden.

Wenn ihr euch andererseits so weit entwickelt habt, daß euch die Angelegenheiten des Körpers nicht mehr bekümmern, dann seid ihr noch freier, nach eurer Freude zu streben – es sei auf Erden, wie es im Himmel ist. Gott sagt, es ist *in Ordnung, glücklich zu sein* – auch bei eurer Arbeit.

Eure Arbeit ist eine Aussage darüber, wer-ihr-seid. Wenn sie es nicht ist, warum tut ihr sie dann?

Bildet ihr euch ein, daß ihr das *müßt?*

Ihr müßt gar nichts tun.

Wenn der »Mann, der seine Familie ernährt, um jeden Preis und selbst auf Kosten seines eigenen Glücks« das ist, wer-ihr-seid, dann *liebt* eure Arbeit, denn das *erleichtert* euch die Schöpfung einer *lebendigen Aussage eures Selbst.*

Wenn die »Frau, die Arbeiten verrichtet, die sie haßt, um Verantwortlichkeiten Rechnung zu tragen, so wie sie sie sieht«, das ist, wer-ihr-seid, dann liebt, *liebt* eure Arbeit, denn sie unterstützt durchwegs euer Selbst-Bild, eure Selbst-Vorstellung.

Jeder Mensch kann alles lieben in dem Moment, in dem er versteht, was er tut und warum.

Niemand tut irgend etwas, was er nicht tun will.

13

Wie kann ich einige meiner gesundheitlichen Schwierig-keiten beseitigen? Ich war das Opfer von so vielen chroni-schen Problemen, daß sie mindestens für drei Leben ausrei-chen. Warum habe ich sie alle jetzt – in *diesem* Leben?

LASS UNS ZUNÄCHST etwas klarstellen. Du liebst sie, jeden-falls die meisten davon. Du hast sie auf bewunderungswür-dige Weise dazu benutzt, um dir selbst leid zu tun und die Aufmerksamkeit auf dich zu lenken.

Die wenigen Male, die du sie nicht geliebt hast, ergaben sich ausschließlich dann, wenn die Probleme ausuferten. Und zwar sehr viel weiter, als du sie dir vorstelltest, als du sie dir erschufst.

Laß uns nun etwas feststellen, was du wahrscheinlich oh-nehin schon weißt: Jegliche Krankheit wird von euch selbst erschaffen. Selbst konventionell denkende Mediziner er-kennen nunmehr, wie Menschen *sich selbst krank ma-chen*.

Die meisten Leute tun dies weitgehend unbewußt. (Sie wis-sen nicht einmal, was sie tun.) Sie wissen gar nicht, wie ihnen geschieht, wenn sie krank *werden*. Sie haben das Ge-fühl, daß sie von etwas *befallen* wurden, und nicht, daß sie sich selbst etwas angetan haben.

Der Grund dafür ist, daß die meisten Menschen – nicht nur hinsichtlich der Gesundheitsprobleme und deren Konse-quenzen – unbewußt durchs Leben gehen.

Die Leute rauchen und wundern sich, wenn sie Krebs bekommen.

Sie verspeisen Tiere und Fett und wundern sich, wenn ihre Arterien verkalken.

Sie verbringen ihr ganzes Leben lang in einem Zustand der Wut und des Zorns und sind dann überrascht, wenn sie einen Herzinfarkt bekommen.

Sie konkurrieren – erbarmungslos und unter unglaublichem Streß – mit anderen Menschen und können es nicht fassen, wenn ein Schlaganfall sie niederstreckt.

Die weniger augenfällige Wahrheit ist die, daß sich die meisten Menschen *zu Tode sorgen*.

Das Sich-Sorgen ist so ungefähr die schlimmste Form mentaler Aktivität, die es gibt – neben dem Haß, dem eine zutiefst selbstzerstörerische Wirkung innewohnt. Sich-Sorgen und Beunruhigen sind sinnlos, vergeudete mentale Energie. Zudem erzeugen beide Verhaltensweisen biochemische Reaktionen, die den Körper schädigen und zu allem möglichen führen: angefangen bei Verdauungsbeschwerden und anderen Symptomen bis hin zum Herzstillstand.

Die Gesundheit verbessert sich fast sofort, wenn das *Sich-Sorgen* ein Ende hat.

Das Sich-Sorgen ist eine Aktivität des Geistes, der seine Verbindung mit mir, Gott, nicht zu nutzen versteht.

Haß ist der am schwersten schädigende mentale Zustand. Er vergiftet den Körper, und seine Auswirkungen sind faktisch irreversibel.

Angst ist das Gegenteil von allem, was-ihr-seid, und übt eine eurer mentalen und physischen Gesundheit entgegenstehende Wirkung aus. *Angst ist ein verstärktes Sich-Sorgen.*

Sorge, Haß, Angst – im Verein mit ihren Randerscheinungen Ängstlichkeit, Bitterkeit, Ungeduld, Habsucht, Unfreundlichkeit, Neigung zur negativen Kritik und Verurteilung – attackieren allesamt den Körper auf zellularer Ebene. Es ist unmöglich, unter diesen Bedingungen einen gesunden Körper zu haben. Ebenso führen – wenn auch in einem etwas geringeren Ausmaß – Selbstgefälligkeit, Sichgehenlassen und Gier zu physischer Krankheit oder einem Mangel an *Wohlbefinden.*

Jegliche Krankheit wird zuerst im Geist erschaffen.

Wie kann das sein? Was ist mit den Krankheiten, die man sich durch Ansteckung zuzieht? Erkältungen oder zum Beispiel Aids?

In deinem Leben geschieht nichts – gar nichts –, was nicht zuerst als Gedanke existiert. Gedanken sind wie Magneten, die Auswirkungen anziehen. Der Gedanke ist als verursachendes Moment vielleicht nicht immer so klar und deutlich erkennbar wie zum Beispiel im Fall von: »Ich werde mir eine schreckliche Krankheit zuziehen.« Er kann sehr viel subtiler sein (und ist es gewöhnlich auch: »Ich bin es nicht wert, zu leben.« – »Mein Leben ist ein ständiges Dilemma.« – »Ich bin ein Verlierer.« – »Gott wird mich bestrafen.« – »Ich habe mein Leben gründlich satt!«)

Gedanken sind eine sehr subtile, jedoch extrem mächtige Energieform. Worte sind weniger subtil, sind dichter. Handlungen weisen die dichteste Energie auf. Handlung ist Energie in massiver physischer Form, in wuchtiger Bewegung. Wenn ihr ein negatives Konzept wie »Ich bin ein Verlierer« denkt, aussprecht und ausagiert, setzt ihr eine gewaltige schöpferische Energie in Bewegung. Da ist es dann kein Wunder, wenn ihr euch eine Erkältung zuzieht. Und das wäre noch das Geringste.

Es ist sehr schwierig, die Auswirkungen negativen Denkens rückgängig zu machen, wenn sie erst einmal physische Form angenommen haben. Zwar ist es nicht unmöglich – aber extrem schwer. Es bedingt die Aktivierung eines außerordentlich starken Glaubens an die positive Kraft des Universums – ob ihr diese nun Gott, Göttin, den Unbewegten Beweger, Urkraft, Erste Ursache oder was auch immer nennt.

Heilerinnen und Heiler verfügen über einen solchen Glauben. Es ist ein Glaube, der sich dem Absoluten Wissen annähert. Sie *wissen*, daß ihr darauf ausgerichtet seid, *jetzt in diesem Moment* ganzheitlich, vollständig und vollkommen zu sein. Dieses Wissen ist auch ein Gedanke – und ein sehr machtvoller dazu. Er ist in der Lage, Berge zu versetzen – von den Molekülen in eurem Körper ganz zu schweigen. Deshalb sind Heiler, häufig auch über große Entfernungen hinweg, imstande, Kranken zu helfen.

Der Gedanke kennt keine Entfernung. Gedanken reisen schneller um die Welt und durchqueren rascher das Universum, als ihr ein Wort aussprechen könnt.

»Sprich nur ein Wort, dann wird mein Diener gesund.« Und in derselben Stunde genas der Diener von seinem Leiden. Dies bewirkte der Glaube des Hauptmanns von Kafarnaum.

Doch *ihr* seid alle mentale Leprakranke. Euer Geist wird von negativen Gedanken zerfressen. Manche davon werden euch mehr oder weniger aufgezwungen. Viele davon erfindet – beschwört – ihr selbst und hätschelt und pflegt sie dann für Stunden, Tage, Wochen, Monate, ja sogar Jahre ...

... und fragt euch, warum ihr krank seid.

Du kannst »manche deiner Gesundheitsprobleme lösen«, wie du dich ausdrückst, indem du die Probleme deines Denkens löst. Ja, du kannst einige dieser bereits angeeigneten (dir selbst zugelegten) Krankheitszustände heilen sowie zudem verhindern, daß sich größere neue Probleme entwickeln. Und das alles ist dir dadurch möglich, daß du dein Denken veränderst.

Auch, und ich hasse es, dies zu erwähnen, da es – noch dazu aus dem Munde Gottes – so banal klingt: *Kümmere dich* um Gottes willen *besser um dich selbst.*

Die Fürsorge für deinen Körper spottet jeder Beschreibung: Du achtest kaum auf ihn – es sei denn, du hast den Verdacht, daß irgend etwas mit ihm nicht stimmt. Hinsichtlich einer Gesundheitsvorsorge unternimmst du praktisch gar nichts. Du kümmerst dich mehr um dein *Auto* als um deinen Körper – und das will nicht viel heißen.

Du beugst den Zusammenbrüchen nicht durch regelmäßige, alljährliche ärztliche Untersuchungen vor und wendest auch die verordneten Therapien und Arzneien nicht an. (Kannst du mir etwa erklären, warum du zur Ärztin gehst, ihre Hilfe erbittest und dann ihre Heilvorschläge mißachtest?) Und nicht nur das, zwischen diesen Arztbesuchen mit ihren unbeachtet bleibenden Ratschlägen und Verordnungen mißhandelst du auch noch deinen Körper auf gräßliche Weise!

Du ertüchtigst ihn nicht, also wird er *wabbelig*, und schlimmer noch, er büßt an Leistungskraft ein, weil er nicht gefordert wird.

Du ernährst ihn nicht richtig, wodurch du ihn noch mehr schwächst.

Dann stopfst du ihn mit allen möglichen Giftstoffen voll und mit den absurdesten Substanzen, die sich Nahrung nennen. Und immer noch leistet dir diese wunderbare Maschine ihre Dienste, erfüllt unverdrossen ihre Pflicht trotz deiner Attacken auf sie.

Es ist schrecklich. Die Bedingungen, unter denen du deinem Körper das Überleben abverlangst, sind grausam. Aber du wirst in dieser Hinsicht wenig oder gar nichts unternehmen. Du wirst dies lesen, reuig zustimmend mit dem Kopf nicken und sogleich mit deinen Mißhandlungen fortfahren. Und weißt du, warum?

Ich fürchte mich davor zu fragen.

WEIL DU KEINEN *Lebenswillen* hast.

Das scheint mir ein hartes Urteil zu sein.

WEDER IST ES hart noch als Urteil gemeint. »Hart« ist ein relativer Begriff und eine Wertung, die du den Worten beimißt. »Urteil« beinhaltet Schuld, und »Schuld« beinhaltet ein Vergehen. Doch hier sind weder ein Vergehen noch Schuld, noch ein Urteil impliziert.

Ich habe einfach eine wahrheitsgemäße Aussage gemacht. Wie alle Aussagen über die Wahrheit hat sie die Eigenschaft, dich aufzuwecken. Manche – was heißt manche, die meisten – Leute mögen es nicht, wachgerüttelt zu werden. Sie wollen lieber weiterschlafen.

Die Welt ist in den derzeitigen Zustand geraten, weil sie von Schlafwandlern bevölkert ist.

Und was scheint nun an meiner Aussage unwahr zu sein? Du *hast* keinen Lebenswillen. Zumindest hattest du ihn bis jetzt nicht.

Wenn du mir erzählst, daß nun bei dir eine »sofortige Bekehrung« eingetreten ist, werde ich meine Vorhersage darüber, was du nun tun wirst, revidieren. Ich gebe zu, daß diese Vorhersage auf den Erfahrungen der Vergangenheit beruht.

... Sie sollte dich auch wachrütteln. Manchmal muß man eine Person, die tief schläft, etwas unsanfter wecken.

Ich habe in der Vergangenheit bemerkt, daß dein Lebenswille nur sehr mäßig ausgeprägt ist. Du magst das bestreiten, aber in diesem Fall sprechen deine Handlungen lauter als deine Worte.

Wenn du dir je eine Zigarette angezündet hast – ganz zu schweigen vom Rauchen eines Päckchens pro Tag, und das zwanzig Jahre lang, wie du es tatest –, dann hast du in der Tat einen sehr geringen Lebenswillen. Es ist dir egal, *was* du deinem Körper antust.

Aber ich habe vor zehn Jahren mit dem Rauchen *aufgehört*!

Erst nach zwanzig Jahren härtester körperlicher Bestrafung.

Auch daß du deinem Körper Alkohol zugeführt hast, zeugt von einem miserablen Lebenswillen.

Ich trinke in sehr bescheidenem Maße.

Dᴇʀ Kᴏ̈ʀᴘᴇʀ ɪsᴛ nicht darauf ausgerichtet, Alkohol aufzunehmen. Das beeinträchtigt und schädigt den Geist.

Aber auch *Jesus* nahm Alkohol zu sich! Er besuchte eine Hochzeit und verwandelte Wasser in Wein!

Wᴇʀ ʜᴀᴛ ɢᴇsᴀɢᴛ, daß Jesus vollkommen war?

Ach Gott, was heißt das jetzt wieder?

Sᴀɢ ᴍᴀʟ, ᴡɪʀsᴛ du sauer auf mich?

Nun, es soll mir fernliegen, mich *über Gott zu ärgern*. Das wäre ja wohl ein bißchen vermessen, nicht wahr? Aber ich denke, wir treiben es hier vielleicht doch ein bißchen zu weit. Mein Vater lehrte mich, »in allen Dingen maßzuhalten«. Und ich glaube, ich habe seine Worte befolgt, was den Alkohol angeht.

Dᴇʀ Kᴏ̈ʀᴘᴇʀ ᴋᴀɴɴ sich leichter von einem gemäßigten Mißbrauch erholen. Von daher ist der Spruch vom Maßhalten nützlich. Trotzdem bleibe ich bei meiner Aussage: Der Körper ist nicht darauf ausgerichtet, Alkohol aufzunehmen.

Aber sogar einige Medikamente enthalten Alkohol!

Iᴄʜ ʜᴀʙᴇ ᴋᴇɪɴᴇ Kontrolle über das, was ihr Medikamente nennt. Ich bleibe bei meiner Aussage.

Da bist du wirklich rigide,. was?

Sᴄʜᴀᴜ, Wᴀʜʀʜᴇɪᴛ ɪꜱᴛ Wahrheit. Wenn nun jemand im Kontext des Lebens, wie ihr es jetzt führt, sagte: »Ein bißchen Alkohol schadet euch nicht«, dann müßte ich ihm beipflichten. Das ändert aber nichts an dem, was ich gerade sagte. Es erlaubt euch nur einfach, es zu ignorieren.
Doch bedenkt folgendes. Gegenwärtig verschleißt ihr Menschen euren Körper normalerweise innerhalb von fünfzig bis achtzig Jahren. Manche Körper halten länger, aber nicht viele. Manche hören früher auf zu funktionieren, doch das ist nicht die Mehrheit. Können wir uns darauf einigen?

Ja, in Ordnung.

Gᴜᴛ, ᴅᴀᴍɪᴛ ʜᴀʙᴇɴ wir einen guten Ausgangspunkt für unsere Diskussion. Als ich nun sagte, daß ich der Aussage »Ein bißchen Alkohol schadet euch nicht« zustimmen könnte, modifizierte ich dies durch den Zusatz: »Im Kontext des Lebens, *wie ihr es jetzt führt*«. Siehst du, ihr scheint mit eurem jetzigen Leben *zufrieden* zu sein. Aber das Leben, und das zu erfahren mag dich überraschen, war eigentlich dazu gedacht, völlig anders gelebt zu werden. Und euer Körper war dazu angelegt, *sehr viel länger* zu halten.

Tatsächlich?

JA.

Wieviel länger?

UNENDLICH LÄNGER.

Was heißt das?

ES BEDEUTET, MEIN Sohn, daß er dazu angelegt war, ewig zu währen.

Ewig?

JA. LIES DAS: »für alle Zeiten«.

Du meinst, wir sollten an sich niemals sterben?

IHR *STERBT* NIE. Das Leben ist ewig. Ihr seid unsterblich. Ihr verändert lediglich die Form. An sich hättet ihr noch nicht einmal so etwas nötig. Doch *ihr* habt euch dazu entschieden, das zu tun, *ich* nicht. Ich habe euch mit Körpern versehen, die *ewig* halten. Glaubst du wirklich, daß das Beste, was Gott ersinnen konnte und zuwege brachte, ein Körper war, der nach sechzig, siebzig, vielleicht achtzig Jahren auseinanderfällt? Bildest du dir ein, das sei die Grenze meiner Fähigkeiten?

Ich habe nie daran gedacht, es so auszudrücken …

ICH HABE EUREN herrlichen Körper so entworfen, daß er *ewig* währt! Und die ersten von euch lebten tatsächlich in einem schmerzfreien Körper und ohne Angst vor dem, was ihr nun den Tod nennt.

In eurer religiösen Mythologie symbolisiert ihr eure zellulare Erinnerung an diese erste Menschenversion durch die, denen ihr den Namen Adam und Eva gegeben habt. Natürlich existierten mehr als zwei.

Am Anfang stand die Idee, daß es euch wunderbaren Seelen möglich sein sollte, euch in eurem Selbst als die zu erkennen, die-ihr-wirklich-wart, und zwar durch die Erfahrungen, die ihr in einem physischen Körper in der Welt der Relativität gewonnen hattet, wie es hier wiederholte Male von mir erläutert wurde.

Dies geschah durch die Verlangsamung der unermeßlichen Geschwindigkeit aller Schwingung (Gedankenform) zur Manifestierung von Materie – einschließlich der Materie, die ihr den physischen Körper nennt.

Das Leben entwickelte sich in einer Schrittabfolge binnen eines Augenblicks, den ihr nun nach einem Zeitraum von Milliarden von Jahren bemeßt. Und in diesem heiligen Moment kamt ihr aus den Wassern des Lebens ans Land und erlangtet jene Gestalt, die ihr nun habt.

Dann haben die Verfechter der Evolutionslehre *recht?*

ICH FINDE ES amüsant – es ist wirklich eine Quelle ständiger Belustigung –, daß euch Menschen ein so starkes Bedürfnis beherrscht, alles in richtig oder falsch aufzuteilen. Es kommt euch nie in den Sinn, daß ihr *diese Etiketten erfunden habt*, um das Material – und euer Selbst – definieren zu können.

Ihr (mit Ausnahme eurer besten Geister) verschwendet keinen Gedanken daran, daß etwas richtig und falsch sein kann; daß nur in der Welt der Relativität die Dinge entweder das eine oder das andere sind. In der Welt des Absoluten, der Zeit/Zeitlosigkeit, *sind alle Dinge alles.*

Es gibt kein männlich und weiblich, kein davor und danach, kein schnell und langsam, kein hier und dort, oben und unten, links und rechts – und kein richtig und falsch.

Eure Astronauten und Kosmonauten haben ein Gefühl dafür entwickelt. Sie glaubten sich *hinauf*zuschießen, um in den Weltraum zu gelangen, nur um dann festzustellen, daß sie von dort *zur Erde hinauf*sahen. Oder doch nicht? Vielleicht sahen sie auch zur Erde *hinunter!* Aber wo war dann die Sonne? Oben? Unten? Nein! Da drüben, *links.* Und dann war plötzlich ein Ding weder oben noch unten – es war *seitwärts* ... Und so *verflüchtigten* sich alle Definitionen.

Und so ist es in meiner Welt – *unserer* Welt –, unserem wirklichen Reich. Alle Definitionen verschwinden, was es schwierig macht, über dieses Reich in bestimmten Begriffen überhaupt zu sprechen.

Die Religion ist euer Versuch, über das Unaussprechliche zu sprechen. Das gelingt euch nicht sonderlich gut.

Nein, mein Sohn, die Verfechter der Evolutionslehre haben *nicht recht.* Ich erschuf dies *alles* – in einem Augenblick; in einem einzigen heiligen Moment –, so wie es die Anhänger der Weltschöpfungslehre glauben. *Und* – es geschah alles in einem Evolutionsprozeß, der Abermilliarden *eurer* sogenannten Jahre andauerte, so wie die Verfechter der Evolutionslehre behaupten.

Sie haben beide »recht« .*Es hängt alles davon ab, wie man es betrachtet,* wie eure Raumfahrer feststellen mußten.

Aber die wirkliche Frage lautet doch: Ein einziger heiliger Moment/Milliarden von Jahren – wo ist da der Unterschied? Könnt ihr nicht einfach dem beipflichten, daß manche Fragen des Lebens ein zu großes Rätsel sind, das nicht einmal ihr lösen könnt? Warum dieses Rätsel nicht als heilig betrachten? Warum das Heilige nicht heilig sein und es dabei bewenden lassen?

Ich vermute, wir haben ein unersättliches Bedürfnis nach Wissen.

ABER IHR WISST *bereits!* Ich habe es euch gerade *gesagt!* Aber ihr seid nicht an der wirklichen Wahrheit interessiert, ihr wollt die Wahrheit wissen, *wie ihr sie versteht.* Das ist das größte Hindernis für eure Erleuchtung. Ihr denkt, ihr *kennt* bereits die Wahrheit! Ihr denkt, ihr *versteht* bereits, wie es sich verhält. Also erklärt ihr euch einig mit allem, was ihr seht oder hört oder lest und was in das Paradigma eures Verständnisses fällt, und lehnt alles ab, was nicht hineinpaßt. Und das nennt ihr dann Lernen. Das nennt ihr dann für Unterweisung offen sein. *Doch ihr könnt für Unterweisungen nicht offen sein, solange ihr euch mit Ausnahme eurer eigenen Wahrheit allem verschließt.*

Und deshalb wird auch dieses Buch von manchen als Blasphemie bezeichnet werden, als Teufelswerk.

Doch laßt die hören, die Ohren haben zu hören. Ich sage euch dies: *Dem Gedanken nach solltet ihr niemals sterben.* Eure physische Gestalt wurde als eine herrliche Annehmlichkeit erschaffen, als wundervolles Instrument, als edles Vehikel, das euch gestattet, die Realität zu erfahren, die durch euren Geist entwickelt wurde, damit ihr das Selbst kennenlernt, das ihr in eurer Seele erschaffen habt.

Die Seele ersinnt, der Geist erschafft, der Körper erfährt. Der Kreis ist vollendet. Die Seele erkennt sich dann selbst in ihrer eigenen Erfahrung. Wenn ihr nicht gefällt, was sie erfährt (fühlt), oder sie sich aus irgendwelchen Gründen eine andere Erfahrung wünscht, ersinnt sie sich einfach eine *neue* Erfahrung des Selbst und *ändert* ganz buchstäblich *ihre geistige Vorstellung.*

Bald findet sich der Körper in einer neuen Erfahrung. (»Ich bin die Wiederauferstehung und das Leben« war ein wunderbares Beispiel dafür. Wie, glaubt ihr, hat Jesus das überhaupt bewerkstelligt? Oder glaubt ihr nicht, daß es je geschah? *Glaubt* es. Es ist *geschehen!*)

Doch es verhält sich auch so: Die Seele wird sich nie über den Körper oder Geist hinwegsetzen. Ich habe euch als dreieiniges Wesen geschaffen. Ihr seid drei Wesen in einem, nach meinem Ebenbild geschaffen.

Die drei Aspekte des Selbst existieren gleichrangig. Jeder hat seine Funktion, aber keine davon ist größer oder wichtiger als die andere, und es geht auch im Grunde keine einer anderen *voraus.* Alle sind gleichrangig wechselseitig miteinander verbunden.

Erdenke – erschaffe – erfahre. Was ihr erdenkt, das erschafft ihr; was ihr erschafft, das erfahrt ihr; was ihr erfahrt, das erdenkt ihr.

Und so heißt es folglich: Wenn ihr euren Körper dazu bringen könnt, etwas zu erfahren (nehmen wir zum Beispiel die

Fülle), werdet ihr bald das entsprechende Gefühl in eurer Seele verspüren, die dann eine neue Vorstellung von sich selbst entwirft (sich selbst als ein Wesen der Fülle vorstellt) und somit dem Geist einen diesbezüglichen neuen Gedanken präsentiert. Dem neuen Gedanken entspringt weitere Erfahrung, und der Körper fängt an, eine neue Realität als permanenten Seinszustand zu leben.

Euer Körper, euer Verstand, eure Seele (Geist) sind eins. Darin seid ihr ein Mikrokosmos von mir – dem Göttlichen All, dem Heiligen Allem, der Summe und der letzten Wirklichkeit. Ihr begreift nun, daß ich der Anfang und das Ende von allem bin, das Alpha und das Omega.

Nun werde ich euch das letztliche Mysterium erklären: eure wahre und genaue Beziehung zu mir.

IHR SEID MEIN LEIB.

Was euer Leib für euren Geist und eure Seele ist, das seid ihr für meinen Geist und meine Seele. Und deshalb: *erfahre ich alles, was ich erfahre, durch euch.*

So wie euer Körper, Verstand und eure Seele (Geist) eins sind, sind sie auch in mir eins.

So hat Jesus von Nazareth, der wie viele andere um dieses Mysterium wußte, die unveränderliche Wahrheit gesprochen, als er sagte: *»Ich und der Vater sind eins.«*

Nun will ich euch sagen, daß ihr eines Tages in noch größere Wahrheiten als diese eingeweiht werdet. Denn so wie ihr mein Leib seid, bin ich der Leib eines anderen.

Soll das heißen, du bist *nicht* Gott?

DОCH, ICH BIN Gott, wie ihr ihn gegenwärtig versteht. Ich bin die Göttin, wie ihr sie gegenwärtig begreift. Ich bin der Planer und Schöpfer und Alles, was ihr gegenwärtig kennt und erfahrt, und ihr seid meine Kinder ... so wie ich das Kind eines anderen bin.

Willst du mir damit zu verstehen geben, daß auch Gott einen Gott hat?

ICH WILL SAGEN, daß eure Wahrnehmung von der letztlichen Wirklichkeit begrenzter ist, als ihr dachtet, und daß die letztliche Wahrheit *grenzenloser* ist, als ihr euch vorstellen könnt.
Ich gewähre euch einen winzigen Einblick in die Unendlichkeit – und in die unendliche Liebe. (Einen größeren Einblick könntet ihr in eurer Realität nicht aushalten. Ihr seid kaum fähig, *diesen* zu ertragen.)

Moment mal! Du meinst, ich spreche hier im Grunde *nicht* mit Gott?

ICH HABE DIR gesagt, wenn du dir Gott als deinen Schöpfer und Herrn vorstellst – auch wenn ihr die Schöpfer und Herren eures eigenen Körpers seid –, dann bin ich der Gott deines Verständnisses. Und ja, du sprichst mit mir. War es nicht eine köstliche Unterhaltung?

Köstlich oder nicht, ich dachte, ich spräche mit dem wirklichen Gott, dem Gott der Götter. Du weißt schon – mit dem Generaldirektor, dem Oberhäuptling.

Dᴀs ᴛᴜsᴛ ᴅᴜ, glaub es mir.

Und doch sagst du, daß in dieser hierarchischen Ordnung der Dinge noch jemand über dir steht.

Wɪʀ ᴠᴇʀsᴜᴄʜᴇɴ ɴᴜɴ etwas Unmögliches: nämlich von etwas Unaussprechlichem zu sprechen. Wie ich schon sagte, unternehmen die Religionen diesen Versuch. Wir wollen mal schauen, ob sich das irgendwie zusammenfassen läßt. Immerdar ist länger, als ihr wißt. Ewig ist länger als immerdar. Gott ist mehr, als ihr euch vorstellt. Vorstellung ist mehr als Gott. Gott *ist* die Energie, die ihr Vorstellungskraft nennt. Gott *ist* Schöpfung. Gott *ist* der erste Gedanke. Gott *ist* die letzte Erfahrung. Und Gott ist alles dazwischen.
Hast du je einmal durch ein sehr starkes Mikroskop geblickt oder Bilder oder Filme von einer Molekularbewegung gesehen und gesagt: »Du lieber Himmel, da unten ist ja ein *ganzes Universum*. Und diesem Universum muß ich, der gegenwärtige Beobachter, gleichsam als Gott erscheinen!« Hast du das je gesagt oder diese Erfahrung gemacht?

Ja, ich denke, jeder denkende Mensch hat das.

Iɴ ᴅᴇʀ Tᴀᴛ. Ihr habt euch selbst euren eigenen Einblick in das verschafft, was ich euch hier aufzeige.
Und was würdet ihr tun, wenn ich euch sagte, daß diese Realität, die euch diesen Einblick gewährt hat, *nie endet*?

Erkläre das – ich bitte dich.

297

Nᴍᴍ ᴅᴇɴ ᴋʟᴇɪɴꜱᴛᴇɴ Teil des Universums, den du dir vorstellen kannst. Stell dir den winzigen Materiepartikel vor.

In Ordnung.

Zᴇʀᴛᴇɪʟᴇ ɪʜɴ ɪɴ der Mitte.

Habe ich getan.

Wᴀꜱ ꜱɪᴇʜꜱᴛ ᴅᴜ?

Zwei kleinere Hälften.

Gᴇɴᴀᴜ. Nᴜɴ ᴛᴇɪʟᴇ diese in der Mitte. Was hast du jetzt?

Zwei noch *kleinere* Hälften.

Rɪᴄʜᴛɪɢ. Uɴᴅ ᴊᴇᴛᴢᴛ wieder und *wieder!* Was bleibt übrig?

Winzigere und noch winzigere Partikel.

Jᴀ, ᴀʙᴇʀ ᴡᴀɴɴ *hört es auf?* Wie viele Male kannst du Materie zerteilen, bis sie zu existieren aufhört?

Ich weiß es nicht. Ich vermute, sie hört nie auf zu existieren.

Dᴜ ᴍᴇɪɴꜱᴛ, ᴅᴜ kannst sie nie *völlig zerstören?* Du kannst nur ihre Form verändern?

So sieht es aus.

Iᴄʜ sᴀɢᴇ ᴅɪʀ dies: Du hast gerade das Geheimnis allen Lebens erfahren und einen Blick auf die Unendlichkeit geworfen. Nun habe ich eine Frage an dich.

Nur zu ...

Wᴀs ʟässᴛ ᴅɪᴄʜ denken, daß sich diese Unendlichkeit nur in eine Richtung erstreckt?

Also gibt es kein Ende nach oben hin, wie es auch kein Ende nach unten hin gibt.

Es ɢɪʙᴛ *ᴋᴇɪɴ* oben oder unten, aber ich verstehe, was du meinst.

Aber wenn die Winzigkeit kein Ende hat, dann bedeutet das, daß dies auch auf die Größe zutrifft.

Rɪᴄʜᴛɪɢ.

Wenn die Größe kein Ende hat, gibt es auch kein *Größtes*. Das heißt, im allergrößten Sinn gibt es *keinen Gott*!

Oᴅᴇʀ ᴠɪᴇʟʟᴇɪᴄʜᴛ – *ᴀʟʟᴇs ist Gott, es gibt nichts anderes.*
Ich sage euch dies: Iᴄʜ ʙɪɴ, ᴅᴀs ɪᴄʜ ʙɪɴ.
Und ɪʜʀ sᴇɪᴅ, ᴅᴀs ɪʜʀ sᴇɪᴅ. Ihr könnt nicht nicht sein. Ihr mögt so oft die Form ändern, wie ihr wünscht, aber ihr könnt nicht aufhören zu sein. Doch ihr *könnt* aufhören zu *wissen*, wer-ihr-seid – und in diesem Mangelzustand *nur die Hälfte davon* erfahren.

Das wäre die Hölle.

GENAU. DOCH IHR seid nicht dazu verdammt, nicht in alle Ewigkeit in sie verbannt. Um aus der Hölle herauszukommen – aus dem Nichtwissen –, braucht ihr nur wieder zu wissen.

Es gibt viele Wege und viele Orte (Dimensionen), auf denen und wo ihr dies tun könnt. Ihr befindet euch gegenwärtig in einer dieser Dimensionen. Ihr bezeichnet sie eurem Verständnis nach als die dritte Dimension.

Und es gibt noch viele andere?

HABE ICH EUCH nicht erklärt, daß es in meinem Reich viele Wohnungen gibt? Das hätte ich nicht gesagt, wenn es nicht so wäre.

Dann gibt es *keine* Hölle – nicht wirklich. Ich meine, es *gibt* keinen Ort oder keine Dimension, wohin wir ewig verdammt sind!

WAS HÄTTE DAS für einen Sinn?

Ja, ihr seid stets durch eure Erkenntnis begrenzt, denn ihr seid – wir sind – ein selbsterschaffenes Wesen. Ihr könnt nicht sein, was ihr nicht als Wesen eures Selbst erkennt.

Deshalb ist euch dieses Leben gegeben worden – damit ihr euch selbst in eurer eigenen Erfahrung erkennen könnt. Dann könnt ihr euch eine Vorstellung, einen Begriff davon machen, wer-ihr-wirklich-seid, und euch selbst als das in eurer Erfahrung erschaffen. Und damit vervollständigt sich

der Kreis wieder ... nur ist er nun größer. Und so befindet ihr euch in einem Wachstumsprozeß, oder wie ich es in diesem Buch nenne, in einem Prozeß des *Werdens*.
Es gibt *keine Grenzen* für das, was ihr werden könnt.

Du meinst, ich kann sogar – ja, ich traue mich kaum, es auszusprechen – ein Gott werden ... so wie du?

WAS DENKST DU?

Ich weiß es nicht.

SOLANGE DU ES nicht weißt, kannst du es nicht werden. Denk an das Dreieck – die heilige Dreieinigkeit: Seele – Geist – Körper. Erdenke – erschaffe – erfahre. Denk daran, und ich bediene mich hier eurer Symbolik:

HEILIGER GEIST = INSPIRATION = ERDENKEN/ERSINNEN

VATER = ELTERNSCHAFT = ERSCHAFFEN

SOHN = NACHKOMMENSCHAFT = ERFAHRUNG

Der Sohn erfährt die Erschaffung des erzeugenden Gedankens, der vom Heiligen Geist ersonnen wurde.
Kannst du dir vorstellen, eines Tages ein Gott zu sein?

In meinen kühnsten Träumen.

GUT, DENN ICH sage dir dies: Du bist *bereits* ein Gott. *Du weißt es bloß nicht.*
Habe ich nicht gesagt: »Ihr seid Götter« ?

14

Nun. Ich habe es dir alles erklärt. Das Leben. Wie es funktioniert. Seinen Grund, seinen Sinn und Zweck. Wie kann ich dir noch zu Diensten sein?

Es gibt nichts mehr, was ich noch fragen könnte. Ich bin erfüllt von Dankbarkeit für diesen unglaublichen Dialog. All das war so weitreichend, so umfassend. Und mit Blick auf meine ursprünglichen Fragen stelle ich fest, daß die ersten fünf ausführlich beantwortet sind – die Fragen, die mit dem Leben und mit Beziehungen, mit Geld und Beruf und mit Gesundheit zu tun haben. Wie du weißt, standen auf dieser ursprünglichen Liste weitere Fragen, aber irgendwie erscheinen sie mir nun aufgrund dieser Diskussion irrelevant.

Ja, aber du hast sie gestellt. Laß uns den Rest der Fragen, eine nach der anderen, rasch beantworten.

Die sechste Frage lautete: Welche karmische Lektion soll ich hier lernen? Was versuche ich zu meistern?

Du lernst hier nichts. Du hast nichts zu lernen. Du brauchst dich nur zu erinnern, das heißt: mich zu erinnern.
Was versuchst du zu meistern? Du versuchst das *Meistern selbst* zu meistern.

Siebte Frage: Gibt es so etwas wie Reinkarnation? Wie viele vergangene Leben hatte ich? Was war ich in diesen Leben? Ist »karmische Schuld« eine Realität?

Es IST KAUM zu glauben, daß dies immer noch in Zweifel gezogen wird, obwohl so viele Berichte über vergangene Leben aus absolut zuverlässigen Quellen existieren. Manche dieser Menschen haben mit solch erstaunlich detaillierten Beschreibungen von Ereignissen aufgewartet und derart absolut verifizierbare Informationen geliefert, daß die Möglichkeit, daß sie sie erfunden haben könnten oder die ihnen nahestehenden Personen und die Forscher irgendwie zu täuschen versuchten, völlig ausgeräumt wurde.

Du hattest 647 vergangene Leben, da du auf einer genauen Zahl bestehst. Dies ist dein 648. Leben. Im Laufe dieser Leben warst du *alles*: ein König, eine Königin, ein Diener – ein Lehrer, ein Schüler, ein Meister – ein Mann, eine Frau – ein Krieger, ein Pazifist – ein Held, ein Feigling – ein Mörder, ein Retter – ein Weiser, ein Narr. Du warst *alles*!

Nein, so etwas wie karmische Schuld gibt es nicht – nicht in dem Sinn, wie du die Frage stellst. Eine Schuld ist etwas, was zurückgezahlt werden muß oder sollte. *Du bist nicht dazu verpflichtet, irgend etwas zu tun.*

Doch gibt es gewisse Dinge, die du tun *möchtest*, die zu *erfahren* du wählst. Und einige dieser Entscheidungen hängen davon ab, was du zuvor erfahren hast.

Noch deutlicher läßt sich mit Worten nicht ausdrücken, was ihr Karma nennt. Wenn Karma der angeborene Wunsch ist, besser zu sein, größer zu sein, sich weiterzuentwickeln und zu wachsen, und wenn hierfür die Ereignisse und Erfahrungen der Vergangenheit als Maßstab genommen werden, dann, ja, existiert Karma.

Aber es fordert nichts ein. Nichts wird je eingefordert. Ihr seid – wart immer – ein Wesen der freien Wahl.

Achte Frage: Manchmal fühle ich mich sehr medial. Gibt es so etwas wie »Medialität«? Bin ich medial? Schließen Menschen, die behaupten, medial zu sein, »einen Pakt mit dem Teufel« ?

JA, ES GIBT die Medialität. Du *bist* medial. *Jeder* ist das. Es gibt keine Menschen, die nicht über mediale Fähigkeiten verfügen, wie ihr sie nennt, sondern nur welche, die sie nicht nutzen.

Der Gebrauch der medialen Fähigkeit ist nichts anderes als der Gebrauch eures sechsten Sinns.

Offensichtlich beinhaltet das keinen »Pakt mit dem Teufel«, sonst hätte ich euch diesen Sinn nicht gegeben. Und natürlich *gibt* es keinen Teufel, mit dem ihr einen Pakt schließen könnt.

Eines Tages – vielleicht in Band zwei – werde ich dir genau erklären, wie mediale Energien und Fähigkeiten funktionieren.

Es wird einen zweiten Band geben?

JA, ABER LASS uns zunächst einmal den ersten beenden.

Neunte Frage: Ist es in Ordnung, Geld dafür zu nehmen, daß man Gutes tut? Kann ich, wenn ich mich dazu ent-

scheiden würde, in dieser Welt heilerisch tätig zu sein –
Gottes Werk zu tun –, dies tun und gleichzeitig wohlhabend werden? Oder schließt sich das gegenseitig aus?

DAS HABE ICH bereits beantwortet.

Zehnte Frage: Hat mit dem Sex alles seine Richtigkeit? Sag
schon – was für eine Geschichte steckt wirklich hinter dieser menschlichen Erfahrung? Ist Sex nur für die Fortpflan-
zung da, wie in manchen Religionen behauptet wird? Werden wahre Heiligkeit und Erleuchtung durch Enthaltsamkeit oder durch die Transformierung der sexuellen Energie
erreicht? Ist Sex ohne Liebe in Ordnung? Ist nur das körperliche Gefühl dabei allein schon Grund genug?

NATÜRLICH HAT MIT dem Sex »alles seine Richtigkeit«.
Noch einmal: Wenn ich nicht wollte, daß ihr bestimmte
Spiele spielt, hätte ich euch nicht die entsprechenden Spiel-
zeuge gegeben. Gebt ihr euren Kindern Dinge, mit denen
sie gar nicht spielen sollen?
Spielt mit Sex. *Spielt* damit! Es macht *großen* Spaß. Es ist
doch der größte Spaß, den ihr überhaupt mit eurem Körper
haben könnt, falls du allein von der rein physischen Erfahrung sprichst.
Aber zerstört um Himmels willen die sexuelle Unschuld,
das Vergnügen und die Reinheit des Spaßes und der Freude
nicht dadurch, daß ihr den Sex mißbraucht. Setzt ihn nicht
aus Machtgründen oder für verborgene Zwecke ein, zur
Befriedigung des Egos oder um jemanden zu beherrschen;
nicht für irgendwelche anderen Zwecke außer denen der

geschenkten und miteinander geteilten reinsten Freude und höchsten Ekstase – die *Liebe* ist *wiedererschaffene* Liebe – *‚die das neue Leben ist!* Habe ich nicht einen ergötzlichen Weg gewählt, um *mehr von euch zu machen?*

Was die Enthaltsamkeit im Sinn von Selbstverleugnung angeht, so habe ich bereits darüber gesprochen. Durch Selbstverleugnung ist noch nie etwas Heiliges erreicht worden. Doch *Wünsche* verändern sich in dem Maße, wie immer größere Realitäten geschaut werden. Daher ist es nicht ungewöhnlich, wenn sich Menschen einfach *weniger* oder auch gar keinen Sex wünschen – oder, was das angeht, auch nicht eine ganze Reihe anderer körperlicher Aktivitäten. Für manche sind die Aktivitäten der Seele die vorrangigsten – und auch die bei weitem vergnüglichsten.

Jeder nach seinem persönlichen Belieben, urteilslos – das ist das Motto.

Der letzte Teil deiner Frage wird folgendermaßen beantwortet: Du brauchst keinen Grund für etwas. Sei *nur der Grund.*

Sei der Grund für deine Erfahrung.

Denk daran: Die Erfahrung produziert die Vorstellung vom Selbst, die Vorstellung bewirkt das Erschaffen, das Erschaffen bewirkt die Erfahrung.

Willst du dich selbst als eine Person erfahren, die Sex ohne Liebe praktiziert? Dann mach das! Und zwar so lange, bis du keinen Gefallen mehr daran findest. Und das einzige, was dich dazu bringen wird – je dazu bringen kann –, mit *irgendeiner* Verhaltensweise aufzuhören, ist dein neu auftauchender Gedanke darüber, wer-du-bist.

So einfach ist das – und so komplex.

Elfte Frage: Warum hast du Sex zu einer so guten, so spektakulären, so machtvollen Erfahrung gemacht, wenn wir uns ihm alle so weit wie möglich fernhalten sollten? Und warum sind, wenn wir schon davon reden, alle Dinge, die Spaß machen, entweder »unmoralisch«, »illegal« oder »dickmachend«?

DEN SCHLUSS DIESER Frage habe ich ebenfalls schon mit dem, was ich gerade sagte, beantwortet. Es sind *nicht* alle Dinge, die Spaß machen, »unmoralisch«, »illegal« oder »dickmachend«. Euer Leben ist jedoch eine interessante Übung zur Definition dessen, was ihr unter Spaß versteht. Manche Menschen verstehen unter Spaß Körperempfindungen. Für andere beinhaltet »Spaß« etwas ganz anderes. Das hängt alles davon ab, wer ihr denkt, daß ihr seid und was ihr hier tut.

Über Sex gibt es noch sehr viel mehr zu sagen, als hier gesagt wird – aber nichts Wesentlicheres als das: Sex ist *Freude*, doch viele haben ihn zu allem anderen gemacht als das.

Sex ist auch heilig – ja. Aber Freude und Heiligkeit vertragen sich miteinander (sind tatsächlich dasselbe), und viele von euch denken, daß dies nicht der Fall ist.

Eure Ansichten vom Sex formen sich zu einem Mikrokosmos eurer Einstellungen zum Leben. Das Leben sollte Freude sein, eine Feier, und wurde zu einer Erfahrung der Furcht, der Angst, des »Nicht-Genügens«, des Neids, der Wut und der Tragödie. Das gleiche läßt sich über den Sex sagen.

Ihr habt den Sex unterdrückt, wie ihr auch das Leben unterdrückt habt, statt das Selbst voll und ganz in Hingebung und Freude zum Ausdruck zu bringen.

Ihr habt aus dem Sex eine Schmach gemacht, wie ihr auch aus dem Leben eine Schmach gemacht habt; ihr habt den Sex als etwas Übles und Verderbtes bezeichnet statt als ein höchstes Geschenk und allergrößtes Vergnügen.

Bevor du Protest einlegst und erwiderst, daß ihr das Leben nicht schmäht, solltest du einen Blick auf eure kollektiven Einstellungen zum Leben werfen. Vier Fünftel der Weltbevölkerung betrachten das Leben als eine Prüfung, als Drangsal und Leiden, als Probezeit, als abzutragende karmische Schuld, als Schule der harten Lektionen, die gelernt werden müssen, und ganz allgemein als eine Erfahrung, die zu ertragen ihr gezwungen seid, während ihr auf die *wirkliche* Freude wartet, die erst *nach dem Tod* kommt.

Es *ist* eine Schande, daß so viele von euch so *denken*. Kein Wunder, daß ihr genau den Akt, der Leben erschafft, mit Schmach und Schande belegt habt.

Die dem Sex zugrundeliegende Energie ist die dem Leben zugrundeliegende Energie; sie *ist* Leben! Das Gefühl der Anziehung und das intensive und oft dringliche Verlangen, sich *aufeinander* zuzubewegen, eins zu werden, ist die wesentliche Dynamik alles Lebendigen. Ich habe sie in alles integriert. Sie ist Allem-Was-Ist eingewurzelt, inhärent, *innewohnend*.

Die Moralvorschriften, die religiösen Schranken, die gesellschaftlichen Tabus und die emotionalen Konventionen, die von euch um den Sex herum errichtet wurden (übrigens auch um die Liebe – und alles im Leben), haben euch faktisch jeglicher Möglichkeit beraubt, *euer Sein zu feiern*.

Seit Anbeginn der Zeit hat der Mensch eigentlich immer nur eines gewollt: lieben und geliebt werden. Und seit Anbeginn der Zeit hat der Mensch alles in seiner Macht Stehende getan, um dies unmöglich zu machen. Sex ist eine außergewöhnliche Ausdrucksform von Liebe – Liebe zu einer anderen Person, Liebe zum Selbst, Liebe zum *Leben*. Daher solltet ihr ihn *lieben*! (Und ihr tut es – ihr könnt nur niemandem *sagen*, daß ihr es tut; ihr wagt nicht zu *zeigen*, wie *sehr* ihr ihn liebt, um nicht als pervers bezeichnet zu werden. Doch *dieser* Gedanke ist es, der *pervers* ist.)

In unserem nächsten Buch werden wir den Sex einer viel genaueren Betrachtung unterziehen, seine Dynamik sehr viel detaillierter erkunden. Denn es handelt sich hierbei um eine Erfahrung und ein Thema mit umfassenden Implikationen von globalen Ausmaßen.

Für den Moment – und an dich persönlich gerichtet – sollst du einfach dies wissen: *Ich habe euch nichts Schändliches und Schmachvolles gegeben, am allerwenigsten euren Körper und seine Funktionen. Es besteht keine Notwendigkeit, euren Körper oder seine Funktionen zu verstecken – und auch nicht die Liebe für ihn und füreinander.*

Eure Fernsehsender denken sich nichts dabei, nackte Gewalt zu zeigen, scheuen jedoch davor zurück, nackte Liebe zu zeigen. Eure ganze Gesellschaft spiegelt diese Priorität wider.

Zwölfte Frage: Gibt es Leben auf anderen Planeten? Sind wir von Außerirdischen besucht worden? Werden wir jetzt beobachtet? Werden wir noch zu unseren Lebzeiten einen unwiderlegbaren und unstrittigen Beweis dafür erhalten?

Hat jede Lebensform ihren eigenen Gott? Bist du der Gott von Allem?

Jeweils ein Ja als Antwort auf den ersten, den zweiten und den dritten Teil. Den vierten Teil kann ich nicht beantworten, denn das würde ein Vorhersagen der Zukunft bedingen – darauf möchte ich vorerst verzichten.
Wir werden jedoch im zweiten Band viel ausführlicher über die sogenannte Zukunft sprechen – und wir werden uns im dritten Band mit dem außerirdischen Leben und den Natur(en) Gottes befassen.

Ach du meine Güte. Es gibt auch noch einen *dritten Band?*

Lass mich hier den Plan skizzieren.
Der erste Band enthält die Grundwahrheiten, die primären Verständnisgrundlagen und beschäftigt sich mit wesentlichen persönlichen Belangen und Themen.
Der zweite Band soll weitreichendere Wahrheiten, umfassendere Verständnisgrundlagen enthalten und globale Belange und Themen ansprechen.
Der dritte Band soll die weitestreichenden Wahrheiten, die ihr gegenwärtig zu verstehen in der Lage seid, enthalten und universelle Belange und Themen ansprechen – Angelegenheiten, mit denen alle Wesen des Universums befaßt sind.
Wie du ein Jahr gebraucht hast, um dieses Buch zu beenden, wird dir auch für die nächsten beiden Bücher jeweils ein Jahr gegeben. Die Trilogie wird am Ostersonntag 1995 vollendet sein.

Ich verstehe. Ist das ein Befehl?

NEIN. WENN DU eine solche Frage stellen kannst, hast du nichts von all dem in diesem Buch begriffen.
Du hast die *Wahl* getroffen, diese Arbeit zu übernehmen – und du bist ausgewählt worden. Der Kreis ist vollendet. Verstehst du?

Ja.
Dreizehnte Frage: Wird sich Utopia je auf diesem Planeten verwirklichen? Wird sich Gott, wie versprochen, den Menschen auf dieser Erde je zeigen? Gibt es so etwas wie die Zweite Ankunft? Wird es jemals ein Ende der Welt geben, oder eine Apokalypse, wie es die Bibel prophezeit? Gibt es eine einzige wahre Religion? Und wenn ja, welche?

DIESE THEMATIK BEANSPRUCHT ein Buch für sich und wird weitgehend Bestandteil des dritten Bandes sein. Ich habe diesen Eröffnungsband auf die persönlicheren Belange, die praktischeren Themen und Probleme beschränkt. Ich werde in den Folgebänden zu den größeren Fragen und Angelegenheiten mit ihren globalen und universellen Implikationen übergehen.

War's das? Ist das für den Moment alles? Hören wir nun einstweilen auf, miteinander zu reden?

VERMISST DU MICH schon?

Ja! Es hat Spaß gemacht! Hören wir nun auf?

Du brauchst eine kleine Pause, wie auch deine Leserinnen und Leser eine benötigen. Es gibt nun eine Menge zu verarbeiten. Eine Menge, um sich damit auseinanderzusetzen. Eine Menge, um darüber nachzusinnen. Nehmt euch ein bißchen Zeit. Denkt darüber nach. Laßt es auf euch einwirken.

Fühlt euch nicht verlassen. Ich bin immer bei euch. Ihr sollt nämlich wissen: Wenn ihr Fragen – alltägliche Fragen – habt, wie ihr sie, wie ich weiß, bereits jetzt habt und weiterhin haben werdet, könnt ihr mich immer anrufen, um eine Antwort zu erhalten. Ihr braucht dazu nicht dieses Buch.

Dies ist nicht die einzige Weise, in der ich zu euch spreche. Lauscht in der Wahrheit eurer Seele, in den Gefühlen eures Herzens, in der Stille eures Geistes auf mich.

Hört mich überall. *Wißt* einfach: Wann immer ihr eine Frage habt, habe ich sie *bereits* beantwortet. Öffnet dann die Augen für eure Welt. Meine Antwort könnte sich in einem bereits veröffentlichten Artikel finden. In einer bereits geschriebenen Predigt, die demnächst gehalten wird. In einem Film, der jetzt gedreht wird. In einem Song, der gestern komponiert wurde. In den Worten, die eine geliebte Person gleich aussprechen wird. Im Herzen einer Person, die bald zu einem neuen Freund wird.

Meine Wahrheit existiert im Flüstern des Windes, im Plätschern des Baches, im Krachen des Donners, im Rauschen des Regens.

Sie existiert in der Atmosphäre der Erde, im süßen Duft der Rose, in der Wärme der Sonne, in der Anziehungskraft des Mondes.

Meine Wahrheit – und die euch gewisseste Hilfe in Zeiten der Not – ist so ehrfurchtgebietend wie der Nachthimmel und so einfach und unstrittig vertrauensvoll wie das Gebrabbel eines Babys.

Sie ist so laut wie ein pochender Herzschlag – und so still wie ein in der Einheit mit mir gemachter Atemzug.

Ich werde euch nicht verlassen, ich *kann* euch *nicht* verlassen, denn ihr seid meine Schöpfung und mein Werk, meine Tochter und mein Sohn, mein Zweck und mein Ziel und mein …

Selbst.

Daher ruft mich an, wo immer und wann immer ihr vom Frieden, der ich bin, getrennt seid.

Ich werde dasein.

Mit Wahrheit.

Und Licht.

Und Liebe.

Schlußbemerkung

Seit mir die in diesem Buch enthaltenen Informationen zuteil wurden und sich dies herumgesprochen hat, habe ich viele Anfragen zu deren Empfang wie auch zum Dialog selbst beantwortet. Ich respektiere jede Frage und die Aufrichtigkeit, mit der sie gestellt wird. Die Menschen wollen einfach mehr darüber wissen – und dies ist auch verständlich. Und obwohl ich mir wünschte, ich könnte jeden Anruf persönlich entgegennehmen und jeden Brief selbst beantworten, ist dies einfach nicht möglich. Abgesehen von anderen Dingen würde ich sehr viel Zeit darauf verwenden, im wesentlichen immer wieder auf die gleichen Fragen einzugehen. Ich habe beschlossen, einen monatlichen Rundbrief für all diejenigen zu verfassen, die hinsichtlich dieses Dialogs Fragen oder Kommentare haben. Der monatliche Rundbrief ist auf Anfrage erhältlich bei

> Conversations with God Foundation
> PMB 1150, 1257 Siskiyou Blvd.
> Ashland, Oregon 97520, USA
> E-Mail: cwgfoundation@cwg.info

Ich freue mich, daß Sie mit mir an diesem außergewöhnlichen Dialog teilhaben konnten. Ich wünsche Ihnen die höchsten Erfahrungen all der reichen Segnungen des Lebens und ein Gewahrsein von Gott, das Ihnen allzeit und bei allen Ihren Bestrebungen Frieden, Freude und Liebe bringt.

Sie können noch mehr tun, wenn Sie sich wirklich an der Aktivierung der Botschaft, die Sie in den drei Bänden der *Gespräche mit Gott* gefunden haben, beteiligen möchten. Als ersten Schritt können Sie anderes wichtiges Material zu den in der Trilogie angesprochenen Themen lesen. Einem entsprechenden Vorschlag in diesem Dialog Folge leistend, habe ich nachgeforscht, bin fündig geworden und möchte Ihnen nun eine kurze, aber beeindruckende Leseliste ans Herz legen. Ich habe die Liste »Acht Bücher, die die Welt verändern können« genannt.

1. *The Healing of America* von Marianne Williamson. Ein wichtiges Buch voll mit treffenden Einsichten und starken Lösungsvorschlägen. Es bietet all denen reiche Nahrung, die ernsthaft darüber nachdenken, wo wir als Individuen, als Nation und als Spezies stehen, und wohin wir gehen wollen. Es ist das neueste Buch von einer Frau von ungewöhnlichem Mut und sozialem Engagement, ein Buch, das sich an alle wendet, die eine neue Welt anstreben.

2. *Unser ausgebrannter Planet* von Thom Hartmann. Ein Buch, das Sie schockieren und wachrütteln ... und vielleicht auch verärgern wird. Was auch immer, es wird Sie keinesfalls unberührt lassen. Sie werden Ihr Leben und das Leben auf diesem Planeten nie wieder auf dieselbe Weise erfahren können – und das wird für Sie *und* den Planeten gut sein. Leicht zu lesen, dringlich und eindringlich.

3. *Conscious Evolution – Awakening the Power of Our Social Potential* von Barbara Marx Hubbard. Ein Dokument von atemberaubender Weitsicht und Visionskraft –

eloquent, unwiderstehlich und klug in seiner Beschreibung, wo wir als *Homo sapiens* herkommen und worauf wir zugehen. Ein Buch, das uns mit einem Satz auf eine neue Bewußtseinsebene unserer Möglichkeiten hebt. Ein inspirierender Aufruf an unser höchstes Selbst, jetzt, da wir in eine Zeit der gemeinsamen Erschaffung des neuen Jahrtausends eintreten.

4. *Reworking Success* von Robert Theobald, der als einer der zehn wichtigsten und einflußreichsten Futuristen unserer Zeit bezeichnet wurde. Ein kleines Buch mit einer großen Botschaft: Wenn wir nicht aufs neue darüber entscheiden, was wir in dieser Kultur »Gewinnen« nennen wollen, wird es unsere Kultur bald nicht mehr geben. Unsere alten Vorstellungen darüber, was gut für uns ist, bringen uns um.

5. *Prophezeiungen von Celestine* von James Redfield. Dieses Buch bietet einen Wegweiser in eine neue und mögliche Zukunft, es zeigt einen Pfad in ein wundervolles Morgen auf, wenn wir ihn nur gehen wollten. Die einfachsten und tiefsten Wahrheiten werden uns vor Augen geführt, um sie als Werkzeug für die Erschaffung eines Lebens zu nutzen, das wir uns alle schon so lange erträumt haben. Plötzlich rückt dieser Traum in Reichweite.

6. *The Politics of Meaning* von Michael Lerner. Bodenständig und doch wundervoll erhebend tritt dieses Buch beredt für Vernunft, Mitgefühl und einfache menschliche Liebe in der Politik, Wirtschaft und Welt der Konzerne ein. Es enthält verblüffende Ideen und wunderbare Visionen in bezug darauf, wie unsere Welt funktionieren

könnte, wenn wir nur die Mächtigen dazu bringen könnten, Interesse zu bezeugen und Fürsorge walten zu lassen – samt Vorschlägen, wie wir das bewirken könnten.

7. *The Future of Love* von Daphne Rose Kingma. Dies ist eine glänzende Erforschung eines neuen Wegs, einander zu lieben – ein Weg der Anerkennung der Seelenkraft in intimen Beziehungen. Mit seinen tiefen Erkenntnissen und in seiner wagemutigen Frische entfernt sich dieses Buch in einem atemberaubenden Schritt vom traditionellen Denken und eröffnet uns die Möglichkeit, zum wahrsten und tiefsten Verlangen unseres Wesens ja zu sagen: voll und ganz zu lieben.

8. *Ernährung für ein neues Jahrtausend* von John Robbins. Eine sehr komplexe Abhandlung über ein einfaches Thema: Ernährung. Eine Offenbarung. Die Gifte, die wir zu uns nehmen, und die armselige Qualität unserer Nahrungsmittel werden auf eine Weise erforscht, die Ihre Einstellung gegenüber dem, was Sie Ihrem Körper zuführen, grundlegend verändern wird. Dieses Buch ficht die Annahme an, daß es gut ist, Fleisch von toten Tieren zu essen, und legt verblüffende Beweise dafür vor, daß ein Verzicht auf Fleisch sowohl wirtschaftlich wie auch gesundheitlich von Nutzen ist.

Alle diese Bücher präsentieren einen Entwurf für das Morgen. Sie sind voll mit Ideen, was *Sie, jetzt, unternehmen können*, um die Dinge zum Besseren zu wenden und eine langfristige Veränderung in unserer Welt herbeizuführen.

Neale Donald Walsch

Der erste und grundlegende Band der »Gespräche mit Gott«-Trilogie – ungekürzt als Hörbuch!

Neale Donald Walsch
Gespräche mit Gott
7 CDs
ISBN 3-442-33683-X

Liebe Freundin, lieber Freund,

die Botschaft der »Gespräche mit Gott« hat das Leben vieler Menschen überall auf der Welt berührt. Einige von denen, bei denen diese Buchreihe einen tiefen Eindruck hinterlassen hat, wurden dazu inspiriert, Studiengruppen oder -zentren bei Ihnen vor Ort einzurichten. Um Sie dabei zu unterstützen, die Botschaft von »Gespräche mit Gott« weiterzutragen und ein Teil des Transformationsprozesses unserer Welt zu sein, haben Menschen im deutschsprachigen Raum eine Vereinigung mit dem Namen *Humanity's Team Deutschland* gegründet. Weitere Informationen sind erhältlich bei
Humanity's Team Deutschland
Postfach 610190
10922 Berlin

www.gespraechemitgott.org
und www.humanitysteam.de